hunangofiant Meic
Stephens
cofnodion

hunangofiant Meic
Stephens
cofnodion

i Ruth:
diolch am fod yn gall, hael,
stansh a siriol ym mhob dim

Argraffiad cyntaf: 2012

© Hawlfraint Meic Stephens a'r Lolfa Cyf., 2012

Dymuna'r cyhoeddwyr gydnabod cymorth ariannol
Cyngor Llyfrau Cymru

Llun y clawr: Portread o Meic Stephens
© Lorraine Bewsey o'i chyfres 'Poet Portraits'
www.lorrainesartstudio.co.uk
Cynllun y clawr: Y Lolfa

Rhif Llyfr Rhyngwladol: 978 1 84771 430 5

FSC

Cyhoeddwyd, rhwymwyd ac argraffwyd yng Nghymru gan
Y Lolfa Cyf., Talybont, Ceredigion SY24 5HE
gwefan www.ylolfa.com
e-bost ylolfa@ylolfa.com
ffôn 01970 832 304
ffacs 832 782

1

Y tŷ lle'm ganwyd

PLENTYN Y GYMRU ddiwydiannol, Saesneg ei hiaith ond Gymreigaidd ei chymeriad, ydw i, a mab y dosbarth gweithiol. Cetho i fy ngeni a'm cwnnu yn Nhrefforest, nepell o Bontypridd yng nghanol yr hen Sir Forgannwg. Ffowndri, pwll, ffwrnais, tip, partin, gwli, simne, tramwe, camlas, ffîder, teras, hwter, rheilwe, ffatri, capel, sinema ac afon lawn o luwch glo – dyna brif nodweddion y dirwedd yn y parthau hyn. O ffenestr ein cegin gwelwn y trenau'n mynd lan y lein i'r Rhondda, Aberdâr a Merthyr Tudful ac i lawr hyd ddociau Caerdydd a'r Barri, yn ddi-baid, ddydd a nos.

Cyfoeth sylweddol y teulu Crawshay o'dd wedi datblygu'r pentre yn ganolfan fwyndoddi tun yn gynnar yn y bedwaredd ganrif ar bymtheg. Fforest Isaf o'dd enw cyntaf y tŷ ar lethrau Coed Berthlwyd, ac o weithfeydd y Fforest y ca's y dreflan ei henw. Buws Trefforest yn gymuned o bwys yn y dyddiau hynny, ymhell cyn bod sôn am Newbridge, yr enw gwreiddiol ar Bontypridd. Safai adeiladau anferth y melinau tun wrth waelod ein hewl ni, y tu hwnt i'r Bute, sef arglawdd coediog a enwyd ar ôl yr hen Farcwis, adeiladydd Caerdydd, a o'dd piau dicyn o dir yn yr ardal hon hefyd. Ar hyd y Bute bu'r Taff Vale Railway yn rhedeg cyn croesi afon Taf ar ei ffordd i lawr y Cwm; rhedai lein arall i ddociau'r Barri a adeiladwyd gan David Davies, Llandinam, i gystadlu â buddiannau'r Marcwis. Ro'dd gweld tryciau gydag enwau pyllau enwog ar eu hochrau yn mynd heibio ein tŷ byth a beunydd yn brawf, yn ein golwg ni, bod Trefforest yng nghanol prysurdeb maes glo de Cymru yn y dyddiau hynny; eitha' reit, hefyd.

Pan o'n i'n fachgen buws hen drigfan Francis Crawshay, a welwn o'n cegin, yn adnabyddus fel cartref i Ysgol Mwyngloddiau De Cymru a Sir Fynwy, er bod pobol leol yn ei galw'n 'Mining School' neu, yn fwy cwta fyth, 'The School'. Swyddogaeth wreiddiol y lle, a gynhelid gan berchnogion y pyllau glo, o'dd hyfforddi gweithwrs medrus yn y diwydiannau trymion cyn dyddiau gwladoli. Gyda threigl amser fe dyfws yr ysgol, yn ei thro, yn Goleg Technegol Morgannwg, yn Bolytechnig Morgannwg, yn Bolytechnig Cymru ac yna, ym 1992, yn Brifysgol Morgannwg. Un o hoff ddifyrion bechgyn y pentre, a minnau yn eu plith, o'dd sleifio dros y lein a thowlu cerrig bach at ffenestri'r tŷ cyn ei gwanu hi sha'r twyni cerrig calch, sef y wast o ffwrneisi gweithfeydd y Fforest, lle saif rhai o brif adeiladau'r Brifysgol heddi. Ni wyddwn ar y pryd y buaswn yn cael cysylltiad agosach â Thŷ Fforest yn y man.

Fel y mae'r bardd Thomas Hood yn ein hatgoffa, dyw dyn ddim yn anghofio'n hawdd y tŷ lle ganwyd ef, ac rwy'n cofio 50 Meadow Street yn ei holl fanylder cyffredin. Ar ben hynny, rwyf wedi darllen yn rhywle nad yw plentyn yn ymwybodol o'i gartref a'i dylwth nes cyrraedd o leiaf naw neu ddeng mlwydd o'd. Os felly, tybiaf fy mod i'n gallu dwyn i'r cof y foment pan ddigwyddws hyn yn fy hanes i. Rhaid taw rhyw ddiwetydd yn ystod gaeaf garw 1947 o'dd hi, pan o'n i'n naw mlwydd o'd, oherwydd ro'dd hi wedi bod yn bwrw eira ers wythnosau a'n byd bach mewn hiff hyd dop y ffenestri. Bu'r tân glo'n llosgi'n braf yn y grât, y weirles ymla'n a Mam-gu a Thad-cu, neu Nan a Gramp, fel y galwn rieni Mam, yn ishta o bobtu'r pentan, fy nhad yn fishi gyda phapurau ei undeb, Mam yn gwnïo yn ei chadair freichiau a'm brawd Lloyd, pedair blwydd o'd ar y pryd, yn 'whara gyda'i soldiwrs plwm, pan ddigwyddais ddishcwl lan a'u gweld nhw'n glir, mewn tablo byw, megis am y tro cyntaf erio'd. Mae'r darlun hwn yn sefyll yn fy nghof hyd y dydd hwn fel un o ddatguddiadau bore o's.

Ble bynnag arall rwyf wedi trigo ar hyd y blynyddo'dd, o'r tŷ bychan hwnnw yn Meadow Street mae fy atgofion cynharaf yn deillio ac yno, wrth imi fynd i o'd, mae fy meddyliau'n dychwelyd gan amlaf, yn enwedig yn ystod y munudau cyn cwsg, i amser a lle a phobol a adawodd farc annileadwy arno i. Pleser yw cael cyfle i fanylu rhywfaint arnynt nawr.

Gwelais olau dydd am y tro cyntaf ar 23 Gorffennaf 1938. Des i'r byd hwn yng ngwely fy rhieni, a ffenestr y llofft ar ei hanner oherwydd y tywydd clòs a phoenau Mam i'w clywed tu fas yn y stryd. Toc wedyn fe a'th Gramp, a o'dd yn dicyn o lymeitiwr, i wahodd y cymdogion i wlychu pen y babi o faril o seidr ro'dd e wedi bod yn ei gatw yn y sgyleri. Cetho i fy medyddio'n Michael oherwydd, 'whedl hithau, ro'dd Mam-gu'n ffan fawr o'r actor Michael Wilding, a'i ben-blwydd yntau ar y 23ain o Orffennaf. Hei lwc na chetho i'r enw Haile Selassie, un arall a anwyd ar yr un diwrnod.

Tair llofft o'dd yn ein tŷ ni. Cysgai fy rhieni yn y ffrynt, Nan a Gramp yn y cefen a'm brawd a finnau yn y llofft leiaf, neu'r bocs rŵm, a o'dd prin ddigon mawr i ddal gwely cul, cwpwrdd a chadair. A gweud y gwir, ro'dd yr ystafell mor gyfyng fel bod rhaid inni fatryd ein dillad bob yn ail tra o'dd y llall yn gorwedd ar y gwely. Ond nace diosg ein crysau a wnaethon, cofiwch: ro'dd y llofft mor o'r yn ystod y gaeaf, cyn dyddiau gwres canolog, fel bod rhaid catw ein crysau, gan nad o'dd pyjamas yn rhan o'n wardrob yn y dyddiau hynny. Un o'm hoff bleserau hyd heddi yw gwisgo crys yn y gwely yn ystod nosweithiau'r gaeaf, os yw Ruth, fy ngwraig, yn caniatáu; nid hawdd yw gollwng arferion plentyndod. Ac ni wa'th pa effaith a ga's y *madeleine* enwog ar yr hen Marcel, mae'n rhyfedd shwt mae'r atgofion yn byrlymu wrth imi feddwl am wisgo fy nghrys yn y llofft fach honno ers llawer dydd.

Os o'dd y bocs rŵm yn gyfyng, do'dd gweddill 50 Meadow Street ddim yn llawer helaethach. Adeiladwyd y tŷ mewn gwli, sef bwlch rhynt y tai, ac felly ro'dd yn dicyn llai na'r lleill yn y rhipin. Eto i gyd, doeddwn i ddim yn llawn sylweddoli pa mor fach o'dd fy nghartref mewn gwirionedd nes gweld disgrifiad ohono yn y ddogfen gyfreithiol a osodai'r brydles i Nan a Gramp am dymor o 99 o flynyddo'dd, gan gychwyn ym 1905. Perchnogion y drigfan o'dd Francis Crawshay a'i feibion, Tudor a de Barri Crawshay, gwŷr bonheddig gyda chyfeiriadau yn ne Lloegr. Dyma shwt y disgrifiwyd eu heiddo: 'All that piece or parcel of land on which the said messuage or dwelling-house stands measures thereat some two hundred and five square yards or thereabouts...'.

Ar yr un pryd ro'dd y Crawshays sgilffeth wedi cynnwys yn y ddogfen nifer o gymalau llym, fel eu hawl i unrhyw lo a orweddai o dan rif 50, heb iawndal, ac un arall a o'dd yn gwahardd y deiliaid rhag gosod y tŷ i 'tanners, soap-makers, farriers, knackers, blacksmiths, inn-keepers or wine-merchants...' Dirdishéfoni! Unig fwriad Charlie a Lilian Symes o'dd byw yn y tŷ yn dawel a'i alw'n gartref, a dyna a wnaethant am weddill eu ho's. Ym 1910 ganwyd eu hunig blentyn, Alma, sef Mam, yn yr un gwely lle'm ganwyd innau, ac ym 1936 fe dda'th hi â'i gŵr, Arthur, sef Nhad, i fyw o dan yr un to. Prynwyd y tŷ gan fy rhieni am y swm arswydus o £500 yn ystod y Pum Degau, wedi i'r Crawshays ollwng eu gafael ar y brydles.

Beth gawsant am eu harian? Tŷ bychan mewn cyflwr gweddol ac mewn cymdogaeth ddigon dymunol heb fod ymhell o'r orsaf drydan yng Nglan-bad, ychydig o filltiroedd i lawr y Cwm, lle buws fy nhad yn gyrru un o'r tyrbinau. O'r ffenestr ffrynt do'dd dim llawer i'w weld: dim ond y tai ar ochor arall yr hewl, pob un wedi ei adeiladu, fel ein tŷ ni, mewn carreg Pennant gyda thrimins o friciau coch a melyn. Tu fewn, perthyn i'r o's o'r bla'n o'dd y celfi a 'whaeth yr addurno. Ro'dd 'na olau nwy yn y pasej a hefyd yn y rŵm ffrynt, a gadwyd ar gyfer pobol ddiarth ac achlysuron arbennig fel y Nadolig. Yn y cwtsh dan stâr, rhyw fath o gwpwrdd tywyll â gwynt trymaidd iddo, ro'dd cybolfa o hen geriach, ac am y rheswm yma mynnai Gramp, a o'dd yn hoff iawn o eiriau ffansi, ei alw'n *lazaretto*, gair arall am stôr-rŵm, am wn i. Yma, yn ystod y rhyfel, pan o'dd awyrennau Almaenig yn grwnan lan y Cwm ar sgowt am lefydd i ollwng eu bomiau, y bydden ni'n cwalo nos ar ôl nos nes bod hwteri'r pyllau'n seinio'r *all clear*. Mae sŵn seiren ar y teledu, fel a geir ar ddiwedd *Dad's Army*, yn hala ysgryd arno i hyd y dydd hwn. Da'th dau soldiwr Seisnig i letya gyda ni am ychydig ym 1944 a'r cof amdanynt sy'n sail i'm stori fer 'Strangers', un o'r pethau gorau imi 'sgrifennu erio'd, os ga' i weud.

Mae 'da fi frith gof hefyd am Lord Haw-Haw yn bygwth un noson y byddai'r Luftwaffe yn gollwng bom ar Meadow Street, Long Row a Raymond Terrace, er fy mod i'n amau erbyn hyn taw'r siarad am y bygythiad yn hytrach na'r darllediad ar y weirles a glywais i. Eto i gyd, gollyngwyd ambell i fom ar y bryniau o gwmpas Trefforest mewn mannau lle ro'dd pobol wedi cynnu coelcerthi i gamarwain y Luftwaffe, a dinistriwyd rhan o ysgol ym Mhontypridd. Pan ddiflannws y plât bach metal oddi ar ein drws cefen, gwetws Nhad ei fod wedi mynd i wneud bwled i saethu Almaenwr, ac ro'n i'n falch am hynny. Ceisiais grisialu fy atgofion am dyfu lan yn Nhrefforest yn ystod y rhyfel yn 'Cerddi R'yfelwr Bychan', dilyniant o gerddi a dda'th yn agos at gipio'r Goron yn 2005.

Yng nghefen y tŷ, yn y scyleri neu bantri, ro'dd 'na dap dŵr o'r, bosh (hen air y gweithwrs alcam am sinc) a llawr fflags, ac yn y fan hyn y cedwid bwydydd y teulu a phethau coginio. Dw'i ddim yn cofio'r achlysur ond yma, yn ôl fy mam, y rhoddwyd nodwydd yn fy meingefen pan o'n i'n flwydd o'd gan Doctor Gwyn Evans, meddyg y teulu, yn erbyn llid yr ymennydd. Yn y scyleri hefyd y byddai'n rhaid cynhesu dŵr ar dân y gegin a'i dywallt i fàth tun hir a gedwid mas y bac. Yn yr iard ro'dd tŷ bach neu'r *dubs*, ei waliau wedi eu cannu, gyda darnau o'r *Echo* wedi eu torri'n daclus ac yn hongian ar hoelen enfawr, a hefyd pwt o bridd lle tyfai rhes o astars, mwyar cochion a pherth brifet. Yn y sied ro'dd Nhad yn catw ei feic a Gramp ei dŵls. Ro'dd 'na hefyd fangl ar gyfer y golch a lein ddillad â chadw-mi-gei ar ffurf goliwog ar ben y polyn. Dros y wal isel ro'n ni'n gallu sgwrsio â Tom a Blodwen Jones, Cymry Cymraeg o'r Fro, halen y ddaear a chymdogion da ar hyd y blynyddo'dd.

Trwy ddrws y bac aem mas i'r cae eponymaidd i helpu gyda'r cynhaea ac i ddal cwningod ar y Bute a brithyll yn Nant y Fforest, pethau pur anghyffredin mewn ardal ddiwydiannol, ond felly y bu. Ar y Bute gwelais ganddo, twrch daear, wiwer, brithyll a gwdihŵ am y tro cyntaf ac, er mawr cywilydd imi erbyn hyn, dwgyd wyau o nythod adar o bob math hefyd. Yn ystod nosweithiau'r haf a'r gaeaf ro'n i'n rhydd i grwydro'r ardal i 'whara pa gêm bynnag o'dd yn boblogaidd ymhlith plant ar y pryd. Treuliais oriau ar eu hyd yn rhôl-sglefrio o gwmpas y pentre. Yr unig dro imi ddod o fewn cyrraedd anhap o'dd pan gwympws fy ffrind oddi ar y trawstiau tra oeddem yn 'whara wrth ymyl cored Glyn-taf, a boddi – damwain sy'n cael ei chofnodi yn fy ngherdd 'Elegy for Wiffin'.

Do'dd fawr o newid i'r tŷ yn ystod fy mhlentyndod. Yn y gegin, sef ein hystafell fyw, lle o ryw bedair llathen wrth bedair llathen, ro'dd 'na grât haearn ddu â rêl a ffender bres, pâr o ganwyllbrennau, cloc a thegell mawr a safai wastad wrth ochor y tân. Dyma lle ro'dd y 'whech ohonom yn byw'n hapus o ddydd i ddydd, yn bwyta, 'whara, cloncan, darllen a gwrando ar y weirles, o fla'n tân nas diffoddwyd erio'd oblegid do'dd gyda ni ddim unrhyw fodd arall o sychu dillad. Ar y llawr carreg, matiau wedi eu plethu â phegiau a sachliain mewn patrymau a o'dd, fe hoffwn feddwl, yn grefft draddodiadol ymhlith ein sort ni. Cedwid y llestri gorau mewn cwpwrdd ar y wal tu ôl i ddrysau gwydr ac yn y seidbord ro'dd lle i gyllyll a ffyrc a phetheuach felly.

Ar wal arall ro'dd 'na wiwer, cnocell y co'd a glas y dorlan wedi eu stwffio, a thri chês o bili-palas, eu lliwiau wedi gwywo bripsyn, a dda'th o gartref Gramp yn Llundain: ro'dd ei dad, James Symes, na gwrddais i erio'd, yn dacsidermydd. Wedi i Gramp farw yn 77 mlwydd o'd ym 1957, fy ail flwyddyn yn y coleg, llosgodd Nan y cyfan oherwydd, meddai, ro'dd hi wastad wedi casáu'r creaduriaid marw a o'dd yn esgus bod yn fyw. O ganlyniad, yr unig enghraifft o grefftwaith fy hen dad-cu sydd wedi goroesi, hyd y gwn i, yw pâr o dwcaniaid sy'n clwydo'n dawel yn ein hystafell houl, a roddwyd imi gan gyfnither Mam. Mae'r fenyw hon yn byw yng Ngwlad yr Haf ac, wedi fy ngweld ar S4C yn sôn am Drefforest, fe dda'th ar y ffôn ar unwaith ac, yn y man, yn hael iawn, cyflwyno'r ddau aderyn, sydd wedi catw eu lliwiau'n rhyfeddol o dda fel mewn hysbyseb am Guinness, i or-ŵyr ei thad-cu. Ein henwau ni arnynt yw Ronech ac Echni.

Ro'dd pethau'n bownd o newid yn rhif 50, wrth gwrs. Digwyddws y newidiadau mwyaf yn ystod fy mlwyddyn olaf yn Ysgol Ramadeg y Bechgyn a'm blwyddyn gyntaf yn y coleg. Tynnwyd yr hen grât haearn mas a rhoddwyd un â theils modern yn ei lle, a gosodwyd carped am y tro cyntaf erio'd. Sôn am foethusrwydd! Symudwyd y cwpwrdd wal i wneud lle i set deledu a diflannws y weirles o'i lle anrhydeddus o dan y ffenestr. Wedi marwolaeth Gramp fe a'th y broses yn ei bla'n yn gyflymach fyth. Estynnwyd y scyleri i wneud ystafell molchi a thoiled dan do, a rhoddwyd system ddŵr po'th i mewn. Credaf fod hyn wedi digwydd oherwydd fy mod i wedi dechrau gwahodd ffrindiau ysgol i'r tŷ ac ro'dd e'n embaras i'm rhieni bob tro y byddai un ohonynt yn gofyn am fynd i'r toiled.

Bo'd hynny fel y bo, dros y blynyddo'dd, bob tro y down sha thre o'r coleg, byddwn yn sylwi bod y tŷ wedi cael ei wella dicyn bach. Ro'dd fy rhieni wedi bod wrthi'n ei baentio a'i ailddodrefnu, ac ro'dd teclynnau ym mhob man – tân nwy, hwfer, peiriant golchi dillad, ffwrn drydan – gan wneud y tŷ'n gynhesach, yn lanach ac yn fwy cyfforddus nag erio'd o'r bla'n. Gan hynny, ro'dd defnyddiau newydd fel crôm, perspecs, fformeica, ertecs, polifeinyl, plastig a dralon yn dechrau 'whyldroi 'whaeth domestig y dosbarth gweithiol, ac ro'dd fy rhieni, yn amlwg, wedi penderfynu dilyn y ffasiwn.

Ni fuom erio'd yn dlawd, ddim trwy wypod i mi o leiaf. Yn wir, o'n cymharu â rhai teuluo'dd yn y rhipin, ro'n ni'n eithaf cyfforddus ein byd. Wedi'r cyfan, er na fu Gramp a Nhad yn ennill mwy nag ychydig o bunnoedd yr wythnos, ro'dd gan y teulu ddau gyflog yn dod i mewn, nes bod fy nhad-cu'n ymddeol o'i waith fel dyn ceblau gyda'r Cownsil ym 1945. At hynny, do'dd y naill na'r llall ddim wedi bod ar y clwt erio'd, hyd yn o'd yn ystod Streic 1926 a Dirwasgiad y Tri Degau. Eu statws fel dynion mewn *reserve occupations* yn y diwydiant trydan a'u cadwai mas o'r rhyfel hefyd, er bod Nhad yn yr Hôm Gard a'm tad-cu yn warden yn ystod y blacowt. Dyna pam ro'dd teliffôn yn y pasej a ganai'n groch yng nghanol y nos bob tro y byddai'r

Luftwaffe yn dod lan y Cwm. Rhoddai'r ffôn rywfaint o statws i'r teulu ymhlith ein cymdogion, am wn i.

Do'dd Mam ddim yn mynd mas i weithio, fel y gwnâi nifer o fenywod ymhlith ein cymdogion ar ôl i'r stad ddiwydiannol rhynt Glan-bad a Nantgarw (ond nid yn Nhrefforest, cofiwch) ddechrau cynnig gwaith iddynt. Er iddi gael dicyn o addysg mewn ysgol uwchradd fodern, dymuniad ei rhieni o'dd ei bod hi'n aros gartref i helpu catw tŷ. Rhyw fath o falchder o'dd yn gyfrifol am hyn, dybiaf i. Menyw landeg o'dd Mam, blonden eithaf dal a llygatlas, a wisgai'n dda ar hyd ei ho's. Ni ddefnyddiai gosmetics o unrhyw fath, ond ar Ddiwrnod VJ ym 1945 pan o'dd parti ar hyd ein rhipin ni, a gwelais hi, yr unig dro yn fy mywyd, yn dawnsio gyda Nhad, a'i gwyneb wedi ei goluro, profiad annifyr i fachgen saith o'd am resymau y byddai Freud wedi eu dehongli'n iawn, siŵr o fod. Rhaid cyfaddef cymaint â hyn: dw'i erio'd wedi mwynhau dawnsio, a dw'i ddim yn hoffi gormodedd o lipstic ar wefusau menyw 'chwaith. Ar yr un pryd, do's dim rhyfedd fy mod i'n ffafrio merched o deip Sgandinafaidd megis Ingrid Bergman, Isabelle Huppert a Liv Ullmann ac, yn wir, wedi priodi un o'r un pryd a gwedd.

Priod le Mam, er gwell er gwa'th, o'dd yn y tŷ. Ro'dd digon i'w wneud o gwmpas y lle: gosod y tân bob bore, glanhau, polsho'r ffender, golchi, sychu, scrwbo'r pafin o fla'n y drws ffrynt, siopa, paratoi prydau, catw llygad barcud ar gyllid y teulu, ac ati. Ro'dd wastad digon i'w fwyta, hyd yn o'd yn ystod y rhyfel a thoc wedyn pan o'dd y llyfr dogni'n rheoli ein bywydau. Ymhlith y bwydydd a gofiaf gyda blas arbennig o'dd tra'd moch, pwdin gwa'd, cocos, gwichiad, pelen, brôn, poloni, jynced, cytwad, piciau, tapioca a semolina. Bob prynhawn Gwener, ar fy ffordd sha thre o Ysgol Parc Lewis, ro'dd rhaid imi alw mewn tŷ gerllaw i gasglu cig amrwd wedi ei lapio mewn papur gwaedlyd gan un o ffrindiau Gramp a weithiai yn y lladd-dy ar y Broadway, er na welais i unrhyw gysylltiad rhynt y parseli hyn o'r farchnad ddu a'r bwydydd ar ford ein cegin. Cofiaf yn glir weld cneuen goco, banana, pomgranad ac afal pîn am y tro cyntaf, yn fuan ar ôl diwedd y rhyfel. Yn ôl Gramp ro'dd pob un wedi cwympo oddi ar gefen lori. Rwyf wedi ceisio dathlu'r bwydydd hyn yn fy ngherdd 'R'icwm sgipio'.

Mater o anrhydedd i'm rhieni o'dd peidio byth mynd i ddyled: os o'dd angen rhywpeth arnon ni a dim arian i dalu amdano, byddai'n rhaid byw hebddo, gan fod prynu rhywpeth ar lab yn wrthun yn ein golwg ni. Serch hynny, ni fu raid imi fynd i'r ysgol gynradd gyda photen wag na rhoi darnau o gardbord yn fy 'sgidiau, fel rhai bechgyn yn fy nosbarth, er fy mod i'n cofio cael patshys yn fy nhrwser a chlytiau yn fy ngarnsi: gwell clwt na thwll, bob tro, yn enwedig pan o'dd rhaid cael tocynnau i brynu dillad newydd. Yn anaml iawn yr aem ar wyliau. Yr unig dro imi ei gofio o'dd pythefnos glawog mewn carafán yn nhwyni tywod Porthcawl, ac ro'n i'n falch o ddod sha thre ar ôl hynny.

Syniad Nhad o wyliau o'dd treulio dydd Sul gyda'i dylwth ym Merthyr neu fynd am bicnic ar y Bannau – ro'dd yn rhy swil i fwyta mewn caffe neu fwyty. Dyma un o'r rhesymau fy mod i'n uniaethu ag agwedd Alan Bennett, un arall o'r un cefndir, yn ei bortreadau o'i rieni. Yn ystod yr ymweliadau hyn â'r tylwth ym Merthyr des i'n ymwybodol o ddosbarth cymdeithasol am y tro cyntaf. Gweithiai Ywa Enoch Chappell fel gof o dan ddaear, ond ro'dd gan ei wraig, sef Anti Annie, siop groser, y Sunclad Stores, a safai gyferbyn â'r gofgolofn ar hewl fawr Cefncoedycymer. Buont yn garedig iawn wrthym, ond teimlais ryw agwedd nawddoglyd tuag aton ni ar adegau, fel pe baem yn berthnasau tlawd. Fel y trodd pethau mas, nace 'wha'r fy nhad o ran gwa'd o'dd Anti Annie, er bod y ddau wedi eu magu ar yr un aelwyd yn Hewlgerrig. Ond ni wyddwn hynny ar y pryd a meddyliwn amdani, a'i 'wha'r Anti Gwen Leyshon, gweddw groser cefnog a drigai oddi ar Hewl Aberhonddu ym Merthyr, fel fy unig antis. Eto i gyd, doeddwn i ddim yn gwbl gyfforddus yn eu cartrefi oherwydd y twmlad hwn o wahaniaeth yn ein safon byw, er bod y gwahaniaeth hynny'n fach iawn mewn gwirionedd. Ro'dd wastad doilis a menyn hallt o Shir Gâr ar eu bordydd a sinsir ar eu pice bach, a digonedd o ffrwythau o'r siop. Peth arall: ro'dd rhaid inni'r bechgyn fod ar ein gorau pan o'n ni'n mynd i'r Cefen. Yr unig fodd i jengid rhag diflastod prynhawniau Sul hirion o'dd mynd am dro i'r Pwll Glas gerllaw, lle dysgais nofio.

Mewn byr eiriau, teulu deche o'n ni, ac ro'dd rhaid inni gofio hynny. Cyffredin o'dd ein cymdogion hefyd – yn ystyr Raymond Williams: diwyd, ffetil, ufudd i'r gyfraith, twymgalon, cymdogol a hirymarhous. Dw'i erio'd wedi dishcwl ar y dosbarth gweithiol trwy wydrau rhosliw, fel mae rhai yn tueddu ei wneud, oherwydd fe wn yn iawn am ffaeleddau'r proletariat. Ysywaeth, pa ddiddordebau bynnag yr wyf wedi eu cofleidio ar draws y blynyddo'dd, ac ni waeth pa mor 'whaethus-dosbarth-canol yw ein tŷ yn yr Eglwys Newydd y dyddiau hyn, ymhlith 'pobol gyffredin' rwy'n twmlo'n fwyaf cartrefol o hyd, a dw'i erio'd wedi colli golwg arnynt wrth lunio fy agwedd tuag at gymdeithas.

Ar ôl marwolaeth fy nhad ym 1984, trigodd Mam yn y tŷ yn Meadow Street am ddeng mlynedd arall, nes mynd dros yr afon i Lyn-taf yn 84 mlwydd o'd. Ro'dd hi wedi bod yn ffyddlon i'w chapel hyd y diwedd ond, wrth i'w chymdogion farw ac i Meadow Street lenwi gyda myfyrwyr o'r Brifysgol, teimlai'n fwyfwy unig ac ro'dd hi'n hapus i rannu ei dyddiau olaf rhynt cartrefi ei meibion. Fe dda'th yr awr yn Ysbyty Dewi Sant ym Mhontypridd a Ruth a minnau wrth erchwyn ei gwely. Gadawodd y tŷ i Lloyd a minnau, ond gan nad o'dd fy mrawd yn dangos y diddordeb lleiaf yn yr eiddo, prynais ei hanner ganddo er mwyn osgoi rhoi'r tŷ ar y farchnad a cholli gafael ar le sydd wedi bod yn ein teulu ni, a'n teulu ni'n unig, ers canrif a mwy. Yr unig fodd imi sicrhau hynny o'dd gosod y tŷ i fyfyrwyr.

Fe wna'th Lloyd yn glir nad o'dd am wypod beth fyddai tynged 50 Meadow Street ar ôl dyddiau Mam. Mae fe'n byw mewn bwthyn to gwellt nepell o Stratford-upon-Avon a do's 'dag e ddim bwriad i ddychwelyd i Gymru byth. Ni fuom erio'd yn agos fel brodyr. Gyda phum mlynedd rhyngom, do'dd ei ffrindiau ef ddim yn ffrindiau i mi a diddordebau gwahanol o'dd gan y ddau ohonom. Gadawodd yr ysgol yn un ar bymtheg o'd, gan ddechrau clercio gyda'r Bwrdd Nwy ym Mhontypridd, wedyn mynd yn blismon ym Mhenarth, lle cwrddodd â'i ddarpar wraig, Patricia Morris, merch i ocsiwnïer, ac yn y man ymuno â chwmni fferylleg a chael swyddi da yn y byd masnachol mewn amryw o lefydd yn Lloegr. 'Whara teg, a heb fod yn nawddoglyd, mae fe wedi gwneud yn dda. Rwyf wedi ceisio disgrifio'r tyndra rhyngom yn fy ngherdd 'Brawd':

> Nid yw'n syndod ein bod ni'n debyg,
>> Rhy debyg, 'falle, i fod ar delera da:
> Dou glap wedi eu naddu o'r un sêm,
>> Dou sy'n rhannu'r un genynna,
> Dou sydd o'r un pryd a gwedd,
>> Dou sy'n hawdd eu tramgwyddo,
> Dou sy'n dala hâl megis dŵr mewn bosh,
>> Dou sy'n cyfarth fel cŵn ar gyfreion,
> Dou o'r un cnawd – ond yn wahanol.

Asgwrn y gynnen rhynt Lloyd a finnau yw Cymreictod. Un emosiynol a 'wherylgar yw fy mrawd bach yn ei agwedd tuag ato i cyn belled ag y mae'r Gymraeg yn y cwestiwn. Gadewch imi roi un enghraifft o hyn. Ym mrecwast priodas un o'm merched, mynnodd siarad yn Saesneg a chonan bod y gwasanaeth capel a'r areithiau wedi bod yn uniaith Gymraeg. Ac mae fe'n barod iawn i gyfeirio at y ffaith fy mod i wedi cael addysg uwch ac yntau ddim. Does dim pwynt trio dal pen rheswm gydag e pan fo'r pethau hyn dan sylw, fel rwyf wedi profi sawl tro.

Dw'i ddim wedi gweld fy mrawd ers blynyddo'dd lawer, na siarad ag ef, mae'n flin 'da fi weud, a hynny o'i ddewis ef: gwrthododd ddod i briodas un arall o'm merched yn 2001, heb ddatgelu'r rheswm i neb, dim hyd yn o'd ei wraig a'i blant. Ofer fu pob ymgais ar fy rhan i drafod yr hyn sy'n ei gorddi, a dirgelwch yw'r cyfan o hyd. Cynfigen sibling llai, 'fallai; atgasedd tuag ato i am fy mod i'n Gymro Cymraeg ac wedi magu plant yn Gymry; rhywpeth a wetais neu na wetais; cymhleth israddoldeb o ryw fath; cornel fach dywyll yn ei gymeriad; rhywpeth a wnelo â'r ffaith fy mod i'n ŵr graddedig? Does dim amcan 'da fi. Er ei fod wedi achosi lo's i'm teulu i, dim ond gobeithio ydw i fod fy mrawd yn hapus yn 'whara golff yn y parthau deiliog o Swydd Warwig lle mae wedi byw ers degawdau. Ond mawr obeithiaf na fydd yn fy anglodd.

Tybed a ydy e'n meddwl o dro i dro am 50 Meadow Street? A gweud y gwir, erbyn hyn mae'r tŷ wedi mynd yn dicyn o albatros o gwmpas fy ngwddw. Er nad wyf wedi mwynhau 'whara landlord, ac er bod rhai o'r tenantiaid wedi cam-drin y lle'n arw, mae gosod y tŷ ar rent wedi gweithio'n weddol tan yn ddiweddar. Ond rwyf wedi mynd yn rhy hen i ofalu amdano bellach. O'r herwydd, rwyf wedi penderfynu gwerthu'r hen gartref. Byddai'n well 'da fi o lawer pe bai modd ei gatw a'i adael i'm plant, oblegid mae'n rhan annatod o hanes ein teulu, fel albwm ffotos neu hen gelfigyn, ac ni fedraf gofio fy hunan yn blentyn hebddo – 'Mae lleisiau a drychiolaethau ar hyd y lle'. Ond serch bod gwerthu'r tŷ yn twmlo fel sarhad i Nan a Gramp, ac i Mam a Nhad, ac fel cefnu ar fy ngorffennol fy hunan mewn ffordd o siarad, ofnaf y bydd 50 Meadow Street yn gyfeiriad i bobol ddiarth ymhen yr hwyr a'r rhawg.

2

Brogarwr

RWYF WASTAD WEDI bod o'r farn taw amrywiol iawn yw'r ffyrdd y mae Cymro neu Gymraes yn darganfod eu bod yn perthyn i Gymru, ac nad o's un ffordd ac un ffordd yn unig o wneud hynny. Gwlad fach yw Cymru ond un amryliw. Ar ben hynny, rhaid inni ddod i ddeall ein gwlad a'n cyd-wladwyr o safbwynt unigolion ac nid shwt mae gwleidyddion neu lenorion, neu unrhyw un arall o ran hynny, yn mynnu ein bod yn eu gweld nhw. Do's dim pwynt cwympo mas dros hyn. Llawer pwysicach, yn fy marn i, yw cydnabod a derbyn Cymreictod gwahanol ein gilydd a dod o hyd i fodd o gydweithio, er mwyn Cymru. Ceisio gwerthfawrogi ein gwlad yn ei holl amrywiaeth yw'r cam cyntaf tuag at ei huno a'i hyrwyddo. Gwrthun, wetwn i, yw gweud, 'O, na, nace Cymru yw honno' neu 'O, na, dyw hwnnw neu honno ddim yn Gymro neu'n Gymraes', tra bod eraill yn cretu eu bod yn perthyn i'n cenedl. Nace rhywpeth i'w amau neu i'w ddibrisio yw cenedligrwydd neb. Mae hyn yn wir am y Saeson, hyd yn o'd, a phobol o wledydd eraill, sy'n dewis byw a gweithio yn ein plith ac sydd am gyfrannu at fywyd ein gwlad, yn fy nhyb i. Dw'i ddim yn gallu derbyn bod cenedligrwydd wedi ei seilio ar 'wa'd' – dyna'r ffordd i hiliaeth o'r math gwaethaf.

Ta wa'th, erbyn imi gyrraedd fy mhen-blwydd yn ddwy ar bymtheg o'd, gwyddwn i sicrwydd nad o'n i'n Sais. Eto i gyd, prin y bu'r Gymraeg yng nghyffiniau fy nghartref ond yn y capeli, a phrinnach byth ar fy ngwefusau i. Er bod rhai pobol yn Nhrefforest megis ein cymdogion drws-nesaf yn medru'r iaith, do'n i ddim wedi cael unrhyw brofiad o Gymry Cymraeg mewn gwirionedd.

'On n'est pas sérieux, quand on a dix-sept ans,' meddai Rimbaud, ond howld on, Arthur, do'dd hynny ddim yn wir yn fy achos i: llanc eithaf difrifol oeddwn. Ni wariais, er enghraifft, fy arian poced ar recordiau pop, nac ishta mewn caffes yn y dref trwy brynhawniau Sadwrn, na 'whara snwcer yn y YMCA, na dawnsio yn Neuadd Plant Mari a chael ffeits wedyn, na smocio tu cefen i labordai'r ysgol, nac yfed scrympi yn y dafarn wrth ymyl Eglwys Ilan ar y Meio, fel rhai o'm cyfoedion. Os o'dd diddordebau 'da fi, casglu stampiau, adeiladu modelau o eroplêns mas o go'd balsa, potsho gyda fy set Meccano, pysgota am slywod yn Abercwmboi a gweithgareddau'r Sgowtiaid o'dd rheiny. Fy unig ddifyrrwch diwylliannol o'dd mynd i'r sinema: y Cecil yn Nhrefforest yn bennaf, a'r County a'r White Palace ym Mhontypridd, lle gwelais ystod o ffilmiau'r dydd fel *The Lavender Hill Mob*, *The Robe*, *Mrs Miniver*, *The Third Man* a *The Cruel Sea*. Erbyn imi gyrraedd fy nwy ar bymtheg ro'n i'n mentro i'r Globe yng Nghaerdydd i weld ffilmiau Ffrangeg fel *Le Jour se Lève*, *Les Enfants du Paradis*, *Le Mouton à Cinq Pattes* a chomedïau Monsieur Hulot. Mae sinema ymhlith fy niddordebau pennaf hyd heddi.

Ro'dd gyda ni hefyd weirles a buom yn eistedd gyda'n gilydd yn y gegin i wrando ar y Welsh Home Service (ro'dd Tommy Troubles yn un o'n ffefrynnau) a'r rhaglenni poblogaidd o Lundain fel *In Town Tonight*. Gwrandewais yn astud ar y *Goon Show* a gwenaf nawr wrth gofio enwau'r cymeriadau: Neddie Seagoon, Eccles, Bluebottle, Major Bloodnok, Minnie Bannister, Henry Crun, Grytpype-Thynne a Moriarty. Roeddem yn gyfarwydd â lleisiau Bing Crosby, Vera Lynn, Gracie Fields a Tony Hancock hefyd. Ro'dd miwsig y bandiau mawr fel rhai Billy Cotton, Henry Hall, Glenn Miller, Joe Loss a Bert Ambrose yn ein difyrru hefyd, ar y weirles ac ar recordiau hirfaith yr o'dd Gramp yn eu 'whara ar ei gramoffôn. Ni dda'th y teledu i'n tŷ ni tan 1958, ond rwy'n cofio gwylio set un o'n cymdogion adeg y Coroni ym 1953. Fy unig gyfle i fynd i'r theatr o'dd mynd gyda

Gramp i'r neuadd gerdd ym Mhontypridd; rwy'n cofio'r geiriau i hen ffefrynnau fel 'The Man who Broke the Bank at Monte Carlo', 'If You Were the Only Girl in the World', 'A Nightingale Sang in Berkeley Square', 'Roses are Blooming in Picardy' a llu o ganeuon eraill o'r un cyfnod Edwardaidd, hyd y dydd hwn.

Ro'dd 'na un gwahaniaeth arall rhyng'o i a'm ffrindiau ysgol: erbyn 1951 ro'n i'n llyfrbryf o'r iawn ryw. Ro'n i wedi dysgu darllen yn ifanc iawn; yn ôl Mam, y geiriau cyntaf imi eu darllen o'dd yr hysbyseb 'El-y Al-es, best in Wal-es', a hynny ar wal un o'r tafarnau yn Nhrefforest. Ni fu llawer o lyfrau yn fy nghartref, cofiwch, ac eithrio'r nofelau ditectif a chowboi yr o'dd fy nhad yn eu cael gan ei gyd-weithwrs. Ond ro'dd gyda fi ddyrnaid o docynnau i fenthyg llyfrau o'r Llyfrgell Gyhoeddus ym Mhontypridd ac arferwn fynd yno ddwy neu dair gwaith yr wythnos ar fy ffordd sha thre o'r ysgol. Wedi darllen clasuron fel *Black Beauty*, *Treasure Island* a *Huckleberry Finn*, 'whedlau'r Llychlynwyr a'r Groegwyr o'dd fy mhrif ddiléit ar y dechrau, ond bob yn bwt, am resymau na allaf eu hesbonio, dyma fi'n benthyg ambell i lyfr yn yr iaith Gymraeg, gan ei fyseddu fel rhywpeth dirgel yr hoffwn ddirnad mwy am ei gynnwys. Rhaid fy mod i'n deall ychydig o eiriau hefyd, o leiaf ddigon i wypod pa fath o lyfr yr o'n i wedi ei ddewis. Efallai fod rhywpeth mwy isymwybodol ar waith yma, sef y dyhead i ddeall fy nghynefin, ac yn y pen draw, fi fy hunan. Ta waeth, bu'r iaith Gymraeg yn rhan hanfodol o'r broses hon.

Ond ble i droi i glywed y Gymraeg? Cetho i gyfle achlysurol i wrando ar rywfaint o sgwrs rhynt Siân Yeoman, fy nghariad fach gyntaf, a'i mam yn eu cartref yn Nhregatwg, ger y Barri, lle treuliais ambell ddydd Sadwrn, ond do'n i ddim yn barod i fanteisio ar y cyfle i arddel yr ychydig o eiriau a o'dd gyda fi. Cofiaf dwmlo'n anghyfforddus pan a'th Mrs Yeoman â ni i weld Aneirin Talfan Davies, un o benaethiaid y BBC a pherthynas o ryw fath, a'i wraig hynaws, Mari, yn eu cartref yn Hewl Pencisely, Llandaf, a'r sgwrs yn troi i'r Saesneg, er fy mwyn i 'fallai. Ro'dd Owen Talfan yno hefyd, myfyriwr yn Rhydychen ar y pryd a dyn ifanc hynod o soffistigedig yn fy ngolwg i, a'i frawd bach Geraint a'i 'wha'r Elinor, a dangosodd Aneirin siec imi a o'dd wedi ei harwyddo gan Dylan Thomas. Ro'dd rhieni Siân, sef Olwen a Tom Yeoman, athrawon cynradd a hoelion wyth y Blaid Lafur yn y Barri, yn garedig iawn wrtho i ond crambo hanner pan o'n i yn y dyddiau hynny, a swil ar y naw, credwch neu beidio. Ro'n i wedi cwrdd â'u merch ar gwrs 'wheched dosbarth yn y Dyffryn ym Mro Morgannwg, a byddai'r berthynas anaeddfed, lugo'r hon yn llusgo ymla'n hyd nes fy mod i yn y coleg.

Am y pripsyn o Gymraeg o'dd 'da fi ym 1955 ro'dd y diolch i'r capel, yn bennaf. Capel y Bedyddwyr Cymraeg o'dd Libanus, lle etho i bob dydd Sul pan o'n i'n grwt, ac yno ro'dd yr emynau ac, o dro i dro, y bregeth yn Gymraeg. Canai Mam yr emynau'n berffaith gywir ac ishta trwy'r bregeth heb anesmwytho, fel y rhan fwyaf o'r gynulleidfa, ond heb ddeall gair. Cofiaf weld rhai o hynafgwyr y capel yn derbyn copïau o bapur newydd, sef *Seren Gomer*, siŵr o fod, ond dw'i ddim yn cofio clywed neb yn whilia'r iaith.

Buom yn byw trwy fachlud achos y Bedyddwyr Cymraeg, mae'n debyg; yn wir, trwy gyfnod olaf sawl achos Ymneilltuol yn y cylch. Er fy mod i'n mwynhau canu'r emynau a dysgu adnod, a hyd yn o'd canu yng Nghymanfa'r capel (cetho i wobr o swllt gan Mrs Ferris, yr organyddes radlon, am ganu 'O, for the wings of a dove'), bwrn digymysg fu'r bregeth bob tro. O'r herwydd, ni fedraf ishta trwy bregeth yn y Gymraeg y dyddiau hyn heb ddioddef unwaith drachefen y twmlad o ddiflastod ro'n i'n ei brofi yn Libanus 'slawer dydd. O leiaf yn y dyddiau hynny ro'n i'n gallu difyrru fy hunan trwy boethi ceiniogau ar stôf y festri a'u gwasgu i mewn i farnis y sêt o'm bla'n. Prin y gallaf wneud hynny y dyddiau hyn yn y Crwys. Er fy mod i'n hapus i weld Ruth yn mynychu gwasanaethau'r capel, lle magwyd pob un o'n plant, ac er mawr fy mharch tuag at y Parchedig Cynwil Williams a'r Parchedig Glyn Tudwal Jones, dw'i ddim yn mynd ar gyfyl y lle. Ar yr un pryd, ni fuaswn yn meiddio dwyn perswâd ar neb am ei ddaliadau crefyddol.

Y Parchedig Washington Owen (am enw urddasol) o'dd gweinidog Libanus a phregethai ef yn huawdl mewn cywair pur ogleddol. Ro'dd yn gallu ei hwylio hi'n soniarus o ddychrynllyd am awr yn ddi-dor. Gwisgai goler dewch-at-Iesu a sbats ac ro'dd ei wallt yn farddol laes. Ro'dd gydag e fab o'r enw Peredur, a fu'n athro dosbarth yn yr Ysgol Sul, a dyma shwt dechreuws pethau fynd yn siang-di-fang yn fy nhaith ysbrydol i. Un prynhawn Sul, a Pheredur yn cynnal dosbarth yn y sêt fawr o fewn golwg llawn i weddill y capel, rhaid fy mod i wedi gwneud neu wneud rhywpeth drygionus, achos rhoddws ein hathro glatshen eithaf trwm i'm clust â'i gopi o'r Beibl Sanctaidd Lân a pherodd imi gwympo oddi ar fy sêt.

Ar unwaith, ro'dd 'na hylabalŵ a chyn bo hir dyma ddwy garfan elyniaethus yn rhwygo'r gynulleidfa. Sôn am gapel sblit! Yn y diwedd, wna'th Peredur, gŵr ifanc golygus, redeg bant gyda merch dlos o un o deuluo'dd y garfan arall, fel Romeo a Juliet ers talwm, meddyliais i. 'Cerwch eich gilydd,' meddai'r arysgrif mewn llythrennau Gothig uwchben y pulpud ac, mewn capel lle o'dd cryn dicyn o gweryla am bethau fel pa emynau i'w canu yn y Gymanfa nesaf, fe dda'th yn amlwg bod rhywrai wedi cymryd y gorchymyn hwn yn fwy llythrennol na'r rhelyw. Do'dd y cysylltiad rhynt y Beibl a thrais ddim wedi'i golli ar y crwt. Ceir portread o gapel Libanus, gyda llaw, yn llyfr David Davies, *Reminiscences of my Country and People* (1925), sy'n adlewyrchu cymeriad sgismatig y gynulleidfa yn ystod blynyddo'dd cynnar yr ugeinfed ganrif. Do'dd pethau ddim wedi gwella erbyn fy amser i.

Nid dyna ddiwedd y stori cyn belled ag yr o'n i yn y cwestiwn. Pan o'n i'n un ar bymtheg mlwydd o'd, ac yn barod i gael fy medyddio yn y bosh enfawr o dan y sêt fawr, wrth inni gael ymarfer ar gyfer y seremoni rhyw ddiwetydd, torrws y system twymo'r dŵr. Crynodd y pibellau'n ffyrnig, llenwodd y capel ag ager, a bu'n rhaid gohirio'r cwbl. Erbyn i rywun drwsio'r pibellau rai misoedd yn ddiweddarach, ro'dd Mam wedi lled awgrymu nad o'dd gwir angen imi fynychu'r Ysgol

Sul, na'r Gobeithlu, oni bai fy mod yn dymuno hynny, a thoc wedyn, a minnau yn y 'whched dosbarth isaf erbyn hynny, penderfynais beidio mynd i'r capel yn gyfan gwbl.

Wedi cael llond bol o'r bigita, aeth Mam â'i thocyn o Libanus i Castle Square (capel yr Annibynwyr ar y pryd, yr Eglwys Unedig Ddiwygiedig wedyn) lle byddai'n aelod ffyddlon am weddill ei ho's. Nid aeth fy nhad na Gramp ar gyfyl na chapel nac eglwys erio'd. Honnai Mam-gu ei bod hi'n Eglwyswraig ond ro'dd hyn yn rhywpeth snobyddlyd yr o'dd hi wedi ei fabwysiadu (fel ei harfer distumog o 'smygu) yn ystod ei dyddiau fel morwyn yng Nghaerdydd cyn priodi. Byddai Gramp yn tynnu ei cho's ar gyfrif hyn ac yn ei galw'n Matilda, yr enw y bu'n rhaid iddi ei arddel tra o'dd hi'n gweithio i'r Poweliaid, teulu o berchnogion llongau, yn Hewl Eglwys y Gadeirlan. Ni wn paham y cetho i fy medyddio yn Eglwys y Santes Fair dros yr afon yng Nglyn-taf – yr unig dro imi gael cysylltiad â'r Eglwys yng Nghymru erio'd – oni bai fod Mam-gu'n gweld hyn fel 'y ffordd ganolig' rhynt Pabyddiaeth ei thylwth, yr o'dd hi wedi cefnu arni, ac Ymneilltuaeth y rhan fwyaf o'n cymdogion, nad o'dd yn apelio ati hi. Un ofergoelus ar y naw o'dd Nan. Mynnai ein bod yn bwyta pysgod bob dydd Gwener. Rhaid o'dd cuddio pob drych â chlwtyn yn ystod storom, byddai agor ymbrelo yn y tŷ yn dwyn anlwc ar y teulu ac ro'dd whislan ar y parth i fod i ddenu'r Gŵr Drwg. Eto i gyd, os cetho i fy mradu, maldod Mam-gu wna'th hynny.

Do'dd pob gweithgaredd yn Libanus ddim yn ddiflas, cofiwch. Arferai'r Ysgol Sul fynd ar y trên i Ynys y Barri ddwywaith y flwyddyn ac i'r Creigia, pentre gwledig ar gyrion y Fro, i gasglu briallu i addurno'r capel ar gyfer y Pasg. Buom hefyd yn gorymdeithio trwy hewlydd y pentre adeg y Sulgwyn, gyda baneri a *gazookas* a drymiau, ac ro'dd hynny wastad yn hwyl digymysg. Hefyd, cafwyd gêmau'n y festri, er nad o'dd y rhain at fy nant i'n fwy na gêmau'n gyffredinol. Ro'dd popeth yn Libanus yn Saesneg, ar wahân i'r emynau a genid yn y capel ac ar dywod Ynys y Barri, lle eisteddem mewn cylch i ddiddanu ein gilydd pan o'dd y tywydd yn ffrit.

Ond, gwaetha'r modd, do'dd dim ymgais ar ran henaduriaid y capel i ddysgu hyd yn o'd yr eirfa symlaf a fyddai wedi bod yn garreg sylfaen i'n Cymreictod yn nes ymla'n. Erbyn hyn mae Libanus wedi cael ei feddiannu gan y Pentecostiaid.

Eto i gyd, dysgais rywfaint o Gymraeg yn y gladdfa fechan wrth ymyl y capel: er cof am, yr hwn a fu farw, er serchus gof, gynt o'r plwyf hwn, hefyd ei annwyl briod, hedd perffaith hedd, ac ymadroddion hiraethus felly. Cyn bo hir ro'n i'n cael pleser anghyffredin o ddarllen darnau o'r Beibl Cymraeg yn uchel, er mwyn clywed seiniau a o'dd yn hyfryd i'm clust ac yn effeithio arno i mewn modd dirgel nas deallwn ar y pryd.

Cetho i gyfle i fwrw ymla'n i'r safon nesaf tra oeddwn yn gweithio fel torrwr beddau ym mynwent Glyn-taf wedyn. Bob Nadolig, pan own i yn y coleg, cetho i waith fel postmon ond bob haf enillwn gyflog da yn torri beddau. Ro'dd rhaid torri bedd mewn prynhawn a'i lenwi'n syth ar ôl i'r galarwyr ddychwelyd at eu ceir. Dyma'r gwaith iachaf a wnes i erio'd fel myfyriwr, gyda llaw, yn enwedig yn ystod tywydd braf. Byddem yn matryd ein crysau, twrcho am hanner awr fel daeargwn, wedyn cael deng munud o hoe. Ro'dd rhaid i'r bedd fod yn saith tro'dfedd o hyd a phedair ar draws a 'whech i lawr, dim mwy a dim llai. Gorweddai potel o seidir o dan yr ywen hirymarhous, a chaem rhyw awr bant i fwyta tocyn a cheisio dysgu'r anllythrennog Reg shwt i weud yr amser a darllen o'i *Daily Mirror*, ond yn ofer. Mae'r ymadrodd 'Y dyn â'r bâl', am Angau, wedi taro deuddeg 'da fi byth ers hynny.

O dro i dro ro'dd galw arnom i symud yr eirch ar eu trolis i'r ffwrneisi y tu hwnt i'r llen – ie, yn llythrennol y tu hwnt i'r llen. Cofiaf wneud hyn gydag arch y bardd Huw Menai ym 1961. Mae'r achlysur yn gofiadwy am reswm arall hefyd. Gwelais, ymhlith yr ychydig alarwyr, 'the three Jones boys', sef Gwyn, Jack a Glyn, yn cerdded i mewn i'r amlosgfa, a'm hen athro Saesneg yn gwisgo garnsi lliw caneri; dyma'r tro cyntaf imi weld llenorion o Gymry wedi eu casglu ynghyd. Pan ofynna rhywun y dyddiau hyn pa un sy'n well yn fy marn i, claddu ynteu llosgi, atebaf gyda gwên ond ar sail dicyn o

23

brofiad nad o's fawr o wahaniaeth mewn gwirionedd, ond mas o barch at Dr William Price, y llosgwr cyrff o Lantrisant, un o'm harwyr i ers dyddiau ysgol, awgrymaf fy mod i'n tueddu i ffafrio llosgi, a gadael y mater fel yna.

Os nad y capel, ys gwn i beth o'dd yn gyfrifol am feithrin ymwybyddiaeth o fod yn Gymro yn y crwt? Hoffwn weud taw'r amser a dreuliais fel disgybl yn Ysgol Ramadeg y Bechgyn ym Mhontypridd rhynt 1949 a 1956 a ddatblygodd pa syniadau bynnag o'dd yn swatio yn fy mhen, ond dyw hynny ddim yn wir. Ystyrid yr ysgol i fod ymhlith y goreuon yng Nghymru yn ystod y blynyddo'dd yn syth ar ôl y rhyfel. Mae'r rhan fwyaf o bobol yn gallu gweud rhywpeth da am eu dyddiau ysgol, fel y dylent, ac mae'r rhan fwyaf o'u hatgofion, fel teuluo'dd hapus Tolstoi, yn debyg i'w gilydd. Nid felly fy atgofion i, gwaetha'r modd.

Mwynheais fy ngwersi Saesneg gyda Mr Ken Davies, a'm cyflwynodd i Yeats, Eliot ac Auden, a Mr Dennis Clare, a roddws ei gopi ei hunan o *The Oxford Book of English Verse* yn wobr imi am ennill yn eisteddfod yr ysgol â cherdd am fuddugoliaeth Cymru yn erbyn Lloegr ym Mharc yr Arfau. Enillais yn ogystal wobrau am ysgrif a stori fer yn Saesneg. Dysgais dicyn o Ladin tra defnyddiol gan Mr Herbie Taylor: *Sagittae barbarorum nostros non terrebunt* (Ni fydd saethau'r barbariaid yn dychryn ein gwŷr) ac yn y bla'n. Ro'dd ein gwersi Celf yn gallu bod yn hwyl hefyd, gan fod Mr John Whitehead, dyn o'r un dap â'r digrifwr Jimmy Edwards (*Whack-O!*), yn gadael i'r dosbarth wneud fel y mynnai tra o'dd yntau'n darllen ei bapur rasys ceffylau ac yn yfed te yn ei gilfach yng nghefen yr ystafell. Yn ei ddosbarth ef y darganfyddais ddiddordeb mewn llythrennu. Mae athrawon o'r fath yn ymddangos yn y rhan fwyaf o atgofion am ddyddiau ysgol. Eto i gyd, ni allaf enwi ond ychydig o'r rheiny sy'n syllu mas yn swrth o dudalennau hanes swyddogol yr ysgol.

Diolch i Mr Don Herbert, fy athro yn Ysgol Parc Lewis, ro'n i'n ail mas o 120 o fechgyn yn yr arholiad ro'dd rhaid i bawb ei sefyll er mwyn mynd i'r Ysgol Ramadeg yn un ar ddeg mlwydd o'd. Diolch i Ddeddf Butler 1944, fy nghenhedlaeth i o'dd y gyntaf i gael addysg uwchradd yn rhad ac am ddim, ond inni neidio'r glwyd hon. Ac oherwydd fy safle yn ail yn fy mlwyddyn cetho i fy rhoi yn y ffrwd B o'r cychwyn cyntaf (yn rhyfedd iawn, do'dd dim ffrwd A), hynny yw, y dosbarth ar gyfer y bechgyn a ystyrid yn fwyaf peniog. Prysuraf i ychwanegu na chyrhaeddais y fath uchelfannau academaidd fyth oddi ar hynny, er imi gael tystysgrif y Central Welsh Board, sef TGAU y dyddiau hyn, mewn wyth pwnc yn y man.

Ond erbyn imi gyrraedd y bedwaredd flwyddyn, bu'n rhaid imi ddewis rhynt y Gymraeg a'r Ffrangeg, fel y rhan fwyaf o'm cydoeswyr mewn ysgolion uwchradd trwy Gymru benbaladr ar y pryd. Dyna chi hen system bwdr, afiach, ffiaidd! Ac ni fu cyngor i'w gael yn unman, yn enwedig oddi wrth fy rhieni gan nad o'dd ganddynt unrhyw brofiad i fod yn sail i ddewis call. Bûm yn gwneud yn dda mewn Ffrangeg o dan Mr Jack Reynolds ac yn wa'l o dan Mr William Lewis, yr athro Cymraeg. Felly, ro'n i'n tueddu i ffafrio'r Ffrangeg dros y Gymraeg. A dyma Mr E. R. Thomas (Piggy i ni'r bechgyn) yn annerch y dosbarth, gan esbonio taw dim ond y rhai ar frig y dosbarth yn ffrwd B o'dd yn gymwys i astudio'r Ffrangeg ac, oni bai bod ein rhieni'n gwrthwynebu, byddai'r gweddill yn gorfod cymryd y Gymraeg. Wrthwynebodd neb, hyd y gwn i.

Wrth ddishcwl yn ôl, clywson ni bob math o 'whalu 'whaldod i gyfiawnhau'r fath ddewis: Ffrangeg, meddai'r Prifathro yn ei acen Seisnig ffug, o'dd iaith y gwasanaeth diplomataidd, iaith diwylliant, iaith â llenyddiaeth fawr iddi, ac ro'dd e *mor* falch ei fod yntau wedi cymryd gradd Anrhydedd yn y Ffrangeg. Cymraeg, ar y llaw arall, meddai'r Cymro hwn o'r Porth yn y Rhondda, o'dd iaith y cartref, yn gyfyngedig i Gymru'n unig, ac i ffermwyr yn arbennig, ac yn iaith israddol ym mhob ystyr y gallai feddwl amdano. Bu'r dewis yn glir: do'dd dim uchelgais 'da fi i fod yn ffermwr!

Er ei fod yn anodd ei ddychmygu erbyn hyn, rhaid catw mewn cof fod athrawon yr ysgolion uwchradd yn y dyddiau hynny'n perthyn i'r un dosbarth proffesiynol â doctoriaid, cyfreithwyr a rheolwyr banc, gyda statws wedi ei seilio ar gyflog, addysg a buchedd dosbarth-canol a o'dd yn gwbl ddiarth i'r werin bobol. Gwisgai'r gwŷr hyn siwtiau a gyrru ceir a byw mewn tai â ffenestri bae, gyda gerddi o'u bla'n ac enwau yn hytrach na rhifau. Cynhaliai eu gwragedd foreau coffi ac roeddynt yn 'whara golff ac yn gwisgo'n ffasiynol. Yn anochel, parod iawn o'dd fy rhieni i dderbyn gair y Prifathro. Ac fel 'na y bu. Dewisais i'r Ffrangeg a gollwng y Gymraeg yn gyfan gwbl o hynny ymla'n.

Arwyddair Ysgol Ramadeg y Bechgyn ym Mhontypridd, gyda llaw, o'dd 'Ymdrech a lwydda', ac fe ddehonglwyd hyn i olygu 'Gweithiwch yn galed er mwyn cefnu ar eich gwlad a'ch bro'. Os o'dd bachgen yn dangos gronyn o ddawn academaidd, yr o'dd y geiriau 'For export only' i'w gweld mewn llythrennau bras ar ei dalcen. Gallaf enwi pob un o'r llanciau sy'n sefyll yn llun y Swyddogion ym 1956, a minnau yn eu plith, ac o'r rhain dim ond dau sy'n byw yng Nghymru, hyd y gwn i. Dyma enghraifft o *murder machine* Patrick Pearse ar waith, myn jiawl i! Do's dim rhyfedd fod cymoedd y De wedi colli cenhedlaeth ar ôl cenhedlaeth o'u pobol mwyaf disglair.

Atgofion atgas eraill sy'n llifo nawr ac mae'n rhaid ceisio cau'r llifddorau. Cofiaf yn arbennig gael fy wado'n filain gan yr athro gwaith co'd, dyn o'r enw Owen, am beidio rhoi fy enw ar ddarn tila o bren a o'dd i fod i ddal brwsh dannedd. Fe'm curodd ar fy mhart ôl â riwl dur a bu'r wado mor llym nes fy mod i'n ffaelu eistedd i lawr am ddyddiau. Nid anghofiaf fyth y profiad o sefyll, gyda fy nhrwser o gwmpas fy mhen-gliniau, o fla'n y Prifathro newydd, Mr P. R. Jones (neu Nap, fel y'i galwem), Cymro arall ac un o bileri achos y Bedyddwyr ym Mhontypridd, gan ddangos y cleisiau a'r gwrymiau, a shwt o'dd Nhad wedi tynnu ei gap cyn inni fynd i mewn i'w stydi – dim ond wrth fynd i mewn i gapel ro'dd rhaid ichi dynnu eich cap. Yn y diwedd, ca's Nhad ei droi ymaith gyda sicrwydd gan y Prifathro y byddai Owen yn cael rhybudd. Diau iddo gael, oherwydd gwenai'r athro'n watwarus arno i byth wedyn.

Yr unig dro arall imi fod mewn trwbl gyda Nap o'dd pan ddaliws fi'n dynwared Al Jolson o fla'n y dosbarth ychydig cyn i'r gwersi ddechrau rhyw brynhawn, ond ar yr achlysur hwnnw dewisodd drafod ffilmiau 'da fi yn hytrach na'm wado, 'whara teg. Cetho i gyfle i fynd i mewn i stydi'r Prifathro tra bûm yn dysgu am sbel yn fy hen ysgol yn ystod y Naw Degau, a phrofiad rhyfedd o'dd gweld pa mor fach a chyffredin o'dd y lle mewn gwirionedd.

Ro'dd athrawon eraill yn yr ysgol yn llawn mor anwar ag Owen. Cymerwch Mr William Lewis (Willie Woodbine), er enghraifft, yr athro Cymraeg a brodor o Ferthyr Tudful. Dysgais oddi wrth y gŵr hwn, mewn pedair blynedd, y nesaf peth at ddim ac eithrio shwt i gyfrif hyd at ucen ac ambell i rigwm plentynnaidd fel yr un sy'n dechrau 'Siôn a Siân a Siencyn yn mynd i Aberdâr', a hynny oherwydd ei fod yn rhoi clatshen imi fel cymorth i roi'r geiriau gwirion ar gof. Telir teyrnged iddo yn y *Pontypriddian*, cylchgrawn yr ysgol, fel a ganlyn: 'He has toiled and he has spun in the classroom with undiminished energy and unflagging zeal. He is a very ardent Welshman. The urgencies and exigencies of his native land impregnate every fibre of his being.' Sgersli belîf! A dyna pam y talais y pwyth yn ôl i'r hen fwli yn fy ngherdd 'Elegy for Mr Lewis (Welsh)' flynyddo'dd wedyn.

Serch hyn i gyd, fe dda'th rhywfaint o les o'm gwersi Ffrangeg gyda Mr Jack Reynolds. Dysgais ramadeg yr iaith yn drwyadl iawn a bu hyn, yn ogystal â'm Lladin, yn sail i 'nealltwriaeth o gystrawen ieithoedd eraill yn nes ymla'n. Pan es i ati o ddifrif i ddysgu'r Gymraeg ym Mangor gydag Islwyn Ffowc Elis ac ym Merthyr gyda Chris Rees, ro'n i'n deall eiso's y gwahaniaeth rhynt berf ac ansoddair, enw a rhagenw, arddodiad a rhangymeriad, pethau sy'n dywyll i lawer o Gymry sydd heb astudio iaith arall, a bu hyn yn fantais enfawr imi. Rwyf dal yn cofio, gyda llaw, shwt i redeg y berfau Ffrangeg yn yr amser gorffennol ac yn y modd dibynnol.

Dysgais hefyd am farddoniaeth y beirdd Rhamantaidd

27

a Symbolaidd megis Hugo, Lamartine, de Vigny, de Lisle, Verlaine a Rimbaud, a pheth o waith Baudelaire hefyd, a rhoddws hynny sail cadarn i'm cwrs yn yr Adran Ffrangeg yn Aberystwyth. Dwy sillaf sydd yn yr enw Baude-laire, gyda llaw, nid tair fel y clywir yn fynych gan wybodusion: am ddysgu pethau cyffelyb imi, Mr Jack Reynolds yw'r unig athro sydd wedi aros yn fy nghof fel athro da ac, er ei fod wedi marw ers cetyn, rwyf yn falch o'r cyfle i dalu teyrnged iddo yn y fan hyn. Eto i gyd, rwyf yn edifarhau na chetho i wersi iawn yn y Gymraeg pan o'n i'n yr ysgol. O leiaf buaswn wedi meistroli'r treigladau!

Os o'n i'n gobeithio dysgu ychydig am hanes fy ngwlad yn yr ysgol, cetho i fy siomi 'to, gwaetha'r modd. Sêr y Dadeni Methodistaidd o'dd yn llenwi ein gwersi Hanes o wythnos i wythnos. Chlywson ni ddim gair am Garadog, Llywelyn, Rhodri Mawr, Hywel Dda, Glyndŵr, William Morgan, Iolo Morganwg, y Siartwyr, Dic Penderyn, Henry Richard, Streic y Penrhyn, Keir Hardie, Terfysg Tonypandy, Lloyd George, y Tân yn Llŷn ac Aneurin Bevan. Dim ond Griffith Jones, Howell Harris, Williams Pantycelyn, Ann Griffiths, Thomas Charles a'u tebyg a gafwyd mewn gwers ar ôl gwers ar ôl gwers. Ni ddysgon ni hyd yn o'd eiriau 'Hen Wlad fy Nhadau' – yn y dref lle cyfansoddwyd yr anthem genedlaethol! Clywem ddicyn o Gymraeg yn yr eisteddfod ar Ddydd Gŵyl Dewi gan y dyrnaid o fechgyn megis Euros Miles, Gareth Edwards a Geraint Stanley Jones a fagwyd ar aelwydydd Cymraeg, ond am weddill y flwyddyn wa'th bod yr ysgol yn Norwich neu Hartlepool. Ro'dd rhai o'r athrawon, megis yr hynaws Mr Llew Walters, yn medru'r iaith, ond ni wyddwn hynny ar y pryd. Prin y gallaf gretu'r frawddeg ganlynol yn y *Pontypriddian* am Adran yr Urdd ym 1950: 'Wedi canu "Calon Lân", pwysleisiodd y Prifathro y pwysigrwydd o ennyn a meithrin y diddordeb dyfnaf a chryfaf yn hanes ac iaith ein gwlad.' Ni wyddwn hyd yn o'd fod Adran yr Urdd yn yr ysgol, llai byth fod ganddi 64 o aelodau, a dim o gwbl fod Piggy yn gallu mynegi'r fath ddymuniad.

Dysgais fwy am Gymru yn y Sgowtiaid nag yn yr ysgol. Ymunais â'r Cybiau'n saith o'd ac aros yn aelod o'r mudiad nes fy mod i yn y coleg. Man cyfarfod Ail Gatrawd Pontypridd o'dd y sied ar waelod Meadow Street, ac felly yn gyfleus iawn imi ar ddiwetydd o aeaf. Enillais lu o fathodynnau a mwynhau'r antur a'r awyr iach o'dd yn rhan annatod o Sgowtio. Ni chofiaf roi saliwt i Jac yr Undeb erio'd ac ni roddais fy mri ar agweddau lled filitaraidd y mudiad, megis gorymdeithio. Er fy mod i wedi 'whara ambell i gêm o rygbi i'r ysgol, yn yr ail reng, do'n i ddim yn athletaidd mewn gwirionedd: dyw fy enw ddim yn ymddangos hyd yn o'd unwaith yn adroddiadau'r *Pontypriddian* ar ddiwrnod y Mabolgampau. Yn wir, er fy mod i'n cofio rhedeg ar ôl y bêl o dro i dro, do's dim cof 'da fi am ei dal erio'd.

Ond dyledus wyf i'r Sgowtiaid am roi cyfle imi gael ymarfer corff wrth grwydro'r ardal a llefydd cyfagos megis Bro Morgannwg ac, yn nes ymla'n, y Blaenau. Dyma un o'r ychydig gyfleoedd, hefyd, i feibion y dosbarth gweithiol o'r Deheubarth ymweld â Dyfed a Phowys a Gwynedd. Es i jamborî yn Abergele lle cwrddais â bechgyn o bob rhan o'r wlad a'u clywed yn canu caneuon yn Gymraeg nad o'dd yn emynau, a hynny am y tro cyntaf erio'd. Ac yn ystod un daith fythgofiadwy fe es gyda'n harweinwyr, Ron Giles a Pip Eyles, ar feiciau modur, mor bell ag Ardal y Llynnoedd, yr Alban ac Eryri, a dringo Helvellyn, Ben Nevis a'r Wyddfa yn ystod yr un wythnos. Yn agosach at gartref, darganfyddais Darren Deusant, y cerfiadau cyn-hanesyddol ar y bryn uwchben Trefforest.

Bathodyn pob catrawd y Sgowtiaid yn nwyrain Morgannwg o'dd lamp glöwr a Draig Goch fel ysgwyddarn, a gwisgais hwn fel y prawf cyntaf fy mod i'n perthyn i Gymru. Un o'r pethau a wnaethon ni bron bob dydd Sadwrn yn ystod y Pum Degau o'dd casglu papur wast a chardbord o siopau a swyddfeydd yng nghanol Pontypridd a'u llwytho ar gert enfawr yr oeddem yn ei lusgo o gwmpas hewlydd y dref am oriau ar eu hyd. Byddem yn dychwelyd wedyn i'n sied ar waelod Meadow

Street i gael swper o ffagots a Vimto ar draul Pop Phillips, un arall o'n harweinwyr. Rhoddais fy nghrys Sgowt, â'i set gyflawn o fathodynnau, i'r Amgueddfa Werin flynyddo'dd maith yn ôl. Mae 'da fi rywle dystysgrif wedi ei harwyddo gan ryw Elizabeth R., sy'n mynegi'r dymuniad y byddai bywyd imi'n 'antur gorfoleddus', 'whara teg iddi. Llosgwyd y sied yn ulw rai blynyddo'dd yn ôl gan grambos yr ardal.

Os nad o'dd na chapel nac ysgol wedi meithrin Cymreictod ynof, i ba beth yr wyf yn ddyledus am ddechrau tyfu'n Gymro, gwetwch? Yn rhyfedd iawn, i Sais mae fy niolch am hynny'n bennaf, sef fy nhad-cu, Charlie Symes. Yn y fan hyn, rhaid nodi taw acen Gymreig ar ein Saesneg o'dd gan bob un ohonom yn 50 Meadow Street, ac eithrio Gramp. Yn Nhrefforest ca's Mam ei chwnnu ac ni symudws fyth o'r pentre. Un a fagwyd yn Hewlgerrig ym Merthyr Tudful a Nantgarw o'dd fy nhad. Ro'dd Mam-gu'n hanu o Gwm Rhymni, yn ferch i blismon, fel mae ei bastwn yn fy atgoffa o hyd. Gyda hi yr o'dd yr anian mwyaf Silwraidd, wetwn i, er bod ei chyndadau, pobol o'r enw MacDermott, wedi dod i'r gweithfeydd o Swydd Roscommon yn Iwerddon ar ddechrau'r 'Whyldro Diwydiannol.

Mae 'da fi frith gof o'm hen fam-gu, sef Ellen Gray, yn y Cwm, ger Glynebwy, pan o'n i tua naw neu ddeg mlwydd o'd, ac rwy'n cofio 'whiorydd Mam-gu, Rose, Cissie ac Eva, yn glir iawn. Yn wir, arferwn fynd i'r Cwm ar fy ngwyliau yn y dyddiau pan o'dd y gwaith dur yn dal i gynnal y lle, ffaith sydd wastad yn peri i Vaughan Williams, cyn-Gyfarwyddwr Addysg Sir Fynwy a brodor o'r pentre, 'wherthin yn afreolus. Gyda llaw, hoffwn nodi fy mod i wedi olrhain y MacDermotts i ryw Bernard a Julia MacDermott sha diwedd y ddeunawfed ganrif.

Ond Sais o Lundain o'dd Gramp a siaradai ef gydag acen Cocni gref hyd ddiwedd ei ddyddiau. Bu ei ffordd o siarad yn ddigon i dynnu fy sylw at y ffaith ei fod yn wahanol inni. Defnyddiai dicyn o slang odli, neu rhywpeth mas o'r neuadd gerdd, ac ro'dd ei eirfa wastad yn lliwgar iawn. A dyna shwt codais fy nghlustiau i dinciau gwahanol yr iaith Saesneg, wrth imi ddechrau sylwi ar arwahanrwydd Gramp a gweld gweddill fy nheulu, a fi fy hunan, mewn golau newydd. Proses araf, anniffiniol o'dd hon, wrth gwrs, a rhan o gymhlethdod adolesens, yn ddiau, a dw'i ddim yn siŵr fy mod i'n gwneud cyfiawnder ag e hyd yn o'd nawr. Ond Seisnigrwydd Gramp o'dd y graean yn y wystrys, fel petai, cyn belled ag yr o'n i yn y cwestiwn.

Shwt cyfarfu Charlie Symes a Lilian Gray? Wel, ro'dd rhieni fy mam wedi cwrdd am y tro cyntaf yng Nghaerdydd ym 1905. Contract blwyddyn o'dd gan y gŵr ifanc o Islington i weithio fel trydanwr yn gosod ceblau ar gyfer y tramiau newydd ar brif hewlydd y ddinas fyrlymus. Un bore, ac yntau'n gweithio yn yr awyr agored, fe dda'th i hemo â glaw a dechreuws y ffos lenwi a'r lluched i fygwth y gwifrau byw. Neidiws mas, felly, a 'whilio am loches rhag y tywydd ffrit mewn arcêd gerllaw. Yno, dyma fe'n dechrau sgwrsio â merch ifanc a o'dd ar neges dros ei meistres. Cwympws, meddai hi, am y rhosyn yn ei labed a'r het fowler ar gefen ei ben, a'i 'whalu 'whaldod di-ben-draw. Ie, *coup de foudre* go iawn.

Erbyn i'r houl wenu eto, ro'dd y ddau wedi cytuno cwrdd drachefen, a dyna, mewn byr eiriau, shwt gwrddws Nan a Gramp â'i gilydd un bore glawog yn haf 1905. Ymhen y flwyddyn roedden nhw wedi priodi ac ymgartrefu yn 50 Meadow Street, Trefforest, gan fod Charlie wedi cael swydd gyda'r Cownsil ym Mhontypridd. Aeth e ddim yn ôl i Lundain ond ychydig o weithiau wedyn, ar gyfer angladdau teuluol a phethau felly, a chyda threigl amser collws gysylltiad â'i dylwth yno i bob pwrpas. Ni wn faint o berthnasau sydd 'da fi yn byw yn Lloegr ond mae'n rhaid bod rhai ugeiniau, pe buaswn yn gwypod ble i 'whilio amdanynt. Moment dyngedfennol, felly, ac i mi'n enwedig, o'dd y diwrnod hwnnw ym 1905, ac un sy'n dangos pa mor hyfryd o ddamweiniol y gall etifeddiaeth enetig rhywun fod.

Rwyf wedi ceisio dal rhamant y bore hwnnw yn fy ngherdd 'Cawod' a ymddangosodd yn y cylchgrawn *Taliesin* yn 2009; dyma ran ohoni:

Ma'r gwanwyn sionc yn campro trwy Gaerdydd,
  y ddinas newydd, gyta stremp o binc
ar brenna ceirios ym Mharc y Rhath,
   ac yng ngerddi'r Castell, eiddo'r Marcwis,
  ma' dynon ifainc yn 'u hetia gwellt
   yn rhodio gyta'u wejis pifflyd-pert;
ma'r Ymerodraeth Fawr yn ca'l ei glo
   trwy ddocia Biwt, ac ma' cyfloga da
i'w ennill wrth i'r ddinas fagu bol
  â chadwyn watsh, ac ma' Miss Marie Lloyd,
cariad y werin ffraeth, yn canu
   'i baledi croch yn y Capitol,
gan atgoffa Cocni rhonc fyl titha
   shwt i 'wherthin am ben byd anniben;
ma'r Swffragéts yn gorymdeitho
   lan Hewl y Brotyr Llwydion, o dan
 'u baner â'r Ddraig Goch arni,
   gan anwybyddu gwawd y rodnis sliw;
ma' Edward ar 'i orsedd erbyn hyn
   ac ma'r byntin a'r baneri trilliw
sy'n clepian yn yr awel 'r hyd yr Hewl,
  a'r bwa glo, yn dim ond megis rhacflas
o'r croeso brwd i'r rafiwr o Sais;
   ma' Asbrins nawr ar werth yn siopau'r Ais.

Gwelais gryn dicyn o'm tad-cu tra o'n i'n tyfu lan, llawer mwy
nag y gwelais o'm tad, a arferai weithio tyrnau bore, prynhawn
a nos yng Nglan-bad. Yn aml iawn pan o'n i gartref ro'dd Nhad
yn y gwaith, a phan o'dd e gartref ro'n i yn yr ysgol, a gweithiai
ar ddydd Sadwrn a dydd Sul yn ogystal. Oherwydd natur ei
waith, do'dd gan Nhad ddim llawer o oriau hamdden, nac egni,
ond ar gyfer y pethau mwyaf cyffredin – ei undeb, ei gi Guto,
ac yn y bla'n – caled yw bywyd y gweithwrs ym mhob o's ac ym
mhob gwlad. Ro'dd Gramp, ar y llaw arall, wedi ymddeol o'i
waith ym 1945, ac felly ro'dd e'n fachan trwy'r dydd – *a proper
Rodney*, 'whedl Mam-gu, er nad wyf yn siŵr ai cyfeirio at y
ffaith ei fod wedi ei fagu yn Rodney Street yn Pentonville yr
o'dd hi neu'n defnyddio'r enw i ddynodi rhywun sbrachi, sef

llai na pharchus, fel y clywyd yn gyffredinol ers talwm. Bo'd hynny fel y bo, Gramp o'dd yn adrodd storïau amser-gwely imi fel arfer, am anturiaethau tri chymeriad o'i ddychymyg, sef Volto, Ampam a Watty.

Heb os, 'cymeriad a hanner' o'dd Tad-cu ac ro'dd pawb yn y pentre yn cydnabod hynny. Bob dydd Iau arferai fynd lan i Bontypridd i gwnnu ei bensiwn ac i yfed peint neu dri yn nhafarndai'r Tymbl gyda'i gyd-weithwrs o'r Cownsil. Weithiau, ar fy ffordd sha thre o'r ysgol, byddai fe ar yr un bws ac, er embaras mawr imi, yn siarso fi, mewn llais uchel, i ishta wrth ei ymyl, er mwyn gallu swanco bod ei ŵyr yn gwisgo cap a blaser yr Ysgol Ramadeg. O dro i dro, pan o'dd yn shini ac yn ffaelu cerdded i lawr yr hewl yn ddiogel, bu'n rhaid imi ei gwrdd wrth y safle bws ar dop Meadow Street a'i fforddi ef i'n tŷ ni. Yna, wedi cael hepian bach, byddai fe'n diddanu'r stryd â'i whistl ceiniog ac yn siarad â phawb a âi heibio. Ceir portread ohono yn fy ngherdd 'Miwsig':

Pan glŵaf o dan y sybwê neu tu fâs i ASDA
   Rhyw foi gorflewog 'da'i gi ar ddarn o dwein
Yn biligiwganu ar 'i declyn trytan, rw'i'n 'itha bolon
   Twlu fy hatling i'w ffiol, nid yn unig
   Am 'mod i'n edmycu hyfdra'r brawd
Sy'n cawlo ar 'i fferyn anStradifaraidd,

(Er, bid siŵr, dyma fodd i leddfu rhywfaint
   Ar 'r hyn sy'n weddill o gydwypod ryddfrytig),
Ond yn hytrach am 'i fod yn dwyn ar gof Nhat-cu,
   Ar b'nawn o haf, yn ishte ar 'i ffwrwm
   Wrth y drws ffrynt ac yn llenwi'r restar
'Da 'Swanee' a 'Dixie' ar 'i whistl cînog.

Odi, ma'r diwn wedi newid ond nid y miwsig,
   Ac ni chwplith hynny byth. Yn ôl hen air,
Y canu sy'n bwysig, heb ddishcwl na chlod na gwobr,
   Ond er 'mod i'n parchu'r hocetwr ewn
   Yn slei bach, gan ddymuno traw perffaith iddo,
Ma'n well 'da fi hito whistlad Dat-cu,

Y noda ffansi'n byrlymu fesul jòch o seidir
  Rhint pob cân. Wna'th neb sieto botwn corn
Ar 'i gyfyl, na hyt 'n o'd glapo'r henwr shirobin
    Am 'i alawon di-wall, a dim ond fi,
    Yn 'y ngwynfyd, o'dd yn grondo,
Am wn i, ar y whistlwr whimfys, dall.

Ro'dd 'na wahaniaeth arall i'w nodi rhynt cymeriadau Nhad a Gramp ac ro'dd hyn yn allweddol cyn belled ag yr o'n i'n y cwestiwn. Dyn tawel, meddylgar, digyffro, gorofalus o'dd fy nhad, gyda swildod cynhenid o'dd yn fwy nodweddiadol o bobol cefen gwlad na'r proletariat diwydiannol; daw'r rheswm am hyn yn glir yn y man. Tra o'dd e'n un rhatus, cydwybodol, cwrtais a dirwestol, un siaradus, afradlon o'dd Gramp. Mewn gwirionedd, dw'i ddim yn cofio'r ddau'n sgwrsio â'i gilydd erio'd, ac rwy'n cretu bod y berthynas oeraidd rhyngddynt yn rhan o anghymeradwyaeth fy nhad o arferion diotgar y gŵr hŷn.

Tŷ hapus o'dd tŷ ni ar y cyfan, yn llawn cariad a 'wherthin, ond taflai'r tyndra hwn gysgod hir yr o'dd y bachgen yn gallu ei synhwyro heb ei ddeall yn iawn. Er nad wyf yn cofio unrhyw ffrae agored, ro'dd y drwgdeimlad ar ran fy nhad yn deillio o orfod rhannu tŷ gyda'i rieni yng nghyfraith, sefyllfa druenus ar y gorau. Eto i gyd, ro'dd mantais economaidd o fyw o dan yr unto, yn enwedig ar ôl geni ni'r bechgyn, gan fod treuliau'r cartref yn cael eu lleihau yn y modd hwn. Serch hynny, do'dd fy nhad ddim yn dod ymla'n â'm tad-cu, ro'dd hynny'n ddigon amlwg. Rwy'n meddwl weithiau, pryd bynnag y teimlaf fy hunan yn cael fy nhynnu mewn dau gyfeiriad, rhynt ymddygiad allblyg, direidus, geiriol Gramp ac agwedd mwy pwyllog, trefnus, mewnblyg fy nhad, taw gwrthdrawiad rhynt y ddau'n ffaelu gweld lygad am lygad â'i gilydd sy'n achosi'r tyndra yn'o i. Y mae hyn yn gwyrdroi'r ystrydebau arferol am gymeriad y Saeson a'r Cymry, ond dyna fe.

Fel y gwetais, i'm tad-cu rwy'n bennaf dyledus am fy nysgu am hanes fy mro. Mae'n bosibl fod ei ddiddordeb wedi tyfu o'r ffaith ei fod wedi hen adael Llundain ac yn twmlo'n awyddus i beidio amddifadu ei ŵyr o wybodaeth am ei fro yntau. Neu efallai fod hyn yn gwbl anfwriadol. Ta wa'th, cyfeiriai Gramp at Gymru fel 'John Jones's country'. Dw'i ddim yn siŵr am ei bolitics, er ei fod yn dishcwl yn debyg i Winston Churchill ac, yn wir, Churchill o'dd ei lasenw ymhlith ei gyd-weithwrs. Ond, yn bendant, nace Tori o'dd e achos bu'n ddyn ei undeb ar hyd ei o's. Mae ei fathodyn Undeb y Trydanwyr 'da fi o hyd gyda'r geiriau 'To Bro. Symes, for services rendered' a'r arwyddair 'Light and Liberty' arno; dyma un o'm trysorau mwyaf.

Fe'm dryswyd weithiau, adeg etholiad, pan wisgai lan yn ei siwt a'i 'sgidiau trymion gorau, ei fwffler sidan gwyn, gyda blodyn yn ei labed, ac ishta wrth ein drws ffrynt i aros am gar y Blaid Geidwadol i'w gludo i'r orsaf bleidleisio. Wedi dychwelyd, 'wherthinai'n harti gan weud ei fod wedi bwrw ei bleidlais dros y Blaid Lafur, gan wastraffu amser ac adnoddau'r gelyn. Ond dw'i ddim yn gwbl siŵr fod hyn yn wir, oherwydd ro'dd yn ddirmygus iawn o'r Llafurwr Arthur Pearson, yr Aelod Seneddol dros Bontypridd ers o's y pys, gan ei alw yn Rip Van Winkle. Efallai taw Rhyddfrydwr o'dd Charlie Symes yn y bôn – ro'dd yn edmygydd mawr o Lloyd George ar gownt ei bensiwn – ond dyfalu ydw i.

Ta p'un, llwyddodd fy nhad-cu i ddeffro fy niddordeb yn hanes y fro. Yn ei gwmni ef cerddais am filltiroedd ar y bryniau o gwmpas Trefforest, o'r Berthlwyd i Lanfabon a Llanwynno a draw i'r Meio ar ochor arall y Cwm, a safai rhyngom ni ac Abertridwr. Ro'dd Gramp ymhlith y rhai a daerai eu bod wedi gweld y fflach pan ddigwyddws y danchwa yn Senghennydd ym 1913 (er nad o'dd y tân i'w weld ond o dan y ddaear): dyma'r tro cyntaf imi glywed am hanes glofaol yr ardal. Siaradai am y terfysg ym Merthyr ym 1831 a'r anghytgord yn Nhonypandy ym 1910 fel pe baent wedi digwydd yr wythnos o'r bla'n. Ar y cwestiwn a o'dd Churchill wedi hala milwyr i Donypandy, rhannai'r safbwynt cyffredinol: 'Well, even if he didn't, he did!'

Aethon ni i weld y cylch o feini hirion a safai lle mae rhai o adeiladau'r Brifysgol erbyn heddi, a gweld yr arysgrif ar un ohonynt: 'Duw ni feddaf, Haf ni ofalaf, Gauaf (*sic*) ni theimlaf, Angau nid ofnaf'. Ro'dd y cerrig hyn wedi eu codi gan Francis Crawshay a'i frawd Henry er cof am eu teulu, ac ro'dd cofgolofn arall debyg i un Cleopatra wrth y gored rhynt Trefforest a Glyn-taf. Ro'dd Gramp ymhlith y bobol leol a o'dd yn flin pan ddinistriwyd y cerrig i wneud sylfeini'r Brifysgol yn ystod y 'Whe Degau. Dyma enghraifft gynnar o'r hychfa y mae'r Brifysgol wedi ei hachosi yn y pentre dros y blynyddo'dd.

Cofiaf fynd gyda Gramp sawl tro i weld gweddillion y tŵr ar y bryn lle ro'dd Francis Crawshay wedi dishcwl sha'r gogledd i weld a o'dd ei ffwrneisi yn Hirwaun yn gweithio; bu tŵr arall o'i eiddo heb fod ymhell o ble safai Tower Colliery wedyn. Ro'dd rhaid mynd hefyd i weld y geiriau ar un o welydd yr hen weithfeydd alcam: 'Perseverance. Who is not a fool? If this raise anger in the reader's thought, the pain of anger punishes the fault. W.C. 1836'. Ni chofiaf shwt y dehonglai Gramp yr arysgrif gryptig hon, ond rwy'n siŵr nad o'dd bachgen bach yn ei deall. Gresyn na wyddai Gramp am y guddfan a ddarganfyddais o dan Tŷ Fforest tra bûm yn dysgu yn y Brifysgol flynyddo'dd wedyn. Byddai ei ddychymyg byw wedi cynnig sawl pwrpas dirgel a lliwgar iddi.

Cofiaf hefyd, un diwetydd braf, inni gerdded, fy nhad-cu a finnau, bachan tua pedair ar ddeg o'd, yr holl ffordd trwy Don-teg a'r Efail-ishaf ac ymla'n i'r Garth, y bryn â chefen fel morfil a safai fel ma'n terfyn i'n byd bach ni pan o'n i'n fachgen. Wrth inni gerdded byddai Gramp yn dysgu enwau blodau, pili-palas ac adar imi. O gopa'r Garth gwelais gymoedd Morgannwg yn mwgu sha'r gogledd, Bannau Brycheiniog yn y pellter yn ymerodrol o borffor, ac o danom yn y gwres, Caerdydd, a thu hwnt, y Sianel a bryniau tesog Gwlad yr Haf. 'See over there? That's England!' meddai Gramp, gyda thinc o hiraeth yn ei lais, efallai. Dyna'r diwrnod, yn sicr, pan ddechreuws map ymffurfio yn fy mhen. Yn y llecyn hwnnw rwyf wastad wedi twmlo'r plwc cyntefig, y twmlad o berthyn i un lle arbennig sydd wrth galon pob gwladgarwch gwerth 'wheil. Dyma bumed pwynt fy nghwmpawd, ac o fan hyn rwy'n gallu dishcwl mas yn hyderus i bedwar ban y byd. Pan ddaw'r amser, ac fe ddaw, fe wn, hoffwn i rywun wasgaru fy llwch o gopa'r Garth. Gobeithio y cawn ni dywydd braf er mwyn i'm tylwth a'm ffrindiau allu mwynhau'r olygfa ardderchog. Croeso i bawb wedyn gael pryd o ffagots a Vimto ar lethrau'r bryn.

Cyn bo hir, siaradai fy nhad-cu wrtho i am William Edwards, adeiladydd yr Hen Bont ym Mhontypridd; Mabon, arweinydd y glowyr; Freddie Welsh y paffiwr; Morfydd Llwyn Owen y gyfansoddwraig a anwyd yn Nhrefforest; Francis Crawshay, wrth gwrs; a llu o gymeriadau eraill o'dd â chysylltiadau â'r ardal. Ro'dd un o'n cymdogion yn cofio'r Dr William Price yn gorymdeithio trwy hewlydd Trefforest. Rhaid o'dd imi gyfansoddi baled am y Doctor, sy'n cael ei chanu erbyn hyn fel 'cân draddodiadol'.

Ro'dd Gramp yn hoff o bori yn *A History of Pontypridd and the Rhondda Valleys* (1903) gan Morien, un o drigolion Trefforest ar un adeg. Er bod y gwaith rhyfedd hwn wedi cael ei ddisgrifio gan yr hanesydd R. T. Jenkins fel cawlach o dderwyddiaeth, mytholeg, daearyddiaeth, hanes lleol a chofiant, yr o'dd o ddiddordeb i Gramp ar gownt ei bortread lliwgar o gymoedd diwydiannol Morgannwg yn ystod y bedwaredd ganrif ar bymtheg. Mae ei gopi o'r llyfr 'da fi o hyd.

Ro'dd gan y Rhondda apêl arbennig i mi ac, wrth imi gyrraedd fy arddegau hwyr, gwariwn dicyn o'm harian poced ar ymweld â'r Cwm enwog bob cyfle a getho i. Ro'n i wedi gweld ambell i golier yn Nhrefforest, yn twtio'n erbyn wal fel arfer â'i wyneb yn ddu a bwndel o go'd tân o dan ei gesail. Ond yn y Rhondda gwelais goliers ym mhob man! Ac ro'dd trefi fel y Porth, Treherbert, Tonypandy a Glynrhedynog yn llefydd mor brysur, a'u pobol mor ffrenshibol a swnllyd, yr o'n i'n dopi arnynt. Dyma'r wir Gymru, i'm tyb i, ac ni flinais ar ymweld â'r cwm a siarad â'i drigolion twymgalon.

Wedi cael beic am basio'r arholiad i fynd i'r Ysgol Ramadeg, cetho i rywfaint o ryddid i fynd ble bynnag a fynnwn. Ymwelais â'r Eisteddfod Genedlaethol a gynhaliwyd yng Nghaerffili ym 1950, lle gwelais Aneurin Bevan ar y Maes; cofiaf ei siwt

binstreip yn arbennig. Es i lan i Ferthyr Tudful, lle trigai Anti
Annie ac Anti Gwen, ac i'r Cwm, ger Glynebwy, i weld 'whiorydd
Nan, ond do'dd rheiny ddim i'w cymharu â'r 'cwm culach na
cham ceiliog' ym mhlwyf Ystradyfodwg. Ro'n i'n falch iawn o'r
cyfle i ddod i adnabod rhan o Gwm Rhondda'n well pan fûm
i'n dysgu am sbelan yn Nhonypandy yn ystod y Naw Degau.

Ond er bod fy nhad-cu wedi fy nghyflwyno i dir a hanes fy
mro, ei brif gymwynas o'dd deffro fy niddordeb yn llenyddiaeth
Saesneg fy ngwlad trwy brynu imi, ar fy mhen-blwydd yn ddwy
ar bymtheg mlwydd o'd ym 1955, gopi o *Selected Poems* y bardd
o Rymni, Idris Davies. Mae'r copi gyda fi o hyd, gyda'i 'sgrifen
gopor-plêt ar un o'r tudalennau bla'n, a dyma un arall o'm
trysorau. Bu darllen y llyfr hwn yn rhyw fath ar ddatguddiad
yn fy hanes. Pryd bynnag rwy'n ei gymryd o'r silff teimlaf eto
rywfaint o'r cyffro a getho i pan ddarllenais am y tro cyntaf
am lefydd a phobol a berthynai i'm byd i. O, fe wn yn iawn
mor hawdd yw hi i gwympo o dan gyfaredd barddoniaeth
sy'n llawn o enwau lleoedd cyfarwydd a sentiment cartrefol.
Ond ymatebais i gerddi Idris Davies – do'dd y profiad ddim
yn annhebyg i gwympo mewn cariad am y tro cyntaf – gyda
shwt gymaint o ddiffuantrwydd a diléit nes twmlo dim ionyn o
embaras hyd yn o'd flynyddo'dd yn ddiweddarach. Yn wir, mae
'da fi awydd weithiau i ailafael yn y fath brofiad melys.

O Idris Davies symudais ymla'n at lyfrau gan awduron
Cymreig eraill y des o hyd iddynt ar silffoedd Llyfrgell
Gyhoeddus Pontypridd. Ymhen dicyn ro'n i wedi symud ymla'n
o'r Llychlynwyr at fenthyca popeth o'dd gan y llyfrgell i'w
gynnig o dan 'Awduron Lleol'. Yn hyn o beth cetho i gymorth
Mairwen Jones, un o'r merched a drigai drws nesaf inni yn
Meadow Street. Gweithiai hi yn y llyfrgell a phan o'dd hi wrth
y cownter ro'dd hi'n gadael imi fenthyg cymaint o lyfrau ag y
mynnwn, wa'th faint o docynnau o'dd yn fy llaw. Ymhlith yr
awduron a ddarganfyddais yn y modd hwn ro'dd Jack Jones,
Glyn Jones, Rhys Davies, Gwyn Thomas, Gwyn Jones, Dylan
Thomas, Alun Lewis, ac yn y bla'n. Bu copïau o'u llyfrau ymysg
y rhai cyntaf imi eu prynu erio'd, cnewyllyn casgliad helaethach

sy'n gweddu i rywun a dda'th yn Athro Llên Saesneg Cymru yn y man. Trwy gyd-ddigwyddiad hapus, mae merch Mairwen, sef Luned, a'i gŵr Howell ymhlith ffrindiau pennaf fy merch Heledd y dyddiau hyn.

Rwyf wedi crybwyll rhai o'r prif ddylanwadau arno i yn ystod blynyddo'dd fy llencyndod. Ro'dd 'na rai eraill, wrth gwrs, a roddws hwb imi, o fynd i Barc yr Arfau i weld Cymru'n 'whara rygbi hyd ddarllen y *Western Mail* bob dydd – arfer na allaf ei ollwng, er gwaethaf gwendidau amlwg ein 'papur cenedlaethol'. Ond fy nhad-cu o'dd y catalydd a ysgogai fy ymwybyddiaeth gynyddol o fod yn Gymro, neu o leiaf yn frogarwr. Iddo ef, Sais o'r enw Charlie Symes, dyn deallus heb fawr o addysg ond â chalon enfawr, y mae fy niolch am hynny.

Ro'dd Gramp ymhlith y bobol a dda'th mas i'r cae gwair i ganu'n iach imi y diwrnod hwnnw ym mis Medi 1956 pan adewais gartref am y tro cyntaf i fynd yn lasfyfyriwr i Aberystwyth. Dyna ddarlun arall sydd wedi aros yn fy nghof. Defod newid byd o'dd honno, wrth i'r cyntaf o'i deulu i dderbyn addysg uwch fynd trwy seremoni a o'dd i fod i'w dorri oddi wrth ei wreiddiau, a do'dd dim dishcwl iddo ddychwelyd byth. Mae'r profiad hwn, fel arfer, yn gadael creithiau ar gymeriad llanc sy'n cymryd blynyddo'dd i'w gwella, fel y mae Richard Hoggart ac eraill wedi dangos yn glir, ac yn ddiau yr o'dd i liwio fy nghymeriad am amser maith. Ond wrth weld fy ngheraint yn ffarwelio â mi fel hyn, a minnau ar drothwy byd newydd, penderfynais na fyddwn byth yn anghofio'r graig y'm naddwyd ohoni, doed a ddelo.

3

Dysgais yr eang Ffrangeg

'MAE 'NA RHYWPETH yn yr awyr yn Aberystwyth,' cwynai'r bondigrybwyll George Thomas, 'sy'n troi pobol ifainc yn Genedlaetholwyr Cymreig.' Eitha' reit, meddwn innau. Es i lan i'r Coleg ger y Lli ym 1956 yn ddi-Gymraeg, yn ddi-glem ac yn ddibrofiad o weddill Cymru, a bum mlynedd yn ddiweddarach ro'dd y brogarwr o Drefforest wedi troi'n genedlaetholwr – o ryw fath.

Fy mwriad gwreiddiol o'dd astudio ar gyfer gradd yn y Saesneg, ond yn fuan iawn sylweddolais fy mod i'n cael anhawster mawr gyda'r Hen Saesneg, sef pwnc yr Athro Gwyn Jones. Nawr, ro'dd yn rhaid llwyddo yn y papur hwn i gael lle yn nosbarth Anrhydedd yr Adran Saesneg. Ar ddiwedd fy mlwyddyn gyntaf, cetho i ganlyniadau eithaf da mewn Ffrangeg ac Addysg, a hefyd mewn dau mas o'r tri papur Saesneg, ond methais Hen Saesneg. Yn anffodus, ro'dd hyn yn gyfystyr â methu mewn Saesneg a, mwy na hynny, do'n i ddim yn gallu darllen am radd yn y pwnc, a mwy na hynny hyd yn o'd, ro'n i wedi methu fy mlwyddyn gyntaf. Rhyfedd meddwl ei bod yn bosibl y dyddiau hyn i raddio yn Saesneg heb yr wybodaeth leiaf o'r Eingl-Sacsoneg, ond yn Aberystwyth yn y cyfnod hwnnw dyma bapur hollbwysig yr Athro ac ro'dd yn rhaid ei basio cyn mynd ymla'n yn yr Adran. Do'dd dim dewis, ac felly ail-wneud y flwyddyn amdani.

Ychwanegodd y rhwystr hwn flwyddyn i'm cwrs ond, yn

ffodus, ro'dd Ymddiriedolaeth Pantyfedwen yn fodlon rhoi grant imi, ac am yr haelioni hwnnw ro'n i'n ddiolchgar dros ben. Ni wnes strocad o waith academaidd yn ystod fy ail flwyddyn, rhaid cyfaddef, gan fod y sylabws yn Saesneg, Ffrangeg ac Addysg yn gwmws yr un peth ag o'r bla'n, felly do'dd dim angen adolygu tan y munud olaf. Yr unig beth a wnes o'dd gwneud yn siŵr fy mod i'n gwypod fy Hen Saesneg: dysgais rannau helaeth o *Sweet's Anglo-Saxon Reader* ar fy nghof a rhedeg y berfau nes fy mod i'n gallu eu hadrodd yn fy nghwsg. Rwyf yn dal i gofio faint o geirw o'dd gan Ohthere o Hâlogaland pan a'th i lys y Brenin Alfred ac rwy'n gallu cofio shwt mae emyn Cædmon yn dechrau: 'Nu sculon herigean heofonrices weard, metodes meahte and his modgethanc...'. Efallai y daw hyn yn handi rhyw ddydd.

Wedi ailsefyll y papur Hen Saesneg ymhen blwyddyn cetho i farc o 96 y cant, yr uchaf yn y dosbarth, medden nhw. Ond pan es i weld yr Athro Gwyn Jones gyda chais i wneud Saesneg fel fy mhrif bwnc, siglws ei fys enwog a gweud, i bob pwrpas, fy mod i wedi tramgwyddo yn ei olwg ef ac na chawn fyth astudio Saesneg ar gyfer fy ngradd. Da'th Gwyn yn gyfaill imi'n nes ymla'n – fe o'dd Cadeirydd Cyngor y Celfyddydau pan getho i fy mhenodi yn Gyfarwyddwr Llenyddiaeth ym 1967 – ond ro'dd yn gallu bod yn unplyg ac yn dicyn o deyrn ar adegau; er mawr fy edmygedd ohono fel ysgolhaig a llenor, gwelais yr ochor honno o'i gymeriad hefyd pan o'n i'n fyfyriwr.

Eto i gyd, fe dda'th mantais imi yn y pen draw. Ar wahân i ddysgu fy Hen Saesneg, cetho i amser cymdeithasol prysur ar y naw yn ystod fy ail flwyddyn. Yfais fy siâr o gwrw a choffi, mercheta dicyn bach, darllen llawer o farddoniaeth Saesneg gyfoes, prynu llyfrau yn siop Galloway, cerdded ar Bumlumon, dechrau siarad politics gyda'm cyd-fyfyrwyr, cymysgu â Chymry Cymraeg am y tro cyntaf, dod i adnabod ambell i Sais, bwyta lot o sglodion a ffa, cyfrannu i'r *Courier*, papur Saesneg y coleg, cerdded ar hyd y prom, aros lan yn hwyr y nos i roi'r byd yn ei le, darllen y papurau trymion am y tro cyntaf, ac yn y bla'n.

Cetho i flas mawr ar y Debates Union, y canu a'r miri mawr

a chymeriadau fel Norman Rea, un o sêr yr achlysuron hyn, a ddangosodd imi shwt i siarad yn gyhoeddus. Bach iawn o'dd fy nghyfraniad i mewn gwirionedd, ond cofiaf siarad o blaid hunanreolaeth i Gymru un tro. Cetho i fy ngwahardd shwrne am gyfeirio at y rêlins y tu fas i Neuadd Alexandra, lle ro'dd y myfyrwragedd yn arfer gweud 'Nos da' wrth eu sponers, fel 'more sinned against than sinning'. Dw'i erio'd wedi twmlo'r angen i ymuno â chymdeithas hen fyfyrwyr y coleg, ond mae rhialtwch y dyddiau hynny wedi aros yn felys yn fy nghof.

Ar yr un pryd, un o'm pleserau mwyaf o'dd pori yn y llyfrau y des o hyd iddynt mewn casgliad gan awduron o Gymru yn llyfrgell y coleg. Gresyn nad o'dd yr un o'r rhain ar gyrsiau'r Adran Saesneg, gan nad o'dd Gwyn Jones, un o brif lenorion Cymreig ei ddydd a golygydd y *Welsh Review*, am roi sylw academaidd i'w gyd-wladwyr. Ond ei enw e o'dd tu fewn i rai o'r cyfrolau, er hynny. Fe'u darllenais gydag awch anghyffredin.

Darganfyddiad arall yn ystod fy ail dymor o'dd bod 'y byd yn fwy na Chymru ond diolch fod yr hen Gymru fach yn rhan o fyd mor fawr'. Ro'dd politics yn yr awyr, hyd yn o'd mewn lle diarffordd fel Aberystwyth. Darllenais yn y papurau fod Nasser newydd gipio Camlas Suez a'i gwladoli. Ymosodws yr Undeb Sofietaidd ar Hwngari ac fe dda'th y bobol mas yn erbyn y tanciau ar yr hewlydd. Da'th myfyrwyr o Bwdapest i Aberystwyth ac agorwyd cronfa i dalu amdanynt. Fe a'th mintai o fyfyrwyr y coleg i Aldermaston i brotestio'n erbyn arfau niwclear. Ca's y Siwdan, Ghana, Pacistan, Moroco a Thiwnisia eu rhyddid, ro'dd y rhyfel dal ymla'n yn Algeria ac ro'dd yr houl yn machlud ar yr Ymerodraeth Brydeinig. Lansiodd yr Undeb Sofietaidd y roced Sputnik. Ro'dd 'na drais yn erbyn pobol dduon yn Little Rock, Arkansas. Cafodd yr Archesgob Makarios, un o arweinwyr y Groegwyr ar ynys Cyprus, ei ryddhau o'r carchar.

Ro'dd pawb (wel, pawb a fu'n flaengar yn y Coleg ger y Lli) yn darllen *The Outsider* gan Colin Wilson, *On the Road* gan Jack Kerouac, *Look Back in Anger* gan John Osborne a *The Uses of Literacy* gan Richard Hoggart, llyfr a o'dd yn rhyw fath o ddrych imi yn ei bortread o ddiwylliant y dosbarth gweithiol. Fy hoff gerddorion ar y pryd o'dd Joan Baez, Bob Dylan, Woody Guthrie, Pete Seeger ac Ewan MacColl. Yn y Clwb Ffilmiau gwelais *Battleship Potemkin, The Seventh Seal, Les Enfants du Paradis, La Grande Illusion, Ashes and Diamonds, Le Salaire de la Peur* a *Nuit et Brouillard*. Gérard Philipe a Simone Signoret o'dd y sêr ro'n i'n eu hedmygu, ond och! priodws Grace Kelly rhyw foi o Monaco, gan siomi o leiaf un o'i hedmygwyr yng Nghymru.

Yr achos a ddenai'r rhan fwyaf o fyfyrwyr yn ystod fy mlwyddyn gyntaf o'dd yr helynt am ddiswyddo'r Prifathro Goronwy Rees, a o'dd wedi bod yn gyfaill i Guy Burgess, yr ysbïwr a a'th drosodd i'r Undeb Sofietaidd ym 1956. Ro'dd Rees, yn ffôl iawn, wedi cyhoeddi cyfres o erthyglau yn un o'r papurau Sul a do'dd hynny ddim yn plesio rhai o aelodau Sanhedrin y coleg, yn enwedig David Hughes Parry. Ro'dd gan y newyddiadurwr Keidrych Rhys fys yn y brwes, os cofiaf yn iawn. Cofiaf ddangos ein cefnogaeth i'r Prifathro yn y Cwad, y lle dan ei sang ac yn swnllyd iawn. Do'n ni ddim yn gyfarwydd â'r ffeithiau, wrth gwrs, ond ro'dd y Prifathro yn ffigwr poblogaidd iawn ymhlith y myfyrwyr, ac un agos-atoch-chi hefyd. Ro'dd ei 'sgidiau swêd a'i sanau gwynion a'i Saesneg caboledig yn bethau i ryfeddu atynt.

Cofiaf sefyll wrth y bar yn y Belle Vue yn gynnar un noson, ar fy ffordd i gasglu merch o un o'r hosteli cyn mynd i hop yn Neuadd y Plwyf. Dim ond un dyn arall o'dd yn y lle ac er mawr syndod imi, dyma fe'n prynu sieri sych imi cyn troi, gyda gwên, ac ymadael. Do'dd e ddim yn fy adnabod: dyma a wnâi i bob myfyriwr, mae'n debyg, wrth ddod ar eu traws yn gymdeithasol. Rhyw awr yn ddiweddarach, gwelais y Prifathro yn yr hop – ie, ro'dd yn arfer mynd i'r hops – ond do'dd e ddim yn fy nghofio.

Ro'dd y storïau amdano'n lleng: yn ôl rhai, ro'dd wedi cael rhan, yn ystod y Tri Degau, mewn ffilm Natsïaidd, lle 'wharaeodd gapten mewn llong danfor Brydeinig yn dishcwl trwy ei beriscôp gan weiddi, 'Ah, a German hospital ship – fire all torpedoes!' Dyn annibynadwy o'dd Goronwy Rees, celwyddgi hyd yn o'd, ond dw'i ddim yn gallu dychmygu mab i weinidog Methodist Calfinaidd yn gwneud ffilmiau propaganda dros Hitler, 'whara teg. Bo'd hynny fel y bo, fe a'th â'i gyfrinachau i'r bedd, gan adael o leiaf ddwy gyfrol o hunangofiant sydd ymhlith y goreuon o'u bath, sef *A Bundle of Sensations* (1960) ac *A Chapter of Accidents* (1972). Do'dd ei olynydd, Thomas Parry, a dda'th yn Brifathro ym 1958, ddim hanner mor lliwgar: ro'dd ei sanau e wastad yn llwyd.

Es i mewn i bolitics fel cyfaill i D. Ben Rees, Sosialydd cadarn o'dd wedi sefydlu cylchgrawn o'r enw *Aneurin*, ar ôl ei arwr a o'dd newydd gael ei ethol yn Drysorydd y Blaid Lafur. Gan Rodric Evans, mab Lyn Evans, Pennaeth yr Awdurdod Teledu Annibynnol yng Nghymru, cetho i wahoddiad i fod yn Gadeirydd y Clwb Politicaidd, ac yn rhinwedd y swydd honno ro'n i'n gallu denu nifer o siaradwyr adnabyddus, yn eu plith rai o arweinwyr y Blaid Lafur a Phlaid Cymru, i'n hannerch ni. Ni wna'th cangen y Clwb ryw lawer mewn gwirionedd ond trafod syniadau a gwrando ar siaradwyr gwadd, ond ro'dd hynny'n waith digon pwysig ymhlith pobol ifainc a o'dd yn crisialu eu daliadau politicaidd ar y pryd. Er hynny, ro'n i'n anesmwytho am yr holl siarad gwag am theorïau ffansi o fewn Plaid Cymru ac yn ysu am weithredu'n fwy ymarferol. Ffolineb o'dd sôn am Gymru'n cael sedd yn y Cenhedloedd Unedig, wedi'r cyfan. Do'dd 'gweithredu uniongyrchol' ddim wedi tycio 'to, hyd yn o'd ymhlith y rhai a ymboenai am yr hyn a o'dd yn digwydd yng Nghapel Celyn.

Dim ond nifer bach o rifynnau o *Aneurin* a gafwyd, ond digon imi ddechrau meddwl o ddifrif am wleidyddiaeth yng Nghymru. Ceisiai'r cyfnodolyn hwn briodi Sosialaeth â chenedlaetholdeb, er taw'r rhifyn mwyaf swmpus o'dd un a o'dd wedi ei lenwi ag ysgrifau am yr ail o ddau draddodiad y wlad. Ro'dd Ben yn hoff iawn o ddadlau a siarad yn gyhoeddus, er ei fod, fel brodor o Landdewi Brefi, yn fwy huawdl yn y Gymraeg nag yn Saesneg. Fe a'th wedyn yn weinidog gyda'r Hen Gorff yn Lerpwl a dim ond ar Faes yr Eisteddfod Genedlaethol yr ydym yn cwrdd y dyddiau hyn, gwaetha'r modd. Mae e'n dal yn aelod o'r Blaid Lafur ac mae e wedi tyfu'n awdurdod ar Gymry Lerpwl.

Y brif broblem i achosi po'n i'r Cymry Cymraeg yn y dyddiau rheiny yn ddi-os o'dd Cwm Tryweryn. Do'dd hyn ddim yn cyffwrdd â mi'n bersonol, er bod y lluniau o drigolion Capel Celyn yn gorymdeithio trwy hewlydd Lerpwl gyda'u baneri yn ddigon i dorri'r galon. Eto i gyd, gwelais ar unwaith shwt y gallai'r ddinas anwybyddu barn gyhoeddus yng Nghymru a'r Aelodau Seneddol Cymreig yn methu gwneud dim i rwystro'r cynllun i foddi'r cwm. Ro'dd y wers yn glir: rhaid o'dd cael rhyw gorff i amddiffyn buddiannau Cymru ac i weithredu drosti'n effeithiol yn y maes politicaidd a diwylliannol. A dim ond un blaid o'dd yn debyg o wneud hynny, hyd y gwelwn i.

Ymunais â Phlaid Cymru ar ddiwedd fy ail flwyddyn, sef haf 1958. Cofiaf J. E. Jones, Ysgrifennydd y Blaid, yn ymweld â mi yn fy nghartref i sicrhau fy mod i'n berson go iawn, gan fod aelod o'r Blaid mewn lle fel Trefforest mor brin â phili-pala ym Mhegwn y Gogledd. Ro'n i'n edmygydd mawr o rai o hoelion wyth y Blaid, megis D. J. Williams, Wynne Samuel, Trefor Morgan, Glyn James, Jennie Eirian Davies, Elystan Morgan ac wrth gwrs, Gwynfor Evans. Ond a gweud y gwir, ro'n i'n ffaelu dioddef J. E. Jones: dyn di-hiwmor a ffanatig go iawn o'dd e yn fy mhrofiad i. Do'n i ddim yn adnabod Elystan yn bersonol ond cetho i siom fawr pan adawodd y Blaid ac ymuno â'r Blaid Lafur ym 1965; ro'dd troi ei gôt felly, am ba reswm bynnag, yn anodd i'w faddau gan Gymry idealistig fy nghenhedlaeth i, ac 'Elastig yw Elystan,' meddai'r gwatwarwyr yn ein plith.

Ymhlith y Cymry eraill ro'n i wedi dod ar eu traws erbyn diwedd fy ail flwyddyn ro'dd Cynog Dafis, a a'th yn Aelod Seneddol Plaid Cymru ac yn Aelod o Gynulliad Cymru'n ddiweddarach; Gareth Price a Patrick Hannan, a ga's swyddi pwysig gyda'r BBC yn nes ymla'n; Emyr Llewelyn Jones, a a'th i'r carchar am ei weithred yng Nghwm Tryweryn; Aneurin Rhys Hughes a Hywel Ceri Jones, a ga's yrfaoedd disglair gyda'r Comisiwn Ewropeaidd yn y man; ac Irfon Clarke a John Pryce

Williams, bechgyn serchus iawn yr wyf wedi colli cysylltiad â nhw erbyn hyn. Cetho i ambell sgwrs ag Alan R. Thomas, brodor o'r Crai yn Sir Frycheiniog ac awdurdod ar dafodieithoedd y Gymraeg, a golygydd rhifyn arbennig o'r *Dragon/Y Ddraig* ym 1958, blwyddyn Gŵyl Cymru, lle ymddangosodd cerddi gan ryw Michael Stephens am y tro cyntaf; wrth eu darllen nawr rwy'n ffaelu osgoi'r twmlad o 'Say, can that lad be I?' Ddwy flynedd yn ddiweddarach ro'dd cerddi uwchben yr enw Meic Stephens yn yr un cylchgrawn. Ro'n i wedi penderfynu defnyddio ffurf mwy Cymreigaidd ar fy enw yn ôl awgrym D. J. Williams, ac rwyf wedi catw ato byth oddi ar hynny. Yr unig anfantais o arddel y ffurf hon yw cael fy nghymysgu â'r canwr Meic Stevens!

Ymddangosodd cyfraniadau gan Byron Rogers, Teifion Griffiths a Norman Rea yn y rhifyn hwnnw o'r *Dragon/Y Ddraig* hefyd. Ar ben hynny, enillais wobr am stori fer mewn cystadleuaeth a drefnwyd gan Gymdeithas Alun Lewis, man cyfarfod i'r dyrnaid o fyfyrwyr a ymddiddorai yn llên Saesneg Cymru, ac ro'dd rhai o'm cerddi wedi ymddangos yn y gyfrol flynyddol *Universities' Poetry* a'r cylchgrawn *The Anglo-Welsh Review* o dan olygyddiaeth Roland Mathias. Fi o'dd ysgogwr ymosodiad yn y *Courier*, papur y coleg, ar Gwyn Thomas, Kingsley Amis a Goronwy Rees a o'dd wedi cyhoeddi erthyglau sarhaus am Gymru mewn rhifyn 'Cymreig' o'r *New Statesman*. Bûm yn arbennig o hallt am Gwyn Thomas, gan ei alw'n 'clown of the coalfield', ac rwy'n cretu bod hyn wedi suro fy mherthynas â'r awdur o'r Porth. Ta wa'th, ro'dd y cyw-newyddiadurwr wedi dechrau cael blas ar 'sgrifennu polemig.

Erbyn i'r *Dragon/Y Ddraig* ddod o'r wasg ym 1961 o dan fy ngolygyddiaeth i, ro'n i wedi mynd i Ffrainc; cetho i help gan Emyr Llewelyn Jones, y golygydd Cymraeg, i'w roi at ei gilydd cyn ymadael. Dyma'r rhifyn lle gwelwyd erthygl gan Graham Hughes, darlithydd yn Adran y Gyfraith, sef 'A Plea for Wales', a o'dd, yn fy marn i, y datganiad gorau dros hunanlywodraeth ro'n i wedi ei ddarllen hyd at hynny. Mae'n siomedig fod y dyn disglair a gwladgarol hwnnw o Aberafan wedi mynd i fyw i'r

Unol Daleithiau, lle mae wedi treulio gweddill ei o's, hyd y gwn i. Mae Gwilym Prys Davies, un arall rwy'n ei edmygu, o'r un anian â Graham Hughes o ran pryd a gwedd a'i feddwl miniog.

Lletya yr o'n i yn ystod fy nwy flynedd gyntaf yn Hewl Portland gyda Jeff Jones a Wayne Davies, ill dau yn hanu o Drefforest ac yn ffrindiau bore o's. Collais gysylltiad â nhw ar ôl gadael y coleg, er fy mod i wedi clywed bod Jeff wedi cael swydd gyda'r Bwrdd Glo a bod Wayne yn Athro Daearyddiaeth Drefol yn Seattle. Ond erbyn fy nhrydedd flwyddyn, trigo yr o'n i gyda rhyw ddwsin o fyfyrwyr eraill yng ngwesty'r Sun ar Rodfa'r Gogledd, cartref Mr a Mrs Williams a'u merch Dorothy. Fel pob un o'r bechgyn yn y llety, ro'n i'n dotio ar Dot, merch llawn hwyl (ac yn debyg i Audrey Tautou o ran pryd a gwedd) a ddysgws lawer imi am seicoleg merched. Do'dd y *swinging Sixties* ddim wedi cyrraedd eto, cofiwch, ac ro'dd y berthynas rywiol rhynt llanciau a merched yn eithaf diniwed, gyda rhai eithriadau. Y gamp fawr i ni'r bechgyn o'dd ymweld â merch yn un o'r hosteli ar y prom ar brynhawn Sul, a sleifio i mewn i'w hystafell os yn bosibl, er y gallai hi dderbyn cosb am y fath ymddygiad anfoesol. Rhaid o'dd dibynnu ar ffrindiau i guro ar y drws pan o'dd y warden o gwmpas y lle, amgylchiadau a lesteiriai 'whant y cnawd yn aml.

Un o'n pleserau yn y Sun o'dd nofio'n noethlymun yng nghwmni Dot oddi ar Draeth y De yng ngolau'r lloer, un o'r pethau mwyaf mentrus ro'n i wedi eu gwneud erio'd. Yn yr un llety ro'dd Ifor Owen o Ben-y-bont-fawr yn Sir Drefaldwyn, Cymro Cymraeg sydd wedi treulio ei o's yn gwasanaethu llywodraeth a phobol Borneo. Fe o'dd yr unig un i beidio â mynd i'r môr heb ei wisg nofio. Ro'dd Ifor yn mynd i'r cwrdd bob dydd Sul ac am hynny ro'dd y bechgyn eraill yn tynnu ei go's yn ddidrugaredd, ond cetho i sawl sgwrs ddiddorol gydag ef am rinweddau emynau Cymraeg a phethau felly. Do'dd Ifor ddim yn cymeradwyo ein penderfyniad i gario arch trwy hewlydd y dref yn anglodd ffug Henry Brooke, y Gweinidog dros Gymru, ond cerddws dyrnaid ohonom, Rodric Evans,

Megan Kitchener Davies, Alan Wynne Jones ac Eurion John yn ein plith, er hynny.

Fy nghyfaill pennaf yn y dosbarth Anrhydedd o'dd Michael Powney o Frynaman ond ro'dd e'n fishi yn canlyn June Davies yn selog trwy gydol ein blwyddyn olaf ac, yn wir, fe'i priodws bron yn syth ar ôl graddio, felly ni welsom ryw lawer ar ein gilydd ond yn y darlithoedd ym Maes Lowri. Dysgais ambell i ymadrodd Cymraeg gan Powney, megis 'Paid â chwympo i lawr y twll' ac 'Mae'r haul yn disgleirio yn y ffurfafen', sy'n aros yn y cof hyd heddi. Pan es i dreulio penwythnos 'da'r Powneys ym Mrynaman clywais yr iaith Gymraeg yn cael ei siarad o fewn teulu am y tro cyntaf. Gwelais fwy o'm ffrind arall, sef Glyn Evans o Aberdâr, a o'dd yn lletya gyda ni yn y Sun, er ei fod yntau'n canlyn merch a dda'th yn wraig iddo yn y man, sef Lynwen Leach, ei gariad ers dyddiau ysgol.

Do'n i ddim heb gwmni benywaidd 'chwaith. Des i adnabod merch landeg o Burry Port, Cymraes ac aelod o Blaid Cymru, o'r enw Beti Williams. Rwy'n ei gweld o bryd i'w gilydd y dyddiau hyn yng nghwmni Mario Basini, ac rydym yn cael sgwrs gyfeillgar bob tro yn yr iaith na siaradwn yn Aberystwyth. Cofiaf hefyd Isobel Evans o'r Hendy, ger Pontarddulais, merch Cyfarwyddwr Addysg Llanelli, a o'dd yn Gymreig iawn heb fod yn medru'r Gymraeg. Priodws hi bennaeth Coleg yr Iwerydd.

Lle bach o'dd y Coleg ger y Lli yn y dyddiau hynny. Da'th 437 o lasfyfyrwyr i Aberystwyth ym mis Hydref 1956 a dim ond 1,258 o fyfyrwyr, gan gynnwys 448 o ferched, o'dd yn y coleg cyfan. Ac felly ro'dd y gystadleuaeth am ferched yn gallu bod yn ffyrnig. Dw'i ddim yn cofio enwau'r merched yn y dosbarth Anrhydedd ac eithrio'r un a wetws wrtho i shwrne nad o'dd hi erio'd wedi clywed am Albert Camus; fel y trodd pethau mas, hi o'dd yr unig un i gael gradd dosbarth cyntaf maes o law. Collais gysylltiad â'r myfyrwyr a o'dd wedi dod i Aberystwyth gyda fi ym 1956, yn enwedig y rhai a o'dd wedi mynd i Ffrainc flwyddyn ynghynt. Erbyn imi ddychwelyd i Gymru roeddynt wedi graddio a gadael y coleg. A dw'i ddim yn cofio enwau'r merched eraill a gytunodd i gerdded ar hyd y prom 'da fi, mae'n flin iawn 'da fi weud.

Y darlithydd mwyaf poblogaidd a lliwgar yn y coleg o bell ffordd o'dd Gwyn A. Williams, a o'dd wedi bod yn Aberystwyth er 1954. Er nad o'n i'n fyfyriwr yn yr Adran Hanes, es i'w ddarlithoedd o bryd i'w gilydd er mwyn cael y pleser o wrando ar ei huotledd. Braint arall o'dd mynd, yn hwyr y nos, i fflat Gwyn a'i wraig Maria, ill dau o Ferthyr, i yfed coffi ac i drin a thrafod pynciau'r dydd. Un o gyfeillion Gwyn o'dd Richard Cobb, awdurdod ar y 'Whyldro Ffrengig, a ddarlithiai inni yn yr Adran Ffrangeg o dro i dro, a hynny mewn Ffrangeg idiomatig dros ben. Dysgais fwy gan y ddau am sefydliadau a gwleidyddiaeth Ffrainc na chan neb ymhlith staff yr Adran Ffrangeg.

Yn wir, braidd yn siomedig o'dd y cwrs Anrhydedd Ffrangeg ar y cyfan. Yr Athro E. R. Briggs o'dd Pennaeth yr Adran, hen foi swil gydag acen Ffrangeg echrydus, a ddarlithiai ar wyddonwyr ac athronwyr y ddeunawfed a'r bedwaredd ganrif ar bymtheg: pobol fel Lavoisier, Descartes, Diderot, Ampère, Bergson, Pascal a Pasteur o'dd ei ddiléit ef. Ffigwr pell o'dd Briggs, a darlithydd sych ar y naw, ac ni chofiaf gael gair gydag e erio'd. Dim ond dicyn yn fwy agos-atoch o'dd J. Killa Williams, dyn o gefndir militaraidd a ddysgai Hen Ffrangeg, sef glosau mewn Ffrangeg cynnar ar destunau Lladin a roddws yr un drafferth imi â'r Hen Saesneg: ni wnes yr ymdrech leiaf i'w meistroli nhw. Ro'dd y Sgotyn golygus David Hoggan yn dicyn mwy dymunol, ond eto'n anobeithiol o swil; eto i gyd, darllenais y gyfrol *L'Amour et l'Occident* gan Denis de Rougemont fel rhan o'i gwrs ef. Dysgais lawer am seineg gan Yvonne Niort, a dda'th yn Mme Hoggan yn y man; clywais gan Michael Powney yn ddiweddar ei bod hi wedi lladd ei hunan ar ôl marwolaeth annhymig ei gŵr. Yr unig ddosbarthiadau gwirioneddol afaelgar, yn fy mhrofiad i, o'dd rhai Margaret Phillips (Maggie Pip), yr hen ledi sidêt a ddysgai waith y dramodwyr Racine a Corneille, a rhai Dennis Fletcher a Stuart John, a o'dd yn gyfrifol am y cyfnod modern.

Ro'dd Stuart yn diwtor imi ac yn *sympa* dros ben. Fe o'dd

yn gyfrifol am oruchwylio fy nhraethawd estynedig. Teitl mawreddog y gwaith hwn o'dd 'Mechanical, Industrial and Urban Themes in French Poetry from 1830 to 1870, with Special Reference to the Later Achievement of Émile Verhaeren'. Ticyn o lond ceg! Bardd o Fflandrys yng Ngwlad Belg o'dd Verhaeren, ac un o ffigyrau canolog y Dadeni Fflemaidd tua diwedd y bedwaredd ganrif ar bymtheg. Er ei fod yn frodor o Fflandrys ac yn caru ei wlad, 'sgrifennu yn y Ffrangeg a wna'th, fel bron pob un o'r dosbarth deallusol ar y pryd, ffaith a o'dd yn ei wneud yn ddiddorol imi. Ei hoff thema o'dd shwt o'dd diwydiant wedi trawsnewid tirwedd gogledd Ewrop yn ei amser ef a shwt o'dd hyn yn mynd i esgor ar gyfnod newydd o frawdgarwch rhynt y cenhedlo'dd. At hynny, ro'dd ef o'r farn fod rhyw fath o harddwch newydd yn perthyn i'r gymdeithas ddiwydiannol a threfol oherwydd ei bod yn adlewyrchu egni, dycnwch ac athrylith technegol dynol ryw. Ei ymateb i weld ffwrneisi Cwm Tawe, gyda llaw, o'dd, 'Ah, que c'est beau! Que c'est beau!' Symbol yr o's newydd, yn ei olwg ef, o'dd y trên ac mae ei gerddi'n llawn o ddociau, peiriannau, ffatrïoedd, hewlydd prysur a gweithwrs mewn ffwrnais a phwll. Hawdd iawn o'dd imi ymateb i'r fath farddoniaeth. Ond yn eironig iawn, ca's Verhaeren ei ddiwedd yng ngorsaf Rouen ym 1916 pan gwympws o dan olwynion trên. Ei eiriau olaf o'dd, 'Je meurs. Ma femme! Ma patrie!'

'Y dyn mwyaf diflas yn Ewrop,' meddai'r hen Ffasgydd Ezra Pound am Émile Verhaeren, ond i mi ro'dd yn dicyn o arwr ac rwy'n darllen y cerddi yn ei gyfrolau *Les Villes Tentaculaires* a *Les Campagnes Hallucinées* â phleser o hyd. Yn wir, mae portread ohono yn sefyll uwch fy nesg ar hyn o bryd. Ro'dd gan y bardd J. M. Edwards ddiddordeb mawr yng ngwaith Verhaeren – yr unig un ymhlith y Cymry hyd y gwn i – ond, mae'n flin iawn 'da fi weud, ni chwrddais ag ef erio'd. Cetho i gyfle i weithio ar fy nhraethawd yn ystod fy mlwyddyn yn Ffrainc, blwyddyn orfodol i bob myfyriwr a obeithiai gael gradd Anrhydedd yn y Ffrangeg. A dyma fi'n ychwanegu blwyddyn arall at fy nghwrs felly.

Ro'n i wedi bod yn Ffrainc shwrne o'r bla'n, yn ystod haf 1956, tra oeddwn yn aros am ganlyniadau Safon A, pan dreuliais fis yn Gacé yn Normandi gyda llanc o'r un oedran â mi o'r enw Gilbert Legendre; ro'n ni wedi bod yn gohebu am flwyddyn neu ddwy cyn hynny. A Nan wedi gwnïo rhyw fath o wregys sidan i ddal fy arian Ffrengig, dyma fi'n ei dynnu a'i dowlu i'r môr rywle yng nghanol y Sianel – y gwregys, hynny yw, nid yr arian: ro'dd hyn gyfystyr â gweud, 'Rwy'n fachgen mawr nawr, Nan, ac yn gallu dishcwl ar ôl fy hunan.' Ond wrth gyrraedd Paris, a Gilbert a'i fam wedi dod i'm cwrdd, aethon ni i'r theatr i weld perfformiad o *L'Auberge au Cheval Blanc* ac ro'dd rhaid imi adael yn ystod yr egwyl gyntaf i gyfogi: yr houl ar y Sianel a achosodd hynny, siŵr o fod, er bod y miwsig yn eithaf cyfoglyd hefyd. Collais yr arian Ffrengig i bigwr pocedi a rhaid o'dd dibynnu ar haelioni Mme Legendre yn ystod gweddill fy ymweliad.

Pentre bach cysglyd o'dd Gacé, heb fod ymhell o Alençon ac Argentan, yn *la Normandie profonde*, yr un maint â Ffostrasol, dyweder, ond heb y miri fin nos. Arferai pobol Gacé gael eu hadloniant trwy fynd i'r pentre nesaf i weld y peiriannau sleisio cig moch. Ro'dd ychydig o siopau yno, gan gynnwys *boulangerie* mam Gilbert, yn ogystal ag eglwys, cwfaint, gorsaf betrol ac ysgol elfennol. Gweithiai fy ffrind yn y pobty teuluol trwy'r nos a chysgai'r rhan fwyaf o'r dydd, gan fy ngadael i wneud fel y mynnwn. Cerddwn bron bob bore ar hyd y ffyrdd tawel o'dd yn cyfarfod â'i gilydd ar sgwâr y pentre, gan weld bron neb a dim trafnidiaeth ond ambell i dractor, gan taw ardal amaethyddol o'dd hon. Gwelais rai yn syllu arno i yn y pentre ond cetho i'r argraff eu bod nhw'n meddwl fy mod i'n Almaenwr gan nad oeddynt yn barod gweud hyd yn o'd 'Bonjour' wrtho i. Felly, ni chyfathrebais rhyw lawer â Ffrancwyr yn ystod fy mis yn Gacé.

Ro'dd yr Almaenwyr wedi bod yn Normandi yn ystod y rhyfel cwta ddeuddeng mlynedd yn gynharach, a do'dd y cof amdanynt ddim yn felys ymhlith y brodorion. Pan geisiais gynnal sgwrs â nhw yn fy Ffrangeg elfennol, cetho i'r ymateb oeraidd, 'Ah, Monsieur est allemand!' 'Non, non,' atebais innau, 'Je suis gallois!' a da'th yr ateb wedyn, 'Ah, danois!' Siaradai Mme Legendre wrtho i yn y dull y mae rhai pobol yn ei gatw ar gyfer ymgom ag estroniaid, hynny yw, mewn llais uchel, gan weud popeth ddwywaith, ond yn gyflym iawn. Dyma'r tro cyntaf imi glywed rhywun yn siarad Ffrangeg tu fas i ddosbarth ac ni ddeallais ryw lawer o'i pharablu. Bob hyn a hyn soniws am ei diweddar ŵr ac ro'dd hyn yn achosi dagrau mawr a beichiadau, a siglai ei chorff yn ddigon i'm dychryn, er na ddysgais shwt o'dd e wedi trengi.

Eto i gyd, ac mae'n rhyfedd shwt mae rhai pethau dibwys yn aros yn y cof cyhyd, dysgais gân werin 'Ma Normandie', sydd wedi aros gyda fi fyth ers hynny: 'Quand tout renaît à l'espérance... quand l'hirondelle est de retour, j'aime à revoir ma Normandie, c'est le pays qui m'a donné le jour.' Fe glywais y diwrnod o'r bla'n fod 'Ma Normandie' yn anthem i ynys Jersey, er bod y trigolion wedi bod yn 'whilio yn ddiweddar am gân arall nad yw'n cyfeirio at Ffrainc. Ro'dd brogarwch y delyneg wedi apelio ato i, mae'n amlwg. A phan dda'th Gilbert i sefyll 'da ni yn Meadow Street wedyn, ro'dd wrth ei fodd, er bod ei Saesneg yn brinnach na'm Ffrangeg; wir, shwt gymaint yr o'dd pobol yr hewl wedi ei gymryd at eu calonnau, da'th i dreulio ei fis mêl gyda fy rhieni rai blynyddo'dd wedyn.

Ond nawr, ym mis Medi 1959, ro'n i'n wynebu blwyddyn gron yn Ffrainc. Cofiaf gael pryd o dafod gan fy nhad y noson cyn imi ymadael. Ro'n i wedi bod yn helpu John Howell, ymgeisydd Plaid Cymru yng Nghaerffili, ers y bore bach ac ro'dd Mam yn twmlo'n emosiynol abythdu gweld ei mab yn mynd i fyw dramor. Eitha' reit hefyd: fe ddylswn i fod wedi aros gartref y diwrnod hwnnw.

Wedi gofyn am gael fy hala i Lydaw, cetho i fy hunan yn *assistant de langue anglaise* yn yr École Normale des Instituteurs yn Quimper (neu Kemper mewn Llydaweg, nid bod hynny i'w weld ar yr arwyddion). Coleg ar gyfer darpar athrawon yn yr ysgolion cynradd o'dd y sefydliad hwn, tebyg ei amcanion i'r Coleg Normal ym Mangor ers talwm, ond ar gyfer dynion ifainc yn unig. Fy swyddogaeth i o'dd helpu gwella Saesneg y myfyrwyr yn y flwyddyn olaf. Ond am dasg! Do'dd gan y llanciau afreolus hyn ddim y diddordeb lleiaf mewn gwella eu Saesneg a chetho i gryn drafferth 'da nhw. Meibion y dosbarth amaethyddol o'dd y rhan fwyaf ohonynt, Llydawyr wrth eu cyfenwau ond Ffrengig eu diddordebau a'u meddylfryd. Tua dau fis ar ôl dechrau'r tymor da'th yn amlwg nad o'n i'n mynd i ddysgu dim iddynt, a phan es i gael cyngor gan Monsieur Briand, yr athro Saesneg, ni ddangosodd ronyn o ddiddordeb yn fy mhroblem ond i weud, 'Ah, ne vous inquiétez pas, Monsieur Stéphan, c'est un vieux problème!' Iawn, meddai fi yn dawel bach, os yw hi'n hen broblem, nid fy mhroblem i yw hi.

Myfyrwyr o'dd y *pions* hefyd, hynny yw, dynion ifainc o'm hoedran i a o'dd yn ceisio ennill dicyn tuag at dalu am eu cyrsiau ym mhrifysgolion Rennes, Nantes a Brest drwy gynorthwyo'r staff gweinyddol i redeg y coleg. Cofiaf eu henwau hyd heddi: Marcel Lefloc'h, Paul Madec a Jean Lozac'h; ond beth sydd wedi dod ohonynt, ni wn. Ni welwn y darlithwyr o ben un wythnos i'r llall gan eu bod yn ei gwanu hi o'r coleg yn syth ar ôl eu dosbarthiadau, a'r *pions* o'dd yr unig gwmni ar gael, felly. Dyma fodd gwych i wella fy Ffrangeg a meistroli dicyn o'r *argot* diweddaraf a dysgu nifer o ganeuon anweddus fel 'Les Filles de Camaret' nas cynhwysir yn *Barzaz Breizh*. Dechreuais fynd o gwmpas 'da nhw, ta p'un i, ar gefen eu Vespas yn bennaf, neu ffawdheglu i Rennes unwaith yr wythnos, lle llwyddais, heb fawr o drafferth ar fy rhan, i gael diploma yn yr iaith Ffrangeg. Tua diwedd y flwyddyn academaidd, a'r tywydd yn braf, treuliais ambell i 'brynhawngwaith teg o ha' hirfelyn tesog' yn hinoni ar y tra'th sha Bénodet yng nghwmni'r bechgyn hyn.

Do'dd dim llawer i'w wneud yn Quimper ar ôl tuag wyth o'r gloch ond ishta yn y Café de Bretagne ar lan Odet yng nghwmni pobol fel Joël-Jim Sevellec, athro Lladin yn y Lycée. Dylunydd o fri o'dd Joël-Jim, fel ei dad Jim Sevellec o'i fla'n, a Llydawr hynod o wladgarol a wisgai ei wescot a'i het â chantel llydan i greu argraff theatrig lle bynnag yr âi. Bu farw rai blynyddo'dd yn ôl ond mae 'whech o'i blatiau hardd â lluniau o gymeriadau 'whedlonol Llydaw arnynt ar ein dreser hyd heddi.

Yfais fwy nag un gwydraid o win coch yn y Café de Bretagne gyda Neil Jenkins, o'dd yn *assistant* yn y Lycée ar y pryd. Buan y dysgais ei fod yn gallu yfed mwy na fi ond fy mod i'n gallu ei ddal yn llawer gwell; dysgais hefyd taw un i'w osgoi o'dd Neil pan o'dd yn feddw gaib. Cymry dicyn mwy sobor a difyr o'dd Rhys Lewis a Nia Daniel, myfyrwyr Cymraeg o Gaerdydd, a dda'th i Quimper o dro i dro o drefi cyfagos. Ro'n i'n gyfeillgar â Maurice Varney hefyd, a o'dd yn *assistant* yn Rennes, ieithgi o Sais sydd wedi dysgu'r Gymraeg erbyn hyn.

Ar ben hynny, mwynheais gwmni ysbeidiol merch ifanc o'r enw Odette de Broc ar ôl i'w thad, un o fyddigions ardal Bénodet, ddod ato i i ofyn a fuaswn yn rhoi gwersi Saesneg preifat iddi. Do'dd dim angen mewn gwirionedd gan ei bod hi'n medru'r iaith yn dda iawn wedi iddi dreulio cryn amser yn gweithio fel stiwardes gyda Pan Am; yr unig waith ar fy rhan i o'dd ceisio cael gwared o'i hacen Americanaidd. Y gwir reswm paham roeddem yn cwrdd yn fflat un o'i *copines* yn y dref unwaith yr wythnos o'dd er mwyn iddi gael cyfle i jengid am orig rhag ei rhieni a o'dd yn catw llygad barcud arni rhag ofon ei bod hi'n cael *aventures* gyda dynion. Ro'dd hi'n ferch hardd dros ben a thrawiadol o osgeiddig, a phob tro y gwelwn hi ar ei Vespa ro'dd hi'n fy atgoffa, yn anochel, o Brigitte Bardot. Clywais yn ddiweddar ei bod hi'n fodryb i Nathalie de Broc, y nofelydd Llydewig adnabyddus, a wetws wrtho i mewn e-bost y diwrnod o'r bla'n ei bod hi'n byw yn Los Angeles.

Yn y dyddiau hynny do'dd yr iaith Lydaweg ddim yn cael llawer o sylw. Ro'dd y mudiad cenedlaethol wedi mynd o dan gwmwl yn ystod y blynyddo'dd yn syth ar ôl y rhyfel, wedi i nifer fechan o'i aelodau ochri â'r Almaenwyr, a dim ond y diwylliant *folklorique* – y gwisgo'dd, y dawnsio a'r miwsig traddodiadol – o'dd wedi goroesi. Cofiaf y band o bibgodau a gerddai rownd a rownd yr iard o dan fy ystafell yn yr École, yn 'whara tonau yr o'n i'n lled gyfarwydd â nhw, megis 'Rhyfelgyrch Capten Morgan'. Ffrengig o'dd awyrgylch yr École yn gyfan gwbl a

Jacobin yn ei hagwedd tuag at yr Eglwys Gatholig a phopeth Llydewig. Y term am 'siarad yn annealladwy' o'dd *baragouiner*, hynny yw, siarad gyda'ch ceg yn llawn o fara a gwin, a *ploucs* o'dd y gair (o *plou*, plwyf) i ddisgrifio pobol o gefen gwlad.

Er bod y rhan fwyaf o'r myfyrwyr wedi eu magu ar ffermydd ac mewn ardaloedd Llydewig eu hiaith, ni chlywais un yn defnyddio'r *brezhoneg* a chyndyn iawn oeddynt i drafod eu cefndir. Er fy mod i wedi esbonio fwy nag unwaith fy mod i'n Gymro, fel 'Anglais' yr o'dd pawb yn cyfeirio ato i. I mi, ro'dd Llydaw a'r Llydaweg mewn cyflwr angheuol ac ni welais lawer o obaith am eu cynnal. 'La Bretagne, c'est belle mais c'est triste' o'dd fy agwedd ar y pryd, er fy mod wedi gweld cryn dicyn o welliant ers hynny, yn enwedig gydag ysgolion Diwan. Erys y mudiad politicaidd Llydewig mor rhanedig ag erio'd, hyd y gwn i. Rwy'n catw mewn cysylltiad â'r wlad trwy gyfnewid ebyst gyda Pierrette Kermoal, golygydd y cylchgrawn Llydewig *Aber*, a chyda Riwanon Kervella, pennaeth Kuzul ar Brezhoneg, sy'n medru'r Gymraeg.

Ni chwrddais â Pêr-Jakez Hélias, awdur y campwaith *Le cheval d'orgueil* (1975), y llyfr enwog am dyfu lan mewn pentre Llydaweg ei iaith, a o'dd ar staff yr École ar y pryd, oherwydd ei fod yn yr ysbyty. Ond cetho i'r pleser o'i gwrdd mewn gŵyl farddoniaeth yn Rotterdam ryw bymtheg mlynedd yn ddiweddarach pan genais 'Hen Wlad fy Nhadau' ac yntau 'Bro Gozh ma Zhadoù' gyda'n gilydd. Cetho i'r fraint o gwrdd â Per Denez, un o ysgolheigion a llenorion mwyaf Llydaw, a dda'th yn gyfaill da imi'n nes ymla'n; bu farw Per ym mis Gorffennaf 2011; hefyd Ronan Huon, golygydd a chyhoeddwr y cyfnodolyn dylanwadol *Al Liamm*; Maodez Glanndour y bardd, a gyfieithodd y Testament Newydd i'r Llydaweg; a Marc Le Ber, a gadwai siop grefftau Llydewig ar lan Odet yn Quimper, a o'dd wastad yn fodlon siarad â mi am Lydaw o'i safbwynt derwyddol. Cetho i gyfle i ddiolch i'r tri cyntaf am eu caredigrwydd trwy eu gwahodd i Gyngres Taliesin yng Nghaerdydd ym 1969. Cwrddais hefyd, ar hap a damwain, â Louis Guilloux, awdur y nofel *La Maison du Peuple*, mewn caffe yn St Brieuc lle ro'dd Glyn Evans yn *assistant*. Rhyfedd meddwl bod Heather Dohollau, *née* Lloyd, bardd â'i gwreiddiau ym Mhenarth sy'n 'sgrifennu'n Ffrangeg, yn gweud wrtho i y diwrnod o'r bla'n ei bod hi'n byw yn hen dŷ Guilloux.

Yn Llydaw cetho i gyfle i loywi fy Ffrangeg a dod i'w siarad yn eithaf rhugl, gan fy mod i'n byw trwy gyfrwng yr iaith yn gyfan gwbl. At hynny, dysgais lawer am fyw yn annibynnol ac am fwynhau pethau fel y sinema, y theatr, gwino'dd, y celfyddydau cain a llenyddiaeth gyfoes. Ar ben hynny, erbyn imi ddychwelyd i Gymru ro'n i wedi ennill digon i dalu am weddill fy nghwrs yn Aberystwyth ond, yn llawer pwysicach, ro'n i wedi tyfu'n eithaf soffistigedig fy 'whaeth a'm hosgo, o leiaf yn fy ngolwg fy hunan. Ro'dd y llanc hanner pan yn ei flaser a'i sgarff coleg wedi diflannu. Gwisgo yn null deallusion y *rive gauche* o'dd fy niléit nawr, â garnsi ddu, trwser rib, 'sgidiau swêd a sanau melyn, fel Sartre a Camus, er nad o'n i'n 'smygu Gitanes 'chwaith. Ro'n i wedi rhoi pwysau ymla'n hefyd, diolch i'r *pommes frites* a'r crempogau a'r *brioche* o'dd ar y ford yn yr École ddwywaith y dydd.

Ro'n i'n gallu canu caneuon Yves Montand, Georges Brassens ac Edith Piaf, ac ro'dd 'da fi gerddi gan Apollinaire, André Breton, Paul Eluard, Louis Aragon a Jacques Prévert ar fy nghof. Ymhlith y nofelwyr ro'n i wedi eu darllen ro'dd Raymond Queneau, Alain Fournier, François Mauriac, Marcel Pagnol, J-K. Huysman a Maurice Barrès. Ca's yr olaf o'r rhain ddylanwad mawr ar y Saunders Lewis ifanc ac ar Charles Maurras a'r Action Française a dyna paham, wedi dod i ddarllen y Gymraeg, ro'n i'n wyliadwrus o safbwynt gwleidyddol a llenyddol arwr Penyberth. Ro'n i wedi fy nhrwytho yn y diwylliant Ffrengig, o leiaf yr hyn o'dd ar gael mewn tref ddosbarth-canol, daleithiol fel Quimper. Er hynny, gwyddwn erbyn hyn na fuaswn byth yn gwneud Ffrancwr yn fwy na Sais, gan fod Cymru ar fy meddwl ddydd a nos. Rhaid o'dd gwneud ymdrech nawr i'w hadnabod yn well.

Yn ystod fy mlwyddyn yn Quimper, cetho i gyfle i weld Cymru mewn termau ehangach, a hefyd i feddwl am gyflwr Llydaw a phobloedd lleiafrifol yn gyffredinol, sef egin fy niddordeb a arweiniodd at 'sgrifennu fy llyfr *Linguistic Minorities in Western Europe* yn y man. Erbyn imi raddio buaswn wedi disgrifio fy hunan fel cenedlaetholwr, er bod y gair braidd yn anaddas i ddynodi'r ffenomenon o dwmlad gwladgarol ysbeidiol fel y'i ceir yng Nghymru. Rhown e fel hyn: Cymru o'dd fy ngwlad, fe wyddwn hynny nawr, ac ro'n i wedi cwympo mewn cariad â'r *syniad* o Gymru gyda'i llywodraeth ei hunan. O hyn ymla'n byddwn yn ceisio gweithio drosti hi ar bob cyfle a gawn, doed a ddelo, a gweld popeth o safbwynt Cymreig ac, yn bwysicach byth, ceisio newid cyflwr y wlad. A hynny yn rhengo'dd Plaid Cymru yn hytrach na'r Blaid Lafur a o'dd, yn fy ngolwg i, yn llawn o Gymry dauwynebog a rhagrithiol fel Jim Griffiths a George Thomas, a nifer o wleidyddion llai a o'dd yn elyniaethus i hawliau Cymru fel cenedl. Do'dd dim gronyn o apêl gan y Blaid Ryddfrydol ac rwyf wedi aros yn ddirmygus ohoni byth ers hynny.

Do'n i ddim yn medru'r Gymraeg, cofiwch; yn wir, ro'n i'n falch o fod yn genedlaetholwr heb allu siarad yr iaith. Ro'n i o'r farn y dylai Cymru lywodraethu ei hunan fel mater o egwyddor, a do'dd fy safbwynt ddim wedi ei seilio ar iaith a thir, a o'dd, yn fy marn i, yn perthyn i'r asgell dde. Ro'dd 'da fi fwy o bryder am y cymoedd diwydiannol na chefen gwlad, ond ro'n i'n gallu gweld Cymru yn ei chrynswth hefyd. Yn fwy na dim, ro'n i am ddenu'r Cymry di-Gymraeg i gymryd rhan lawnach ym mywyd y genedl. Ro'n i'n dishcwl i lawr fy nhrwyn, mae arno i ofn, ar lawer o Gymry Cymraeg ymhlith fy nghyd-fyfyrwyr, yn enwedig y rhai o gefndiroedd gwledig, a'm tarodd fi'n geidwadol a chul eu diwylliant capelog. Ro'n i'n gweld ei bod yn bosibl seilio cenedlaetholdeb ar gymunedau gwledig, ond teimlwn mai eu cyfrifoldeb nhw o'dd brwydro drostynt. Yn anad dim, do'dd dim diddordeb 'da fi mewn telynau a dawns y glocsen a chanu penillion a phethau felly, ac ni es ar gyfyl y Gymdeithas Geltaidd erio'd.

Do'n i ddim 'chwaith yn gyfarwydd â llenyddiaeth Gymraeg, ac ni wyddwn am fodolaeth llenorion megis D. Gwenallt Jones,

T. H. Parry-Williams a T. E. Nicholas yn Aberystwyth. Yr ychydig Gymraeg ro'n i wedi ei dysgu o'dd hynny a glywid yng nghân facaronig y coleg: 'O Coleg ger y Lli, *what may your motto be*, nid byd byd heb wybodaeth, *answer we, Rage ye gales, ye surges seethe*, Aberystwyth fu a fydd!' Nid y cyflwyniad gorau i farddoniaeth Gymraeg, yn ddi-os, ac nid colled i Wlad y Gân yw'r ffaith nad o's neb yn canu'r geiriau echrydus hyn bellach.

Do'dd a wnelo hyn oll ddim â'm gwaith coleg, wrth gwrs. Gweithiais yn bur galed yn fy mlwyddyn olaf, gan obeithio gwneud yn ddigon da i aros ymla'n i gael gradd uwch. Ond nid felly y bu. A finnau ar drothwy yr arholiadau cetho i lythyr oddi wrth y ferch o Langatwg yn rhoi terfyn ar ein perthynas. Dw'i ddim am roi gormod o fai arni hi am imi wneud yn wael yn fy arholiadau: esgus fyddai hynny. Ro'n i'n falch mewn ffordd, gan fod fy nhwmladau tuag ati wedi troi'n llugo'r ac ro'dd bylchau estynedig wedi bod yn ein perthynas dros y tair blynedd flaenorol. Gwyddwn ein bod yn tyfu ar wahân. Ro'n ni wedi treulio wythnos gyda'n gilydd ym Mharis dros y Pasg blaenorol ond ro'n i wedi bod yn ddi-hwyl a do'dd hi ddim yn hapus 'chwaith. Da o beth, a chall, o'dd dirwyn pethau i ben, ac felly y bu. Ond nid dyma'r adeg fwyaf caredig i wneud hynny, rhaid gweud.

Petaswn wedi cael gwell canlyniad na gradd Anrhydedd yn yr ail ddosbarth isel, sef II:B neu 2:2 (yr hyn y mae myfyrwyr Seisnig y dyddiau hyn yn ei alw'n 'Desmond'), buaswn wedi gwneud ymchwil ar waith Émile Verhaeren, ond ro'n i wedi gwneud yn wa'l yn yr Hen Ffrangeg ac yn y *thème*, sef cyfieithu o'r Saesneg i'r Ffrangeg, fel bron pawb arall yn y dosbarth. Ro'dd fy nhraethawd, meddai fy nhiwtor Stuart John yn garedig, yn haeddu bod yn y dosbarth cyntaf, ond do'dd hynny ddim yn gwneud fawr o wahaniaeth i'r canlyniad terfynol. Flynyddo'dd wedyn, yn 2008 i fod yn fanwl gywir, ymwelodd Ruth a finnau â bedd Verhaeren yn Saint Amand/Sint Amands ar lan yr Escaut/Scheldt yn Fflandrys, a halais ffoto ohono at Stuart, yr unig un o'm hen athrawon oedd yn dal ar dir y byw. Dyma fodd i ddangos fy mod i'n ddiolchgar iddo am ei ymdrechion glew dros fyfyriwr ail-ddosbarth fel fi. Bu farw Stuart yn 2010.

Yn y seremoni raddio yn Neuadd y Brenin ym mis Gorffennaf 1961 da'th cyfle arall i ddangos fy mod i'n dicyn o rebel. Arhosais yn fy sedd yn ystod yr anthem Seisnig gyda dyrnaid o'm cyd-fyfyrwyr a o'dd yn aelodau o gangen y coleg o'r Blaid. Eto i gyd, sylweddolais â chryn embaras fy mod i'n genedlaetholwr a o'dd yn gallu mynegi fy hunan trwy'r Ffrangeg heb anhawster, ond yn methu whilia iaith fy ngwlad. Ro'n i'n gallu darllen nofelau a barddoniaeth Ffrangeg, a chael blas arnynt, ond do'n i ddim yn gallu darllen gair o farddoniaeth Gymraeg. Teimlais y diffyg i'r byw. Ac felly, tra o'dd Duw yn achub y Frenhines, penderfynais yn dawel bach y byddwn yn mynd ati o ddifrif i ddysgu'r iaith cyn gynted ag y bo modd. Y Gymraeg fyddai fy nhrydedd iaith.

Ro'n i wedi cymryd pum mlynedd i raddio. Gwelais un fantais enfawr yn y ffaith fy mod i wedi cymryd cyhyd i gael llythrennau ar ôl fy enw, sef bod gwasanaeth milwrol wedi ei ddirwyn i'w ben, diolch byth, gan na fyddwn i wedi gwneud soldiwr da. Dair blynedd yn gynharach ro'n i wedi llenwi ffurflenni i ddatgan fy mod i'n bwriadu cofrestru fel gwrthwynebydd cydwybodol yn y man, a hynny ar dir politicaidd, ond do'dd dim angen y safiad hwnnw wedi'r cyfan. Ni chlywais ragor oddi wrth yr awdurdodau wedyn. Cael a chael o'dd hi, ond nawr ro'dd fy nhra'd yn rhydd.

Felly, ro'dd rhaid imi benderfynu beth yn gwmws i'w wneud nesaf. 'Dysgais yr eang Ffrangeg,' meddai Ieuan ap Rhydderch, 'doeth yw ei dysg, da iaith deg,' ond dyma'r gwir: do'dd dim llawer yr o'dd dyn yn gallu ei wneud â gradd yn y Ffrangeg yn y dyddiau hynny ond ei dysgu i bobol eraill. O'r dwsin a o'dd wedi bod yn y dosbarth Anrhydedd 'da fi, a'th pob un i fod yn athro neu'n athrawes, y rhan fwyaf i ysgolion yn Lloegr. Iaith ddiplomatig neu beidio, 'whedl fy hen brifathro, go brin y byddai Gwasanaeth Diplomyddol ei Mawrhydi yn derbyn rhywun o'm sort i nad o'dd wedi bod mewn ysgol fonedd ac wedyn i Rydychen neu Gaergrawnt. A phwy o'dd am wasanaethu'r Frenhines a'i buddiannau tramor, ta beth? Ro'dd gwaith llawer pwysicach i'w wneud yn nes at gartref. Mynd yn ysgolfeistr o'dd yr unig ddewis, felly, a dyna a benderfynais ei wneud yn hapus ddigon.

4

Tân yn fy mol

CYN IMI DDERBYN y llythyr tyngedfennol gan y ferch o Langatwg, fy mwriad o'dd i fynd i Gaerwysg i hyfforddi fel athro, er mwyn bod yn agos at Goleg Rolle yn Exmouth, lle ro'dd hithau'n fyfyrwraig. Ond nawr ro'n i'n barod i ystyried posibiliadau eraill.

Yn ystod haf 1961, tra oeddwn yn gweithio fel torrwr beddau yng Nglyn-taf, cyfrennais erthygl ar genedlaetholdeb i'r *Wawr*, sef cylchgrawn byrhoedlog ieuenctid Plaid Cymru ym Meirionnydd, a chetho i wahoddiad toc gan Douglas Vaughan Williams, brodor o Lanelltyd, ger Dolgellau, a chenedlaetholwr brwd, i fod yn olygydd arno. Neidiais ar y cyfle ac wedi cyfweliad sydyn gyda D. W. T. Jenkins, Athro Addysg ym Mangor ar y pryd, dyma fi'n penderfynu mynd i Goleg Prifysgol Gogledd Cymru, lle ro'dd Douglas yn fyfyriwr, yn hytrach na Chaerwysg. Dw'i ddim yn siŵr hyd heddi fod hwn yn gam do'th oblegid nid adwaenwn unrhyw un ym Mangor, ond dyna fe: mae addysg prifysgol i fod i ehangu eich gorwelion; gresyn nad es i Gaeredin neu Ddulyn neu hyd yn o'd i Rennes neu Paris, lle buaswn wedi bod yn eithaf bodlon.

Bo'd hynny fel y bo, fe'm llongyfarchwyd yn gynnes gan yr Athro ar fy newis, a chetho i wypod ganddo fod cylchgrawn â'r un teitl wedi 'whara rhan anrhydeddus yn hanes cenedlaetholdeb Cymreig adeg y Rhyfel Byd Cyntaf. Ond da'th i ben ar ôl i'r D. J. Williams ifanc, ym 1918, hala erthygl at y golygydd a o'dd, yng ngolwg Ysgrifennydd Cartref y dydd, yn cynnwys 'elfennau bradwrus'. Bu D.J. yn arwr imi byth oddi ar hynny a chetho i sawl sgwrs gofiadwy gydag e dros y blynyddo'dd, yr un olaf un yn y Bristol Trader yn Abergwaun, lle trigai gyda'r hynaws Siân.

Ni ofynnodd yr Athro unrhyw gwestiwn parthed fy nymuniad i fod yn athro, a chyn pen wythnos neu ddwy ro'n i ar fy ffordd i'r Coleg ar y Bryn. Dechreuws pethau'n addawol rhynt Douglas Vaughan Williams a minnau. Yn y rhifyn o'r *Wawr* a ymddangosodd yng ngwanwyn 1962 yr o'dd erthyglau ganddo fe, H. W. J. Edwards, Anthony Conran a Peter Hourahane, ac un o'm heiddo i, sef 'The Status of the Anglo-Welsh', a o'dd i fod yn ateb, i raddau, erthygl gan y dramodydd John Gwilym Jones, darlithydd yn yr Adran Gymraeg ar y pryd, a o'dd wedi difrïo'r 'Eingl-Gymry' ym mhapur Cymraeg y coleg. Er hynny, ni pharhaodd y berthynas rhynt y bachan broc a minnau'n hir: ni chetho i gyfle i eistedd yng nghadair olygyddol *Y Wawr* gan ei fod ef am aros ymla'n yn y swydd honno wedi'r cyfan. Am ryw reswm sy'n dywyll i mi, mae fy enw yn ymddangos fel rheolwr busnes ar dudalen fla'n y cylchgrawn. Cawsom ffrae ffyrnig ynglŷn â'r camddealltwriaeth hwn a defnyddiws Douglas iaith anweddus i'm cyhuddo o geisio ei ddisodli fel golygydd. Ro'dd ei ddicter y tu hwnt i bob rheswm a bu bron iddo ddefnyddio ei ddyrnau arno i. Collais olwg ar y llanc galluog ond ecsentrig hwn cyn diwedd fy mlwyddyn ym Mangor Fawr yn Arfon a dw'i ddim wedi ei weld byth oddi ar hynny.

Nid adwaenwn gwta neb ym Mangor ar y dechrau, dim hyd yn o'd fy nghyd-fyfyrwyr oblegid ni chynhaliwyd darlitho'dd fel y cyfryw, dim ond ambell i seminar o ryw bump neu 'whech ohonom. Ro'dd llawer mwy o Saeson o gwmpas y lle nag yn Aberystwyth a llawer llai o Gymry di-Gymraeg. Perthynai bron pawb naill ai i'r garfan Saesneg neu i'r un Gymraeg, ac adar prin o'dd yn perthyn i'r ddwy. Ychydig iawn o Gymry Cymraeg a a'th o'u ffordd i siarad â mi, er bod fy enw o fod yn Bleidiwr a chyw-lenor wedi fy nilyn o Aberystwyth. Gwenodd Gwyn Thomas arno i o bryd i'w gilydd ond erbyn 1961 ro'dd e'n ddarlithydd parchus yn yr Adran Gymraeg a do'dd dim llawer o gysylltiad i fod rhynt staff ac efrydwyr y tu fas i'r ystafell ddarlithio. Ymhlith y myfyrwyr rwy'n cofio Dafydd Glyn Jones yn raliganto ar hyd y coridorau yn saethu ei bistolau a het gowboi ar ei ben, a'r glasfyfyriwr Derek Lloyd Morgan (fel yr o'dd ar y pryd) yn siarad yn ysgubol yn y Debates Union o blaid y cynnig 'Good fences make good neighbours'. Rwy'n edmygydd mawr o'r tri brawd hyn ond do'dd dim gair o Gymraeg na Saesneg rhyngom yn ystod 1961/2.

Yr unig Gymry Cymraeg y des ar eu traws o'dd Robert Griffiths (Robat Gruffudd yn ddiweddarach), Gruffydd Aled Williams a John Clifford Jones, glasfyfyrwyr ac aelodau o Blaid Cymru. Rhoddais ambell wers iddynt am shwt i ddefnyddio brwsh a phot o baent Dulux a chyn bo hir ro'dd nifer o sloganau i'w gweld o gwmpas Bangor Uchaf. Cofiaf un yn arbennig, ar wal gardd yr Athro Brambell: 'Home Rule will come' meddai mewn llythrennau bras gwyn. Dridiau wedyn, ro'dd rhywun wedi ychwanegu'r geiriau 'to Puffin Island'.

Ond 'whilio am gyfle i adael marc llawer mwy parhaol yr o'n i. Dyma shwt y digwyddws e. Un gyda'r nos yn y Debates Union fe geisiodd Robert annerch y gynulleidfa yn y Gymraeg a chael ei rwystro gan y cadeirydd o Sais am y rheswm nad o'dd y Gymraeg yn 'parliamentary language'. Lluniais lythyr at olygydd papur Saesneg y coleg i brotestio yn erbyn yr esgus tila hwn ac i ofyn am 'whara teg i'r iaith. Ymhlith y rhai a arwyddodd y llythyr yr o'dd John Clifford Jones, Robert, Janie Guy, Martin Eckley, Sgotyn o'r enw Inis Clear ac Anthony Brereton, Gwyddel a rannai fflat gyda fi a siaradwr yr Wyddeleg fel iaith gyntaf.

Fe a'th John Clifford ymla'n i fod yn swyddog Cymdeithas Celfyddydau Gogledd Cymru, Janie Guy i fod yn aelod Plaid Cymru o Gyngor Bro Morgannwg, Gruffydd Aled Williams i fod yn Athro Cymraeg yn Aberystwyth a Robert yn gyhoeddwr o fri. Dair blynedd yn ddiweddarach, ar 20 Gorffennaf 1964, safodd Robert o fla'n y gynulleidfa a gwrthod derbyn ei radd. 'Gwrthodaf dderbyn gradd Prifysgol Cymru,' meddai, 'am i'r Brifysgol wadu'r iaith Gymraeg – iaith y genedl y mae'n Brifysgol iddi. Am ddwy flynedd bron, buom ni'r myfyrwyr yn gofyn a gofyn am le teilwng i'r Gymraeg yn y coleg. Gwrthododd yr Awdurdodau bob cais sylweddol. Fe â'r frwydr ymlaen. Ond dyma fy nghyfle olaf i. Gwrthodaf y radd hon, a gwnaf hynny tra pery'r Brifysgol mor elyniaethus i'r Gymraeg.' Pob clod i Robat am ei safiad dewr a'i ymroddiad i achos yr iaith dros y blynyddo'dd ers hynny. A'th yr ymgyrch i sicrhau statws swyddogol i'r Gymraeg yn y Coleg ar y Bryn ymla'n hyd 1984, pan benodwyd Eric Sunderland i olynu'r awtocratig Charles Evans fel Prifathro, ond hoffwn feddwl bod y frwydr wedi cychwyn yn ôl ym 1961.

Gan fy mod i wedi crybwyll ei enw, rhaid gweud gair am Anthony Brereton, neu Antoine Ó Breartuin i roi'r ffurf Wyddeleg ar ei enw. Un swil o'dd Anthony, yn byw oddi cartref am y tro cyntaf yn ei fywyd, ac yn arbennig o ddibrofiad cyn belled ag yr o'dd merched yn y cwestiwn. Ond fe wyddwn yn iawn pa nosweithiau yr o'dd yn ddiplomatig imi fod mas o'n fflat ym Mangor Uchaf tra o'dd yn derbyn merch yno, ac yn y man fe dyfws yn dicyn mwy hyderus. Brodor o Ddulyn ydo'dd, yn hanu o deulu lle ro'dd y pum brawd wedi cael eu haddysg trwy gyfrwng yr Wyddeleg ac wedi dewis ei defnyddio yn eu gwaith beunyddiol yn y ddinas. Crydd o'dd Da Brereton, yn hoff iawn o'i Guinness, a ffigwr mas o Sean O'Casey o'dd Ma. Ro'dd y saith yn cefnogi Sinn Féin ac yn huawdl eu dwrdio ar y pleidiau eraill a o'dd, yn eu tyb nhw, wedi bradychu eu hegwyddorion Gweriniaethol. Aethon ni draw ar y cwch o Gaergybi sawl tro, Anthony a minnau, a dysgais gryn dicyn am wleidyddiaeth a hanes Iwerddon, digon i gywiro rhai o'r camargraffiadau rhamantus o'r Ynys Werdd a o'dd 'da fi a'm cyfoedion.

Rhyfedd shwt mae Pleidwyr yn dwlu ar hanes Iwerddon, yr aberth a'r arwriaeth, heb gydnabod realiti gwaedlyd y sefyllfa. Ro'n i a'm cyd-Bleidwyr wedi meddwi ar y Ffeniaid, gwrthryfel Pasg 1916 a'r rhyfel cartref. Cofiwch, rwy'n dal i edmygu'r Gwyddelod am eu hymdrechion i'w rhyddhau eu hunain o ormes Lloegr. Rwy'n falch iawn hefyd fod 'da fi gyndadau Gwyddelig a dyna paham rwy'n catw penddelw o

Michael Collins ar y silff uwchben fy nesg. Ar ben hynny, rwy'n
hoffi adrodd geiriau'r Datganiad a wna'th Patrick Pearse y tu
fas i Swyddfa'r Post ym 1916: 'In the name of God and of the
dead generations from which she receives her old tradition of
nationhood, Ireland, through us, summons her children to her
flag and strikes for her freedom.' Rhethreg feddwol i ieuenctid
delfrydgar ar bum cyfandir, wetwn i. Eto i gyd, do'dd cymysgu
â Gweriniaethwyr Gwyddelig ddim yn gyfystyr â gweithio dros
Gymru.

Yn anffodus, do'dd dim modd osgoi'r Saeson ym Mangor.
Nhw o'dd y rhai mwyaf niferus a'r rhai mwyaf diddorol ymhlith
y myfyrwyr hŷn a chyda nhw ro'n i'n tueddu i gymdeithasu.
Gwyddonwyr fel Anthony, a o'dd yn gwneud doethuriaeth mewn
Botaneg, o'dd aelodau Cymdeithas y Dyneiddwyr, a chyda nhw
ro'n i'n arfer trafod gwleidyddiaeth, llenyddiaeth a chrefydd.
Do'dd yr un Cymro na Chymraes yn eu mysg, ar wahân i Jim
Davies a hanai o Sir Fynwy ac sy'n byw ym Merthyr erbyn
heddi. Tua'r adeg hon dechreuais gatw dyddlyfr yn ysbeidiol,
ac mae twryn ohonynt wedi bod yn help mawr imi gofio rhai
o'r digwyddiadau a phobol rwyf yn sôn amdanynt yn y llyfr
hwn. Y prif sbardun imi ddyddiadura o'dd darllen, ar hap, gopi
o *Kilvert's Diary* ro'n i wedi ei godi oddi ar y pafin ym Mangor
Uchaf. Ni wyddwn ar y pryd fod sôn am rai o'm perthnasau yn
y llyfr llesmeiriol hwnnw.

Trwyddyn nhw, y Dyneiddwyr, y des i gysylltiad â Tony
Conran am y tro cyntaf. Ro'n i wedi clywed amdano ym 1960
pan enillws wobr gan Bwyllgor Cymreig Cyngor y Celfyddydau
am ei gyfrol *Formal Poems*, ac ro'n i wedi darllen ei erthyglau
treiddgar yn yr *Anglo-Welsh Review*. Ond dyma'r tro cyntaf imi
weld y bardd a chael sgyrsiau ag e. Ac am sgyrsiau! Er bod Tony
yn cael anhawster mawr i siarad, a rhaid bod yn amyneddgar
yn y dechrau cyn deall ei leferydd, unwaith mae dyn ar ei
donfedd mae'n werth gwrando arno. Dyma feddwl miniog a
chyfoethog, llawn syniadau gwreiddiol ac ymadroddion sy'n
ffrwyth ei ddarllen eang. Do'n i ddim bob tro'n derbyn ei
theorïau am yr Awen ac am y dylanwad yr o'dd y merched yn

ei fywyd wedi cael arno (ro'dd hyn cyn iddo briodi'r hynaws Lesley Parry), ond dysgais lawer oddi wrtho dros gwpanau aneirif o goffi yn ei fflat ym Mangor Uchaf. Am un peth rwy'n arbennig o ddiolchgar. Mewn ymgom â Tony y dechreuais i sôn am yr angen i gael cylchgrawn barddoniaeth yng Nghymru, breuddwyd a dda'th i fod rhyw dair blynedd yn ddiweddarach pan lansiais *Poetry Wales*. Cofiaf hefyd taw fe o'dd y beirniad a roddws y darian imi am gyfres o gerddi yr o'n i wedi ei hala (yn ddienw) i Eisteddfod Ryng-golegol Prifysgol Cymru ym 1962. Cyflwynwyd y wobr imi gan J. Eirian Davies, bardd arall a edmygwn yn fawr.

Ni chetho i lawer o fywyd cymdeithasol yn ystod fy mlwyddyn academaidd ym Mangor, a hynny oherwydd fy mod i'n gorfod teithio i'r Rhyl bob dydd i ymarfer bod yn athro. Ond cofiaf Joan Phillips, Sbaenaidd ei gwedd ond yn Gymraes i'r carn, yn ateb fy nghwestiynau am y Gymraeg, er bod enwau'r lleill ar y trên bob bore wedi mynd yn angof. Ysgrifennais draethawd estynedig o dan y teitl 'The Teaching of English Verse Appreciation' wedi ei seilio ar fy mhrofiad o ddysgu'r Saesneg yn Ysgol Ramadeg y Rhyl, ond yn rhyfedd iawn ni chymerais yr un wers Ffrangeg yno. Fel prosiect arbennig fe wnes gyfres o ddiarhebion yn y 'whech iaith Geltaidd, gan ymarfer fy niddordeb (os nad fy ngallu) mewn llythrennu. Ond dyna'r cyfan: cwrs eithaf ysgafn, a gweud y lleiaf, a chetho i fy synnu yn y man i dderbyn Diploma Addysg a o'dd yn brawf fy mod i'n gymwys i fod yn athro. Rhaid eu bod yn brin o athrawon!

Ar yr un pryd, penderfynais wneud rhywpeth am fy niffyg Cymraeg trwy gymryd gwersi gydag Islwyn Ffowc Elis. Braint a phleser o'dd dod i adnabod yr awdur mwyn hwn wrth inni fynd yn araf deg trwy *Cartrefi Cymru* O. M. Edwards, testun a roddws sail cadarn i'm gwybodaeth o'r iaith 'sgrifenedig yn nes ymla'n. Gwerthfawrogais ddull Islwyn o ddysgu'r iaith oblegid yr o'dd yn gallu esbonio'r rheolau gramadegol imi a chyffelybu wrth gyfeirio at y Ffrangeg a'r Eidaleg, a chymerais gamau mawr ymla'n tra oeddwn yn eistedd wrth ei dra'd. Des i'w adnabod hyd yn o'd yn well yn ystod yr ymgyrch i ethol Gwynfor Evans yng Nghaerfyrddin ym 1966 a thra 'mod i'n cyfieithu nofelau Lleifior yn ddiweddarach.

Erys un person arall y mae'n rhaid imi sôn amdani yn y fan hyn, a Jennifer Salmon yw honno. Cedwais gwmni dwy neu dair merch tra o'n i ym Mangor, yn eu plith flonden athletaidd o'r enw Christine Riley, a Saeson o'dd pob un ohonynt. Ro'dd cartref Jenny yn un o faestrefi deiliog Llundain. Ro'dd hi wedi ei magu yn India ac yn medru rhywfaint o Wrdw – wel, digon i gyfathrebu â'i *haya*, o leiaf. Merch hardd iawn ydo'dd yn fy llygaid i, a chwympais amdani dros fy mhen a'm clustiau. Cofiaf un noson arbennig pan aethon ni lan yr Wyddfa i weld yr houl yn cwnnu dros Eryri, a dychwelyd i'm fflat wedyn am frecwast o gig moch ac wyau gyda blas arallfydol arnynt. Da'th ein perthynas i ben yn ystod yr haf canlynol, ar ôl imi ymweld â hi yng Nghernyw, lle ro'dd yn gweithio mewn gwesty ger Padstow. Ni welais Jenny byth wedyn ond clywais yn ddiweddar ei bod hi wedi priodi meddyg o India; gobeithio ei bod hi'n hapus gyda llond tŷ o blant ac wyrion ac wyresau.

Ca's Jenny Salmon ran arall yn fy hanes yn anuniongyrchol, fel mae'n digwydd. Ar y ffordd i'w gweld yn ei chartref, treuliais ychydig o ddyddiau ar aelwyd Monica Jones, merch Anti Gwen o Ferthyr, a o'dd yn byw yn un o'r maestrefi cyfagos. Un noson dros y ford swper cyfeiriodd Monica at fy nhad, gan weud, 'Of course, your father and my mother weren't really brother and sister, were they?' Ro'dd hyn yn newydd imi. 'Oh?' mynte fi, cyn clywed Monica'n mynd ymla'n i weud bod fy nhad wedi'i eni 'up in the hills of mid Wales' ac wedi cael ei fabwysiadu gan William Stephens, plismon Hewlgerrig. Ro'dd tad y plentyn wedi marw yn y Rhyfel Byd Cyntaf, meddai. 'I didn't know that,' mynte fi mewn syfrdandod. 'Oh dear, have I let the cat out of the bag?' mynte Monica cyn newid y sgwrs yn glou.

O'dd, ro'dd hi wedi gadael y gath o'r cwdyn. Ro'dd yr wybodaeth hon yn mynd i gymryd cryn dicyn o'm hegni a'm hamser dros y blynyddo'dd, ond ni feddyliais ryw lawer amdani ar y pryd. Ar Jenny yr o'dd fy mryd trwy gydol haf 1962, am un peth; a pheth arall, byddai'n rhaid imi ddod o hyd i swydd cyn bo hir, a hynny yng Nghymru. Do'n i ddim yn barod i 'whilio am waith yn Lloegr. Yn wir, dyna beth o'dd asgwrn y gynnen rhynt Jenny a fi: do'dd hi ddim am fyw yn fy ngwlad i a do'n i ddim am fyw yn ei gwlad hithau. Ar ben hynny, ro'dd y tân yn fy mol dros Gymru'n hala ofon ar y ferch o deulu dosbarth canol Seisnig o faestrefi Middlesex. Hei ho.

Trwy lwc, cetho i swydd ar unwaith a o'dd wrth fy modd. Ym mis Medi 1962 ymunais â staff Ysgol Ramadeg Glynebwy fel athro Ffrangeg ar gyflog o ryw fil o bunno'dd y flwyddyn. Meddai cadeirydd y panel penodi wrth siglo fy llaw ar ddiwedd y cyfweliad, 'We wish you hevery 'appiness, Mr Stephens,' 'whara teg iddo fe. Yn y dyddiau hynny ro'dd Glynebwy yn dref ddiwydiannol lewyrchus ac ro'dd tua 15,000 o bobol yn gweithio yn y diwydiant dur yno.

Wedi cyrraedd yr ysgol, darganfyddais taw fi, yn bedair ar hucen o'd, o'dd yr athro ieuengaf ar y staff. Y Prifathro o'dd R. C. Smith, Cymro surbwch o Rosllannerchrugog na chetho i fwy na 'Bore da' gydag ef erio'd. O weddill y staff ni chofiaf ond dyrnaid o athrawon: Olwen a Dewi Samuel, a ddysgai Gymraeg a Lladin, cyn-olygyddion y cylchgrawn clodwiw *Y Crynhoad*; Tom Davies yr athro Celf a adnabyddai Cedric Morris, Heinz Koppel ac Arthur Giardelli pan oeddynt yn gweithio yn Nowlais yn ystod Dirwasgiad y Tri Degau; Idwal Davies yr athro Bioleg dywedwst a roddai lifft imi yn ei gar bob bore a phob prynhawn; Wynne Roberts yr athro Saesneg, brodor o'r Rhondda a o'dd wedi bod yn Rhydychen gyda Gwyn Thomas; Lynette Harries, athrawes Addysg Gorfforol a dda'th yn Gadeirydd ar y Cyngor Chwaraeon wedyn, Cymraes ac aelod o'r Blaid; Marsden Evans yr athro Addysg Gorfforol a o'dd wedi colli ei wraig, brodores o Ynysoedd Heledd a fu farw o ganlyniad i'r llygredd yn yr awyr uwchben Glynebwy; Eddie Jones yr athro Hanes a hanesydd galluog, a a'th yn brifathro ar ysgol Babyddol ym Mhort Talbot wedyn; ac Aleksandr Moncibowic yr athro Mathemateg.

Monty o'dd yr athro mwyaf ecsotig, yn ddiau. Ro'dd e wedi cael gyrfa filitaraidd drychinebus: ro'dd wedi wmladd gyda byddin yr Wcráin yn erbyn y Pwyliaid, a cholli; ro'dd e wedi wmladd gyda byddin Gwlad Pwyl yn erbyn yr Almaenwyr, a cholli; ro'dd e wedi wmladd gyda byddin yr Almaen yn erbyn y Rwsiaid, a cholli unwaith 'to. Do'dd dim gafael sicr ar yr iaith Saesneg gan Monty. Arferai gymysgu ei briod-ddulliau a gweud pethau fel 'You are a spanner in the grass' ac 'One swallow does not make a silver lining'. Unwaith, yn ystod dadl ffyrnig yn ystafell yr athrawon (ro'dd yr athrawesau mewn adeilad arall), gwetws rhywun, 'Monty, you know bugger all about politics.' 'Yes,' meddai'n ffyrnig, 'I know bugger all, and you know bugger nothing!' Pan cetho i bythefnos bant i sefyll fel ymgeisydd Plaid Cymru ym Merthyr ym mis Mawrth 1966, Monty, Lynette Harries, Eddie Jones a'r Samueliaid o'dd yr unig rai ymhlith fy nghyd-athrawon i ddymuno'n dda imi. Llafurwyr oedd y gweddill bob un, mae'n debyg.

Pan ymunais â staff Ysgol Ramadeg Glynebwy ym mis Medi 1962 ro'n i'n ddibriod ac yn byw yng Ngarth Newydd, hen dŷ enfawr ym Merthyr nad o'dd neb yn berchen arno. Ro'n i wedi cyfarfod â Harri Webb ym mis Awst yn yr Old Arcade, un o dafarndai olaf Caerdydd i gatw rhywfaint o'i swyn Edwardaidd. Bu bron i'r cyfarfod 'bennu mewn trychineb. Gyda fy mhenelin ar y cownter, ro'n i wedi bod yn sgwrsio â Harri pan dda'th hynafgwr atom a gweud wrtho, yn gwrtais iawn, 'Excuse me, sir, your friend's on fire.' Ac yn wir, ro'dd y patsh lleder ar fy nghot yn mudlosgi. Ro'dd e wedi cyffwrdd â'r fflam fechan a o'dd ar y cownter i gynnau sigarau. Ni neidiodd Harri i'm hachub rhag llosgi (do'dd e ddim mor sionc â hynny), ond dyma fe'n dal fy mraich yn yr awyr a thywallt peint o Guinness i lawr fy llawes, gan ddiffodd y fflamau.

Dw'i ddim yn cofio am beth o'dd y sgwrs y noson ymfflamychol honno, ond fe wn taw dyna ddechrau ein cyfeillgarwch. Ro'dd gan Harri a finnau lawer yn gyffredin. Am un peth, ro'dd ein tadau wedi gweithio mewn gorsafoedd trydan ac ro'dd ein cefndiroedd yn debyg iawn. Ro'n ni wedi cymryd graddau mewn ieithoedd Románws, ac ro'dd ein sgwrs yn yr Old Arcade yn facaronig i raddau. Ein hoff feirdd o'dd Lorca,

Prévert, Neruda, Éluard a Laforgue, ac yn bennaf oll, ro'dd ein syniadau am lenyddiaeth a gwleidyddiaeth yn ymdebygu hefyd. Rwy'n hynod o falch fy mod i wedi osgoi'r meddylfryd Seisnig sy'n mynnu nad yw llenyddiaeth a gwleidyddiaeth yn cymysgu â'i gilydd. Er ein bod yn aelodau o Blaid Cymru, perthyn i'r 'Whith o'n ni'n dau ac ro'n ni am weithio dros y Blaid yn y De-ddwyrain, y rhan o Gymru a o'dd yn mynd i fod yn allweddol yn yr ymgyrch i ennill hunanlywodraeth, yn ein barn ni. Ro'dd y sgwrs â Harri yn dicyn mwy meddwol nag unrhyw beth a o'dd ar gael yn yr Old Arcade y noson honno ac erbyn stop-tap ro'n i wedi derbyn ei wahoddiad i ymuno ag ef yng Ngarth Newydd.

Rhaid cyfaddef bod y syniad o fyw ym Merthyr yn apelio ataf yn fawr. Fel bachgen, ro'n i wedi ymweld ag Anti Annie ac Anti Gwen, ac yn adnabod canol y dref a Chefncoedycymer yn dda. Ro'dd gan y lle gysylltiadau â phobol fel Dic Penderyn, Charlotte Guest, Thomas Stephens (dim perthynas, 'swa'th), Henry Richard, Keir Hardie, Glyn Jones a Jack Jones. Ar ben hynny, ro'n i'n hoffi ysbryd egalitaraidd y bobol ac ro'dd 'da fi ddiddordeb mawr yn yr archaeoleg ddiwydiannol a o'dd i'w gweld ym mhob man cyn i Gyngor y Dref ddechrau dymchwel yr hen Ferthyr. Un o rinweddau pobol Merthyr yw eu bod wastad yn ddigon ffrenshibol i roi cyngor ichi ar shwt i ddod o hyd i lefydd yn y dref, hyd yn o'd pan nad o's amcan 'da nhw ble mae'r llefydd hynny mewn gwirionedd.

Garth Newydd o'dd un o'r tai hynaf yn y dref. Arferai fod yn eiddo i un o'r meistri haearn cyn bod yn gartref i Dr John Biddle, Clerc y Dref yn ystod y Dau Ddegau. Ro'dd 'na tua deuddeg o ystafello'dd ar dri llawr a dwy arall yn yr atig. Gan fod pob un o'r ymddiriedolwyr gwreiddiol wedi marw, ni pherthynai'r tŷ i unrhyw un bellach. Ro'dd canghennau lleol o Wasanaeth Gwirfoddol y Merched a'r Groes Goch yn cyfarfod yn y tŷ ac ro'dd neuadd fach yn y cefen lle cynhelid cyfarfodydd cyhoeddus o dro i dro. Yr unig drigolion eraill o'dd grŵp bychan o heddychwyr a o'dd yn ceisio byw yn ôl egwyddorion Gandhi trwy gyflawni gweithredoedd da yn y gymuned. Do'dd

Harri ddim yn heddychwr ond oddi wrth y bobol hyn, Saeson dosbarth-canol gan mwyaf, y ca's ei hoffter o gyris crasboeth yr o'dd yn arfer eu llyncu gyda shwt gymaint o archwaeth. Erbyn 1962 ro'dd y Fellowship of the Friends of Truth, fel y gelwid y grŵp, wedi cwympo mas â'i gilydd ac ro'dd Harri yn byw yng Ngarth Newydd ar ei ben ei hunan.

Ymhen wythnos neu ddwy ro'dd eraill wedi ymuno â ni, yn eu plith Judy Gurney a'i mab Goulven/Dyfrig, y bardd Llydewig ifanc Paol Keineg a o'dd yn dad i'r plentyn, Rodric Evans a adwaenwn o ddyddiau Aberystwyth, Tony Lewis (y cyfrifydd nid y gof arian), Peter Meazey (perchennog Siop y Triban yng Nghaerdydd), y Sais Dave Buckel ac, am sbelan, Neil Jenkins. Ro'dd Neil yn gallu codi gwrychyn hyd yn o'd ei gyd-genedlaetholwyr, yn enwedig pan o'dd yn feddw, ac yr o'dd yn batholegol yn ei gasineb tuag at Gwynfor Evans. Yn y diwedd, ar ôl iddo baentio'r geiriau 'Gwynfor is a bastard' ar y pentan yng Ngarth Newydd rai oriau cyn i Lywydd y Blaid annerch y gangen leol, penderfynwyd gofyn iddo adael y tŷ; na, i fod yn fanwl gywir, rhoddwyd ei eiddo ar y pafin y tu fas i'r tŷ a chloi ei ystafell. Ca's ei dowlu mas gan y Blaid hefyd maes o law. Fel Neil ap Siencyn mae e wedi parhau i gorddi'r dyfroedd byth ers hynny gyda'i agwedd negyddol.

Pleidwyr o'n ni i gyd a da'th Garth Newydd yn ganolfan i weithgareddau politicaidd ac yn rhyw fath o fecca i genedlaetholwyr hen ac ifainc. Cyfarfyddai'r gangen leol o'r Blaid yno a chadwyd drws agored i Bleidwyr o bob rhan o Gymru. Mae'r llyfr ymwelwyr yn fy meddiant o hyd a diddorol yw gweld llofnodion ystod o genedlaetholwyr o Gwynfor Evans a Phil Williams hyd Geraint (Twm) Jones a Cayo Evans, a nifer o rai eraill a o'dd ymhlith arweinwyr y Blaid a Chymdeithas yr Iaith yn ystod y Chwe Degau.

Cawsom ymwelwyr eraill nad o'dd yn fodlon torri eu henwau yn ein llyfr am resymau sy'n gorfod aros yn gyfrinachol. Ond gallaf enwi Padraig ar Gouarnig, Llydawr ifanc o'dd ar ffo rhag yr heddlu Ffrengig, a Dai Pritchard a Dai Walters, 'y bechgyn o Went' a achosodd niwed i beiriannau ar safle'r gronfa ddŵr

71

a o'dd yn cael ei hadeiladu yng Nghwm Tryweryn ym mis Medi 1962. Flynyddo'dd wedyn, priodws Dai Pritchard â Judy Gurney ond bu farw yn annhymig tra oeddynt ar eu gwyliau yn Llydaw. Hefyd, cawsom gwmni Yann-Ber Piriou, Llydawr ifanc a o'dd yn *assistant* yn Aberdâr ar y pryd, a a'th ymla'n i fod yn fardd o fri ac yn un o sylfaenwyr plaid boliticaidd yr Union Démocratique Bretonne.

Anodd cretu erbyn hyn, ond do'dd dim hawl gan Blaid Cymru i ddarlledu ar y radio na'r teledu yn y dyddiau hynny. Gyda'r Cynghorydd Bill Williams, paentiais y geiriau 'Lift the TV ban on Plaid Cymru' ar wal hir castell Cyfarthfa a chael dirwy o £12 gan ynadon Merthyr ar ôl i aelod o'r Blaid Lafur a o'dd yn digwydd mynd heibio weud wrth yr heddlu ein bod ni wrthi; fe dalwyd y ddirwy gan rywun sydd yn aros yn anhysbys hyd heddi. Tua'r un amser paentiodd rhywun eiriau gwrth-Gymreig dros wal ffrynt 50 Meadow Street, fy hen gartref yn Nhrefforest. Ro'n i wedi bod yn meddwl beth fyddai ymateb fy rhieni i'm gweithgareddau politicaidd, ond do'dd dim angen poeni am hynny. Er bod fy nhad wedi pleidleisio dros Lafur ar hyd y blynyddo'dd, cefnogol iawn ydo'dd bob amser i'w fab gwrthryfelgar.

Toc wedyn cetho i ymweliad gan ddau ddyn diarth a o'dd yn awyddus, meddent, i drafod sefydlu mudiad Sgowtiaid Cymreig a fyddai'n dysgu bechgyn ifainc i ddefnyddio arfau a deinameit. Synhwyrais ar unwaith taw *agents provocateurs* o'dd y rhain. Gofynnodd un ohonynt am enwau pobol a fyddai â diddordeb yn y fath syniad a rhoddais enwau Miss Ethel Williams, hen foneddiges sidêt a o'dd yn gyn-athrawes Hanes yn Ysgol Cyfarthfa, a Mr Dai Jones, trysorydd parchus y gangen leol a o'dd wedi gweithio i Keir Hardie, ill dau yn eu hwythdegau a'r mwyaf diniwed ymhlith ein haelodau. Ro'dd Dai Jones wedi bod yn aelod o'r ILP cyn cael ei ddenu at Blaid Cymru gan Saunders Lewis yn ystod y Tri Degau yn Nowlais. Ei hoff stori am yr hen Ferthyr o'dd un am ei hen hen hen dad-cu a gludwyd am ryw ganllath ar ochor peiriant ager Richard Trevithick ym 1804.

Chlywais i ddim byd rhagor gan y ddau ymwelydd sinistr. Ond ym 1963, adeg y gweithredu anghyfansoddiadol yng Nghwm Tryweryn gan Emyr Llewelyn Jones ac eraill, bu'n rhaid imi fynd i lawr i swyddfa'r heddlu ym Merthyr i roi fy olion bysedd a chael fy holi. Pan ofynnwyd imi a o'n i'n adnabod rhywun â'r llythrennau cyntaf E.R., atebais 'Elizabeth Regina' a bu'n rhaid i un plismon rwystro'r llall rhag ymosod arno i. Defnyddiais y digwyddiad hwn yn fy stori fer 'Damage'. Yn yr un flwyddyn, ar 22 Tachwedd 1963 i fod yn fanwl gywir, ro'n i ac Emrys Roberts yn dadlau o blaid hunanlywodraeth yn erbyn Neil Kinnock yn Undeb y Myfyrwyr yng Nghaerdydd pan dda'th y newyddion fod John F. Kennedy wedi cael ei saethu yn Dallas.

Dyrnaid o aelodau o'dd gan gangen Merthyr o Blaid Cymru. Ro'dd 'da ni ambell i gynghorydd, megis Penri Williams a Gwyn Griffiths, Troed-y-rhiw, ond dim grym gwirioneddol. Serch hynny, do'dd y rhagolygon ddim yn ddu i gyd. Pan arweiniais orymdaith trwy hewlydd y dref o fla'n band pres ar Ddiwrnod Owain Glyndŵr ym 1963, cerddws tua thri chant o bobol gyda ni, gan gynnwys Gwynfor Evans, yr holl ffordd lan y tyla i Ddowlais Top. Da'th y Blaid yn agos at gipio sedd Merthyr mewn isetholiad ym 1972 pan ga's Emrys Roberts 11,852 o bleidleisiau yn erbyn 15,562 i Lafur. A phan enillws y Blaid fwyafrif ar Gyngor y Dref o dan arweiniad Emrys rai blynyddo'dd wedyn, halais delegram ato gyda'r geiriau: 'Proud to have helped wind the clock. Delighted to hear it strike.'

O Garth Newydd y da'th *The Nationalist* o dan fy ngolygyddiaeth i, cylchgrawn lle ymddangosodd fy narlith 'The Matter with Wales' yn ogystal ag erthygl Dai Walters a Dai Pritchard am eu gweithred yng Nghwm Tryweryn. Hon o'dd fy ymgais i roi cynnig arall ar gyhoeddi cyfnodolyn ar gyfer ieuenctid Plaid Cymru, ond un rhifyn a gafwyd, gwaetha'r modd. Gwingaf at y nodyn apocalyptig a glywir yn ei gynnwys, yn enwedig yn y llith gan John Legonna, lle mae'n datgan, 'We, Plaid Cymru, are the nation of the Welsh. Without us there is no Nation,' a lap a lol felly. Sais asgell-dde o'dd Legonna a'i enw iawn o'dd Brooks. Do'n i ddim yn ei hoffi nac yn deall paham ro'dd Harri Webb yn gyfaill iddo, 'chwaith. Ymhlith ei gyd-gynllwynwyr ro'dd Roger Boore, Meic Tucker ac Emrys Roberts. Cedwais draw o'u grŵp New Nation a'r cylchgrawn *Cilmeri* a o'dd yn rhan o'r ymgyrch i gael gwared ar Gwynfor fel arweinydd y Blaid. Ond cydymdeimlais ag Emrys Roberts pan ga's ei hel o'i swydd fel Ysgrifennydd y Blaid am ei ran yn y cynllwyn, a ddisgrifir gan Rhys Evans yn ei gofiant i Gwynfor. Mae Roger Boore a Meic Tucker wedi encilio o weithgareddau'r Blaid ers blynyddo'dd bellach.

Wrth ddishcwl yn ôl fel hyn, gwelaf fod yr achos cenedlaethol yn llenwi fy mywyd yn y dyddiau hynny, a minnau wrth fy modd yn cael y cyfle i wneud rhywpeth dros fy ngwlad o'r diwedd, yn lle siarad amdani. Cetho i bedair blynedd yn llawn o weithredu mewn sawl maes ym Merthyr a thu hwnt. Sefais mewn etholiadau lleol dros Blaid Cymru. Cymerais ran yn narllediadau Radio Cymru Rydd o'm hystafell yn atig Garth Newydd. Eisteddais ar Bwyllgor Gwaith y Blaid am sbelan. Ysgrifennais faledi ar y cyd â Harri, yn enwedig 'The Exiles' Song' er mwyn codi gwrychyn rhai o Gymry Llundain fel Hafina Clwyd a Tudor David.

Rhoddais help llaw i Harri olygu'r *Welsh Nation*, papur misol y Blaid, a dysgu golygu a rhoi papur at ei gilydd gyda siswrn a phast. Fi o'dd y cyntaf i ddarllen ei golofn am Gwmgrafft, treflan ddychmygol yn y Cymoedd a reolid gan y Blaid Lafur lwgwr. Rhoddai Harri gyfle imi 'sgrifennu erthyglau ac adolygiadau megis yr un o *Collected Poems* Hugh MacDiarmid ac un arall o *The Bread of Truth* gan R. S. Thomas yn rhifyn Rhagfyr 1963. Ro'dd y Sgotyn yn dicyn o arwr i Harri a des innau i werthfawrogi ei farddoniaeth a'i erthyglau polemig hefyd, ac yn ddiau ro'dd ei esiampl fel golygydd sawl cyfnodolyn megis *The Voice of Scotland* yn fy meddwl ar y pryd. Cetho i'r pleser o gyflwyno'r ddau fardd i'w gilydd yn Llanbedr Pont Steffan ym 1974 a mynd â nhw i weld bedd Dafydd ap Gwilym yn Ystrad Fflur.

Ro'n i'n dishcwl ar Harri fel cynghorwr a chyfaill. Eto i gyd, anodd o'dd dioddef ei ymddygiad ar adegau. Pe bai rhywpeth yn ei gynhyrfu – ac ro'dd yn hawdd ei wylltio â'r peth lleiaf – arferai stwffio ei fysedd i'w geg a chrynu am funudau cyfain cyn iddo adennill ei gydbwysedd nerfol. Ro'n i a thrigolion eraill Garth Newydd wedi dysgu anwybyddu hyn ond ro'dd pobol eraill yn cael eu dychryn. Bu'n rhaid imi esbonio iddynt wedyn fod nerfau Harri wedi eu handwyo gan y gynnau mawr tra o'dd e yn y Llynges yn ystod y rhyfel. Anoddach o'dd esbonio ei ymarweddiad wrth y ford swper a'i ddiffyg glanweithdra personol. Serch hyn oll, ro'n ni'n ffrindiau da ar hyd y blynyddo'dd.

Mae mwy nag un person wedi gofyn imi a o'dd Harri'n wrywgydiwr. Yr ateb yw nago'dd, yn bendant. Rwyf wedi darllen ei ddyddiaduron, sy'n rhedeg dros ddeucen o flynyddo'dd, lle mae'n rhestru'r menwod a ga's ryw 'dag e, tua naw deg ohonynt i gyd, er fy mod i'n amau taw puteiniaid o'dd y rhan fwyaf. Ro'dd yn arbennig o hoff o actoresau ifainc. Yr hyn nad yw pobol yn gwypod yw bod Harri wedi byw gyda menyw yng Nghaerdydd yn ystod y Pum Degau, yn nyddiau'r Gweriniaethwyr, cyn ffoi rhagddi i Cheltenham, a bod gan y ddau ferch fach sydd erbyn hyn dros ei thrigain.

Ym 1963 aeth grŵp ohonom, gan gynnwys John Davies (Bwlch-llan), Rodric Evans a Peter a Shelagh Hourahane, o gwmpas gorllewin Iwerddon, gan ymweld â phob llecyn a o'dd yn gysylltiedig â'r frwydr genedlaethol, gan gynnwys Dulyn. Pan dda'th menyw ato i ar O'Connell Street a gofyn am fy llofnod ar ddeiseb i achub rhyw adeilad Sioraidd rhag cael ei ddymchwel, 'sgrifennais 'Leopold Bloom, 7 Eccles Street'; 'Thanks for your support, Mr Bloom,' mynta hi. Ys gwn i beth fyddai ei hymateb wedi bod petaswn wedi galw fy hunan yn Humphrey Chimpden Earwicker? 'Loud, heap miseries upon us, yet entwine our arts with laughters low'. Nid pawb sydd wedi darllen *Ulysses* a *Finnegans Wake*.

Un noson gwelsom, er mawr syndod inni, rif Llywydd y Weriniaeth mewn llyfr teleffôn a thranno'th trefnodd Bwlch-llan inni ymweld ag e. Erbyn hyn ro'dd De Valera bron yn ddall ond cawson ni sgwrs fywiog am Gymru a'r Gymraeg, pynciau yr o'dd yn wybodus amdanynt. Yna, wrth iddo dynnu'r sgwrs i ben, plygodd dros ei ddesg a gweud yn dawel bach: 'In my position they won't let me talk politics, you know. But I'd just like to say this: I hope that something of what you want for your country will come true during your lifetime, as it has for my country during mine.' Caton pawb! Dyna fendith gan arwr Boland's Mill ac mae'r geiriau wedi aros yn glir yn fy nghof byth ers hynny.

Ni chlywais ddarlith Saunders Lewis, *Tynged yr Iaith*, ym mis Chwefror 1962 (gan fy mod i ym Mangor ar y pryd ac yn ddi-Gymraeg i bob pwrpas) ond cofiaf y cyffro ymhlith cenedlaetholwyr o'm cenhedlaeth i, Gogleddwyr fel Harri Pritchard Jones, Dafydd Orwig, Owen Owen a Gareth Miles. Cymerais ran ym mhrotest gyntaf Cymdeithas yr Iaith ar Bont Trefechan ar 2 Chwefror 1963 pan a'th mintai o drigolion Garth Newydd trwy'r eira yn unswydd i Aberystwyth, a 'sgrifennais faled i ddathlu'r achlysur. Cofiaf weld nifer o wynebau cyfarwydd ar yr achlysur hanesyddol hwnnw: Gwyneth Wiliam, Anna Daniel, Gareth Roberts (Treffynnon), Robat Gruffudd, Gruffydd Aled Williams, John Clifford Jones, Gwilym Tudur, Peter Meazey, Rodric Evans, Megan Kitchener Davies, Aled Gwyn, Neil Jenkins, Eurion John, Gwyneth Rhys, Llinos Jones, Dyfrig Thomas, Geraint Jones a Rhiannon Silyn Roberts. Wedi gwneud ymholiadau'n ddiweddar gallaf enwi'r canlynol hefyd: Huw Carrod, Eric Jones, Joy Harries, Penri Jones, Edgar Humphreys, Tegwyn Jones, Guto ap Gwent, Peter Cross, Menna Dafydd, Enid Davies, Tomos Prys Jones, Ruth Meredith, Giovanni Miseroti, Mair Owen, Rhiannon Price, Dennis Roberts, Hafwen John, Angharad Jones, Menna Williams, Morwen John, Gwyneth Jones, Gareth Roberts, Catrin Gapper, Tegwen Roberts, Ann Eleri Jones, Elenid Williams, Rachel James, Gareth Gregory, Anne Morris Jones, Beti Jones, Ann Eirwen Gruffydd, Joy Harries a Geraint Eckley. Teg gweud nad wyf yn cofio pob un o'r rhain yn ishta ar y bont ond roeddynt ymhlith y rhai a gymerodd ran yn y brotest, yn ddiau. Er bod y weithred yn aflwyddiannus – ca's neb ei arestio am ishta i lawr ar y bont am ryw hanner awr – ro'dd yn glir i rai ohonom fod o's newydd o weithredu wedi gwawrio yng Nghymru, ac ro'n i am gorddi'r dyfroedd hyd fy ngallu. Un arall o'm trysorau yw'r poster a gyhoeddwyd gan y Llyfrgell Genedlaethol ddwy neu dair blynedd yn ôl i fynd gyda'r arddangosfa *Protest*, lle rwy'n ishta gyda dyrnaid o brotestwyr o fla'n fan Swyddfa'r Post. Fel swfenîr o'r brotest mae 'da fi graith fach ar fy nghrimog ac rwy'n barod i'w dangos i fyfyrwyr sy'n astudio'r cyfnod.

Yn ystod y ddwy flynedd ganlynol ro'n i'n gweithredu'n gyson o blaid y Gymraeg. Gyda Sionyn Daniel a John Davies es i Sir Benfro ryw noson dywyll a symud yr arwyddion 'Trevine' y tu fas i bentre Tre-fin a gosod arwyddion gyda'r sillafiad cywir arnynt yn eu lle, ac wedyn arddangos yr arwyddion Saesneg ar Faes yr Eisteddfod nes i un o'r heddlu cudd gyrraedd i'w nôl nhw. A chyda John Davies, Ysgrifennydd y Gymdeithas, es i Ddinas Mawddwy a dwyn perswâd ar fenyw'r swyddfa bost yno i osod arwydd dwyieithog yr o'n i wedi ei wneud yn fy llythrenwaith gorau.

O Garth Newydd ym 1962 a 1963 aethon ni mas yn y tywyllwch i baentio sloganau ar hyd a lled y wlad. Paentiais y geiriau 'Cofiwch Tryweryn' ar wal ger Llanrhystud sydd wedi mynd yn dicyn o eicon cenedlaethol, medden nhw. Ro'dd hyn yng nghwmni Rodric Evans, yr unig un o drigolion Garth Newydd a o'dd yn berchen ar gar. Ni nodais y manylion am y noson honno yn fy nyddiadur – am resymau amlwg. Ond mae'r slogan, a gafodd ei adnewyddu o dro i dro gan bobol eraill, wedi cynhesu calonnau gwladgarwyr ac wedi catw enw'r cwm a foddwyd o fla'n llygaid y Cymry ac ymwelwyr byth ers hynny. Gresyn nad yw'r ymgyrch i brynu a diogelu'r wal wedi codi digon o arian i'w chatw ar gyfer yr oeso'dd a ddêl. Ble mae'r cenedlaetholwyr, gwêd?

Ro'n i'n bresennol ym mhrotestiadau Dolgellau a Llanbedr Pont Steffan ym 1965 a Machynlleth ym mis Ionawr 1966, a threuliais bythefnos yng Nghaerfyrddin adeg yr isetholiad yng Ngorffennaf 1966 pan etholwyd Gwynfor Evans. Cofiaf y dagrau a lifodd i lawr fy mochau y noson honno. Mae'r llun ohonof fi a Dai Bonner yn cario Gwynfor ar ein hysgwyddau ar draws y sgwâr yn Llangadog dranno'th ei fuddugoliaeth yn cael ei ddangos yn fynych ar y teledu ac yn y wasg. Gweithiais yn galed yn y Rhondda pan dda'th Vic Davies yn agos at gipio'r sedd yn isetholiad mis Mawrth 1967, a phan dda'th Phil Williams yn agos at ennill Caerffili ym mis Mehefin y flwyddyn ganlynol ro'n i ymhlith ei helpwyr. Cân yr etholiad o'dd 'Who put the Phil in Caerphilly? Hush, you know who.'

Eto i gyd, do'n i ddim am roi fy holl egni i frwydr yr iaith tra bod y frwydr boliticaidd heb ei hennill. Do'n i ddim yn cytuno â dadansoddiad Saunders Lewis, er fy mod yn croesawu ei sialens i hyrwyddo'r iaith drwy weithredu'n uniongyrchol. Ro'dd statws swyddogol yn amcan dilys yn fy nhyb i, ond nid fy musnes i o'dd brwydro drosto. Mwy priodol, yn fy marn i, o'dd bod y Cymry Cymraeg, yn enwedig y rhai a drigai yn yr ardaloedd gwledig a Chymraeg eu hiaith, yn deffro o'u trwmgwsg ac yn ymdrechu dros eu diwylliant eu hunain. Ro'dd yn well 'da fi weithio yn erbyn y Blaid Lafur yn yr ardaloedd diwydiannol. Hwyrach fod hyn yn wrthun i lawer sy'n darllen y llyfr hwn ond mae 'na derfyn ar faint y mae dyn yn gallu ei gyflawni a do'th yw rhannu'r gwaith a chanolbwyntio yn hytrach na brwydro ar sawl ffrynt. Ro'n i wedi herio'r gyfraith trwy weithredu'n anghyfreithlon ar sawl achlysur, gan daflu fy hunan o fla'n plismyn a cherbydau a chan achosi niwed i eiddo'r awdurdodau fel y cynghorau sir a'r llywodraeth ganolog. Ro'n i hefyd wedi gweithredu'n anghyfansoddiadol, weithiau yn y tywyllwch a thu cefen i'r llwyfan. Ro'dd yn amser nawr i'm cyd-wladwyr Cymraeg eu hiaith arwain y gad.

Da'th tro ar fy myd personol pan safodd Ioan Bowen Rees yn enw'r Blaid ym Merthyr Tudful yn yr Etholiad Cyffredinol a gynhaliwyd ym mis Hydref 1964; fi o'dd ei asiant. Ca's Ioan 2,878 o bleidleisiau yn erbyn 23, 275 yr ymgeisydd Llafur, sef yr hynafgwr S. O. Davies, a cha's y Tori 4,767. Yn y dyddiau hynny arferai'r pleidiau gynnal cyfarfodydd cyhoeddus ac mewn un ohonynt yn Nhroed-y-rhiw gofynnais i Elystan Morgan, a o'dd newydd adael Plaid Cymru i ymuno â'r Blaid Lafur, shwt o'dd e'n cyfiawnhau hyn. Neidiws Jim Griffiths i amddiffyn Elystan: 'Young man, you have demeaned yourself! You don't know your history – the Welshman has an honourable tradition of turning his coat.' Am hymbyg, yntefe?

Ro'dd etholiad 1964 yn gofiadwy i mi am reswm llawer pwysicach. Dyma'r achlysur pan gyfarfyddais â Ruth Wynn Meredith, 'wha'r yng nghyfraith Ioan, a o'dd wedi dod i Ferthyr o Aberystwyth i helpu'r ymgyrch. Do'n i ddim yn gallu gyrru car yn y dyddiau hynny. A'th Ruth â mi i'r Pentre yn y Rhondda i gasglu bocsys o daflenni etholiadol. Er fy mod i'n ymwybodol o'i chymeriad dengar yn ystod y daith fer honno – yn wir, ro'n i'n glaf gan serch ymhen wythnosau – ni wyddwn ar y pryd y byddai Ruth yn wraig imi erbyn yr etholiad nesaf, ond felly y bu. Wedi dyweddïo tua'r Pasg canlynol, a mynd i Ddulyn i brynu modrwy, cetho i bwl o dwymyn y 'wharennau a bu'n rhaid imi aros yn y gwely yng nghartref rhieni Ruth am bythefnos. Oherwydd hyn, collais y cyfle i gael cyfweliad am swydd athro Ffrangeg yn Ysgol Cyfarthfa ym Merthyr. Mae'r gwendid yn dod yn ôl i'm poeni bob hyn a hyn, yn enwedig pan rwy'n gorweithio. Priodasom yn y Tabernacl yn Aberystwyth ar 14 Awst 1965. Tad Ruth, y Parchedig J. E. Meredith, a'r Parchedig Ifor Enoch a gymerodd y gwasanaeth a John Davies, Bwlch-llan, yn ei ddillad parch, o'dd y gwas priodas.

Yn yr Etholiad Cyffredinol a gynhaliwyd ar 31 Mawrth 1966 fi o'dd ymgeisydd y Blaid ym Merthyr a'r slogan o'dd 'Step ahead with Stephens!' Gelwais am Fwrdd Glo i Gymru, rhagor o ddiwydiannau trymion yn y Cymoedd, addysg dechnolegol i'n pobol ifainc, gwell ffyrdd ac adnoddau siopa, gwell cyfle i fusnesau bach, llai o ddiboblogi, rhagor o adnoddau diwylliannol megis theatrau ac orielau, ac ar ben y cwbl, Cyngor Etholedig i Gymru. Un prynhawn, tra oeddwn yn canfasio ar y Gurnos, gofynnws menyw imi paham roedd angen Senedd ar Gymru. 'To look after its own affairs,' medde fi. Da'th yr ateb yn glou: 'Oh, we don' 'ave affairs up 'ere, love. It's too cold. We do all go down to Ponty for that.' A gwetws henwr wrthyf, 'The thing you 'ave to remember about the people up 'ere is: to yewer face they're all be'ind you and be'ind yewer back they're at yewer throat.' Cetho i 3,361 o bleidleisiau a'r hen S.O., fel y galwai ei hunan, 21,737; ca's y Tori 4,082. Ar noson y cownt, gwrthodais siglo llaw y Tori a phan da'th S.O. i annerch y dorf y tu fas i neuadd y dref, gwaeddais 'Cofiwch y Senedd i Gymru, S.O.!' ar draws ei araith. Ond a gweud y gwir, fe'm siomwyd yn arw gan y canlyniad hwn – ro'n i'n gobeithio catw'm hernes, o leiaf – a phenderfynais beidio ceisio am yrfa wleidyddol fyth 'to.

Ond ro'n i'n barod i frwydro ar ffrynt arall. Ro'n i wedi sefydlu gwasgnod Triskel ym 1963 gyda'r amcan o gyhoeddi defnydd a fyddai o ddiddordeb i genedlaetholwyr Cymreig. Ymhlith y teitlau cyntaf yr o'dd y llyfryn *Caneuon Rhyddid Cymru*, sef casgliad o faledi gwladgarol, a gwerthwyd tri chant o gopïau o fewn dau fis. Yn y llyfryn hwn cafwyd baled Harri, 'The Cross Foxes', a'm baled innau, 'The Boys from Gwent', a a'th ymla'n i fod yn ffefrynnau ymhlith potwyr ein gwlad. Cyhoeddais hefyd *Our National Anthem* gan Harri a *Names for the Welsh* gan Peter Hourahane a werthodd dros fil o gopïau; rwyf wedi dod ar draws lliaws o bobol sy'n honni bod eu rhieni wedi cael eu henwau mas o'r llyfryn hwn a'i olynydd, *Welsh Names for your Children*, a gasglwyd gan Ruth ac wedyn gen i.

Y cyhoeddiad mwyaf swmpus o'dd llyfr Gerald Morgan, *The Dragon's Tongue* (1966), sef astudiaeth feistrolgar o hynt a helynt yr iaith Gymraeg ym mywyd cyhoeddus ein gwlad. Tair mil o'dd nifer y copïau a argraffwyd a saith swllt a 'whe cheiniog o'dd pris pob copi. Prynwyd tua dau gant o gopïau o fla'n llaw (mae'r rhestr o'u henwau a'u cyfeiriadau 'da fi o hyd). Prynodd D. J. Williams ddwsin a'r Athro Jac L.Williams 'whech. Yr unig berson i wrthod cefnogi'r fenter o'dd Syr Ifan ab Owen Edwards, a 'sgrifennodd lythyr bach eithaf crablyd a hunanbwysig ato i o'dd yn cynnwys y frawddeg, 'Torchwch eich llewys, ddyn ifanc!' A'th yr ymadrodd hwn yn dicyn o jôc yn ein teulu ni ac mae David Meredith a minnau'n ei ddefnyddio o bryd i'w gilydd er mwyn annog ein gilydd i ddygnu arni.

Fy mhrif ddiddordeb erbyn 1965 o'dd dod o hyd i fodd i hyrwyddo diwylliant y Cymry di-Gymraeg, yn enwedig eu llenyddiaeth, gan atgyfnerthu eu hymwybyddiaeth o berthyn i'r genedl Gymreig, a throdd fy ngolygon tuag at y beirdd a'r llenorion. Ticyn o anialwch o'dd y byd llenyddol Saesneg yng Nghymru ar y pryd a rhaid o'dd ei feithrin er mwyn cael drych o fywyd ein cyd-wladwyr unieithog a'u cymhathu fel rhan o'n cenedl. Dyna fy unig uchelgais i erio'd, a gweud y gwir. Dechreuais drwy gyhoeddi detholiad o gerddi gan Peter Gruffydd, Harri Webb a minnau o dan y teitl *Triad* (1963), a gwerthwyd 500 o gopïau o fewn tri mis, a phamffledi o gerddi cynnar Leslie Norris, John Tripp a Herbert Williams, rhai o feirdd amlycaf Cymru yn yr iaith Saesneg ar y pryd.

Ond y cyhoeddiad pwysicaf o bell ffordd, a'r un sydd wedi goroesi hyd heddi, o'dd *Poetry Wales*. Cetho i'r teitl oddi wrth *Poetry Ireland*, cylchgrawn John Jordan, yr o'n i wedi cwrdd ag e yn Nulyn ym 1962. Da'th y rhifyn cyntaf mas yng ngwanwyn 1965, ychydig cyn imi briodi Ruth. Argraffwyd 500 o gopïau gan gwmni H. G. Walters, Arberth, am £47 a'r pris o'dd tri swllt y copi. Ymhlith y cyfranwyr ro'dd Roland Mathias, Harri Webb, Gwyn Jones, Peter Gruffydd, Herbert Williams ac Alun Rees. Ca's groeso brwd gan nifer o Gymry amlwg, yn eu plith Aneirin Talfan Davies, Jac L.Williams a Gerald Morgan. Wedi ymddangosiad yr ail rifyn yn hydref 1965 ro'dd enwau Dannie Abse, Anthony Conran, Leslie Norris a Sally Roberts wedi eu hychwanegu at y rhestr o gyfranwyr. Yn y rhifyn hwn cyhoeddais 'Ponies, Twynyrodyn', sef y gerdd o'm heiddo i sydd wedi cael ei hailgyhoeddi'n fwyaf mynych. Gwilym Rees Hughes o'dd golygydd Cymraeg y cylchgrawn. Cetho i help Ruth o'r ail rifyn ymla'n. Er ei bod hi'n gweithio oriau hir yn labordai Ysbyty Santes Tudful, heb fod ymhell o'n cartref yn Hewl Courtland ym Merthyr, ro'dd hi'n barod iawn i fod yn gyfrifol am ddosbarthu'r cylchgrawn i'r llu o danysgrifwyr a siopau trwy Gymru benbaladr a thu hwnt. Gwnaethon ni hyn gyda grant bychan oddi wrth Bwyllgor Cymreig Cyngor Celfyddydau Prydain Fawr a o'dd prin yn ddigon i dalu am stampiau.

Ond ro'dd fy nghysylltiad â Merthyr yn dechrau gwanhau

ac ro'n i'n 'whilio am gyfle arall i ennill fy nhamed. Erbyn i'r pumed rhifyn o *Poetry Wales* ymddangos yng ngaeaf 1966 ro'n i wedi cefnu ar fy swydd yng Nglynebwy, wedi gadael Merthyr ac wedi dod i fyw yn Rhiwbeina, un o faestrefi gogleddol dinas Caerdydd. A gaf i esbonio shwt digwyddws hyn? Pennaeth yr Adran Ffrangeg yng Nglynebwy o'dd Milwyn Jenkins, brodor o Ynys-y-bŵl ac, fel minnau, cyn-ddisgybl o Ysgol y Bechgyn, Pontypridd. Mae'n debyg taw fe o'dd wedi 'whara rhan allweddol yn fy mhenodiad oblegid ei fod yn gwypod fy mod i wedi cael fy nysgu gan Jack Reynolds, a o'dd yn fawr ei fri fel athro Ffrangeg. Yn anffodus, do'dd Milwyn ddim yn fodlon imi ddysgu'r 'wheched dosbarth achos, yn ei dyb ef, dyna ei faes arbennig ef. Penderfynais, felly, adael Glynebwy ar ôl pedair blynedd a chymryd swydd gyda'r *Western Mail* yng Nghaerdydd. 'Tenet insanabile multos scribendi cacoethes,' meddai Juvenal: 'Mae'r ysfa i 'sgrifennu'n effeithio ar lawer.' Eitha' reit, hefyd.

Do'n i ddim yn gyndyn i adael yr ysgol. Ar ddiwrnod olaf tymor yr haf ro'n i'n sgwrsio gyda rhai o ddisgyblion y 'wheched dosbarth, yn eu plith Patrick Harrington, sydd erbyn hyn yn fargyfreithiwr llwyddiannus, Robat Powel, sydd nawr yn Brifardd, a Greg Lynn Taylor, bargyfreithiwr arall sy'n canu gyda'r Hwntws y dyddiau hyn, a dysgais oddi wrthynt lysenwau rhai o'm cyd-athrawon. Ro'n i'n adnabod y bechgyn hyn yn eithaf da oherwydd ro'n ni'n arfer 'whara recordiau tu cefen i'r llwyfan yn ystod yr awr ginio a da'th ambell un draw i Ferthyr i helpu pan sefais yn yr etholiad. Mentrais ofyn beth o'dd fy llysenw i, a chael yr ateb 'Noddy, Sir.' Gofynnais 'Why Noddy?', gan imi ddishcwl 'Spike', fy llysenw yn ystod fy nyddiau ysgol. Ond na, ro'n i'n 'Noddy' ar gownt fy arfer o glirio'r ystafello'dd dosbarth am bedwar o'r gloch trwy roi fy nwylo at ei gilydd a galw, 'Time to go home! Time to go home!' – yn gwmws fel y pyped ar y teledu. Rhyfedd pa ddelwedd y mae athro yn ei rhoi'n anymwybodol i'w ddisgyblion.

Cetho i gymorth mawr yn fy ymdrechion i ddysgu'r Gymraeg trwy briodi Cymraes a ddeuai o deulu gwladgarol ac eangfrydig.

Un gall, alluog, bwyllog a phenderfynol yw Ruth, yn anfoddog iawn i weud gair angharedig am unrhyw un ac yn driw iawn i'w hegwyddorion crefyddol a gwleidyddol. Mae'n eironig ddigon i feddwl iddi hi a minnau orfod aros tan 1964 cyn cwrdd â'n gilydd, ond tra o'n i yn Aberystwyth ro'dd Ruth ym Mangor, a thra o'n i ym Mangor ro'dd hi yn Aberystwyth yn gweithio yn labordai'r coleg. Ni siaradai rhieni Ruth air o Saesneg 'da fi o'r cychwyn cyntaf gan eu bod yn cymryd yn ganiataol fy mod i'n Gymro Cymraeg oherwydd fy aelodaeth o Blaid Cymru. Cetho i groeso twymgalon yn eu cartref diwylliedig yn Hewl Llanbadarn, Aberystwyth ac ychwanegu at fy ngeirfa'n gyflym. Os wy'n siarad cymysgedd o Gymraeg Sir Forgannwg a Chymraeg Sir Feirionnydd y dyddiau hyn, mae'r diolch i Ruth a'i theulu yn bennaf. Eto i gyd, ro'dd y broses o ddod yn hollol rhugl yn un araf ar y naw. Flynyddo'dd ar ôl inni briodi gwetws Nain ei bod hi'n meddwl, ar y dechrau, fy mod i'n fachgen tawel, yn siwtio Ruth i'r dim, ond ei bod wedi sylweddoli ers hynny nace tawel o'n i ond yn brin fy Nghymraeg!

Mae'r un peth yn wir am frodyr a 'wha'r Ruth. Dw'i erio'd wedi siarad Saesneg gyda John Wynn Meredith, sydd yn dwrnai, na chyda David Wynn Meredith, cyn-Bennaeth Cysylltiadau Cyhoeddus gydag HTV ac S4C, na chyda Margaret, a briodws y diweddar Ioan Bowen Rees. Ergyd drom o'dd colli Ioan, cyn-Brif Weithredwr Cyngor Gwynedd, ddau ddiwrnod cyn yr etholiadau cyntaf i'r Cynulliad Cenedlaethol ym mis Mai 1999, sefydliad yr o'dd e wedi gweithio tuag ato dros flynyddo'dd maith fel meddyliwr craff am ddatganoli a llywodraeth leol yng Nghymru. Mae perthyn trwy briodas i deulu estynedig y Meredithiaid wedi bod yn fraint ac yn fantais enfawr imi ac rwy'n ddiolchgar iddynt am eu hamynedd a'u cyfeillgarwch.

Erbyn i Ruth a minnau symud i Gaerdydd ym mis Awst 1966 er mwyn i mi ymuno â'r *Western Mail*, yr o'dd hi'n erfyn ein plentyn cyntaf. Da'th Lowri Angharad i'r byd ar 27 Hydref, ychydig o ddyddiau wedi trychineb Aber-fan. Yn wir, ro'n i yn y pentre yn casglu gwybodaeth am y meirwon pan getho i neges gan newyddiadurwr arall yn dweud bod Ruth wedi mynd i'r

ysbyty. Nid anghofiaf byth yr hyn a welais yn y capel yn Aber-
fan lle cadwyd y cyrff bychain ac rwy'n ei chael hi'n anodd sôn
amdano neu weld y lluniau ar y teledu heb fod dagrau'n llenwi
fy llygaid; rwyf am symud ymla'n nawr heb fanylu. Do'dd dim
modd ffonio sha thre (ro'dd hyn cyn dyddiau'r ffôn symudol)
a do'dd dim bysus na threnau'n rhedeg yn y cwm. Dim ond
un peth amdani, felly, sef derbyn lifft i Gaerdydd mewn fan y
Bwrdd Nwy ac, nid heb anhawster, cyrraedd yr ysbyty rhyw
ucen munud cyn i Lowri gael ei geni.

Ni chetho i ddiwrnod hanner mor ingol â hwnnw eto tra
bûm yn gweithio ar y *Western Mail*. Yn wir, polisi'r papur
o'dd rhoi dim ond y jobsys mwyaf diflas i'r staff newydd.
Ymhlith y bobol a o'dd wedi ymuno â'r papur yr un pryd â
mi o'dd Tom Davies, a a'th wedyn i'r *Sunday Times* a, chyda
threigl amser, troi'n nofelydd; Geraint Talfan Davies, a a'th i
weithio i'r cyfryngau yn Lloegr cyn dychwelyd i Gymru i fod yn
Bennaeth ar BBC Cymru; Ian Edwards, a ga's yrfa fel swyddog
cysylltiadau cyhoeddus yn Wimbledon; ac Alun Michael, a
drodd yn wleidydd Llafur yn y Cynulliad ac yn San Steffan.
Yn y dyddiau hynny ro'dd y papur yn gwerthu tua 100,000 o
gopïau – i'w gymharu â 30,000 heddi – ac fe'i hystyrid fel papur
eithaf safonol a dylanwadol, credwch neu beidio.

Yr unig un arall y gallaf ei ddwyn i gof, ar wahân i Beata
Lipman, a ddeuai i mewn ar ddechrau pob tyrn i lanhau ei
desg, ei chadair a'i theipiadur, fel petai'r ystafell newyddion
yn heintus, a Michael Lloyd Williams, brodor o'r Rhondda a
o'dd yn garedig iawn wrtho i, yw John Humphries – nid y John
Humphrys sy'n gofyn y cwestiynau ar *Mastermind* ond brodor
o Gasnewydd a o'dd yn olygydd newyddion ar y papur ar y
pryd. Un llym iawn ei dafod o'dd John ar unrhyw un a o'dd
wedi cael addysg prifysgol a hyd yn o'd yn fwy drwgdybus o'r
rhai a o'dd yn medru'r Gymraeg neu'n hanu o 'North Wales',
sef, yn ei olwg ef, y *terra incognita* y tu hwnt i Aberhonddu.

Am rai wythnosau yn ystod gaeaf 1966/7 ro'n i'n gofalu am
swyddfa fechan y papur yng Nghasnewydd. Un noson, tua naw
o'r gloch, cetho i orchymyn i fynd i Gwmbrân i siarad â menyw

o'dd wedi ffonio'r papur i weud bod y frigâd dân wrthi'n ceisio achub ei chath, a o'dd wedi ei dal yng nghanghennau uchaf coeden yn ei gardd. Erbyn imi gyrraedd ei chartref ro'dd y digwyddiad cyffrous hwn wedi dod i ben, ond llwyddais i gael gair â'r ddynes a 'sgrifennu'r stori cyn ei ffonio drosodd o'r swyddfa a dal y trên olaf o Gasnewydd i Gaerdydd. Tua hanner nos, a minnau ar fin mynd i'r gwely, cetho i neges ffôn gan John yn gofyn beth o'dd enw'r gath. Pan atebais nad o'n i wedi cael y manylyn hwnnw, dyma fe'n rhoi gorchymyn arall imi fynd lan i Gwmbrân 'to, er gwaetha'r awr hwyr, a gofyn. Rhyw awr a hanner wedyn ffoniais y papur a gweud, gydag ochenaid, 'Tibby'. Ymateb John o'dd, 'I don't believe you. You Welsh graduates make things up,' a rhoddws y ffôn i lawr. Ymddangosodd y stori yn y papur dranno'th – ond ni cha's y riportyr na Tibby eu henwi!

Syndod mawr imi o'dd dysgu, yn ei lyfr *Freedom Fighters* (2008), fod John Humphries, a a'th ymla'n i fod yn olygydd ar y *Western Mail*, yn wladgarwr o'r math mwyaf eithafol ac yn edmygydd o grwpiau cudd fel y Free Wales Army a Mudiad Amddiffyn Cymru. Ni welais unrhyw arwydd o'i wladgarwch tra o'n i ar staff ei bapur, rhaid cyfaddef. Yn wir, fe o'dd un o'r rhesymau pam y penderfynais y byddwn yn gadael Thomson House cyn gynted ag y bo modd.

Da'th y cyfle yn gynt nag yr o'n i'n dishcwl. Ym mis Ebrill 1967 ro'n i wedi digwydd galw ar swyddfeydd Pwyllgor Cymreig Cyngor y Celfyddydau yn Hewl yr Amgueddfa, Caerdydd, ar sgawt am newyddion, pan glywais gan Aneurin M. Thomas, y Cyfarwyddwr, fod y Cyngor yn bwriadu hysbysebu am rywun ar gyfer swydd newydd, sef Cyfarwyddwr Cynorthwyol gyda chyfrifoldeb dros ddrama a barddoniaeth.

Nawr, ro'dd hyn yn swnio fel swydd llawer mwy at fy nant na'r un a o'dd 'da fi, a thoc wedyn dechreuais lunio cais ar ei chyfer. Cytunodd Islwyn Ffowc Elis, Roland Mathias a John Stuart Williams i lunio geirda amdano i a chetho i gefnogaeth Glyn Jones, Gwilym R. Jones, Vernon Watkins, D. J. Williams, Tudor David, D. Gwenallt Jones, Gerald Morgan, Alun Talfan

Davies a Dewi-Prys Thomas yn ogystal. Rhoddais y cais i mewn ac, ym mis Gorffennaf, mynd am gyfweliad; ar y panel penodi yr o'dd Gwyn Jones, Cadeirydd y Pwyllgor a'm hen Athro Saesneg yn Aberystwyth, yr Athro T. J. Morgan, Cadeirydd y panel a o'dd yn gyfrifol am ddrama a barddoniaeth, Iorwerth Howells, Cyfarwyddwr Addysg Sir Gaerfyrddin, a Miss Evelyn Ward, cyn-athrawes Saesneg a o'dd wedi meithrin talent yr actor Kenneth Griffith. Toc wedyn, er mawr lawenydd imi, fe glywais gan Aneurin Thomas fy mod i'n llwyddiannus. Dyma gyfle gwych i wasanaethu Cymru a'i llenyddiaeth, yn y ddwy iaith. Wedi wythnos yn yr Eisteddfod Genedlaethol yn y Bala, a gwibdaith i Iwerddon gyda Ruth a Lowri, dechreuais yn y swydd ar 4 Medi 1967.

5

Hael ar bwrs y wlad

RO'N I GYDA Chyngor Celfyddydau Cymru o fis Medi 1967 hyd fis Gorffennaf 1990. Gan fy mod i'n swyddog y Pwyllgor Llenyddiaeth, mae'n briodol imi ddisgrifio dim ond rhai o brif nodweddion polisïau'r Cyngor ar gyfer llenyddiaeth yn y bennod hon. Os digwydd bod fy nghof, neu fy nyddiaduron personol, yn ddiffygiol, cyfeirir y darllenydd at Adroddiadau Blynyddol y Cyngor a chofnodion y Pwyllgor Llenyddiaeth, a gedwir yn y Llyfrgell Genedlaethol.

Yn ystod yr un cyfnod cetho i gymorth nifer o Swyddogion Llenyddiaeth ac ysgrifenyddesau a fu'n gefn mawr imi ac yn gaffaeliad i'r Adran, yn enwedig wrth i'r gwaith gynyddu mewn sawl cyfeiriad a ninnau'n gorfod ei rannu. Cofiaf yn arbennig Fay Williams, Gwenith Morgan, Fiona Lloyd Lewis, Elan Closs Roberts (Stephens erbyn hyn), Siân Edwards, Gwerfyl Pierce Jones, Peter Finch, Roger Jones Williams, Sue Harries, Nan Griffiths a Tony Bianchi, a rannai'r baich yn llawen ac effeithiol. Ro'n i wir yn ffodus i gael cyd-weithwrs mor ardderchog o alluog. Adran hapus a gweithgar o'dd yr Adran Lenyddiaeth ar hyd y blynyddo'dd.

1967–1972

Dr T. J. Morgan, Athro Cymraeg yng Ngholeg y Brifysgol, Abertawe, o'dd Cadeirydd y Pwyllgor Llenyddiaeth yn ystod y blynyddo'dd arloesol hyn. O'r cychwyn cyntaf cetho i benrhyddid llwyr ganddo i ddyfeisio a datblygu polisïau. Ychydig iawn o arian yr o'dd y Panel wedi ei wario tra o'dd

Pwyllgor Cymreig Cyngor Celfyddydau Prydain Fawr mewn bodolaeth. Ond yn sgil newid yn y Siarter Brenhinol yn gynnar ym 1967 ymunodd llenyddiaeth â'r 'celfyddydau cain' a o'dd yn ddilys i gael eu cefnogi a dyrchafwyd y Panel yn Bwyllgor Llenyddiaeth. Ond ble i gychwyn?

Yng nghyfarfod cyntaf y Pwyllgor Llenyddiaeth ar 5 Hydref 1967 argymhellwyd y dylid rhoi grantiau bach i'r *Genhinen* a'r *Anglo-Welsh Review*, a gwarant yn erbyn colled i John Idris Jones ar gyfer trefnu noson o ddarllen barddoniaeth yn Theatr Reardon Smith, ond parhad o bolisi y Pwyllgor Cymreig o'dd y rhain. Gohiriwyd nifer o geisiadau am gymhorthdal i gyhoeddwyr nes bod gan y Cyngor bolisi cliriach. Siom fawr o'dd y penderfyniad gan y Cyngor i wrthod yr awgrym y dylid rhoi ysgoloriaethau a gwobrau i awduron. Sylw'r Cadeirydd, Gwyn Jones, o'dd nad o'dd y fath beth yn bod yn ei ddyddiau ef ac mai gwastraffus fyddai gwario arian ar awduron yn y modd hwn. Da'th yn amlwg fod yn rhaid aros am feddylfryd mwy goleuedig ar ran y Cadeirydd ac fe'i cafwyd pan dda'th Syr William Crawshay i olynu Gwyn Jones.

Un o'r ffactorau a lesteiriai'r Pwyllgor rhag gweld yn glir beth allai ei swyddogaeth fod o'dd y ffaith nace Cyngor y Celfyddydau o'dd yr unig noddwr llenyddiaeth yng Nghymru ym 1967. Gwelais ar unwaith fod yn rhaid i'r Pwyllgor ddarganfod shwt i wario'r arian o'dd ganddo heb ormod o orgyffwrdd â chyllid cyrff eraill megis Bwrdd Gwasg Prifysgol Cymru (a weinyddai grant y Llywodraeth i lyfrau Cymraeg i oedolion), Cyd-Bwyllgor Addysg Cymru (a o'dd yn gyfrifol am noddi llyfrau i blant) a'r Cyngor Llyfrau Cymraeg a o'dd eiso's yn y maes.

Heb oedi, es ati i 'sgrifennu memorandwm hir gyda'r teitl 'Llenyddiaeth Cymru: Arolwg Rhagarweiniol', a da'th y ddogfen hon yn fframwaith i raglen y Pwyllgor dros y blynyddo'dd nesaf. Amcan y Cyngor fyddai: 'i osod seiliau amgylchfyd newydd lle mae awduron yn y Gymraeg ac yn Saesneg yn gallu derbyn cydnabyddiaeth ariannol sy'n ddyledus iddynt fel artistiaid creadigol; lle mae cyhoeddwyr yn gallu cael help i wella ac ehangu eu safonau; a lle mae'r cyhoedd yn gallu cael gwell gwasanaeth gan gyhoeddwyr a siopau llyfrau Cymru.' Dyma'r ddogfen lle disgrifiais nifer o gynlluniau a o'dd, yn fy nhyb i, yn briod waith y Cyngor fel noddwr llenyddiaeth ein gwlad, gan grybwyll ar yr un pryd yr hyn yr o'dd yr Eisteddfod Genedlaethol, Prifysgol Cymru, y Llyfrgell Genedlaethol, y cymdeithasau llenyddol, Undeb Cyhoeddwyr a Llyfrwerthwyr Cymru a'r cylchgronau yn ei wneud eiso's. Mewn gair, rhaid o'dd dod o hyd i swyddogaeth briodol i'r Cyngor.

Erbyn cyfarfod cyntaf y Pwyllgor yn y flwyddyn ariannol newydd, 1968/9, ro'dd y Cyngor wedi neilltuo swm o £20,000 ar gyfer llenyddiaeth. Cytunwyd yn weddol hawdd i glustnodi £3,000 ar gyfer cylchgronau, £3,000 fel grantiau i gyhoeddi llyfrau, £3,000 fel gwobrau ac ysgoloriaethau, £2,500 ar ddiwyg llyfrau, £2,000 ar gyfer cyfieithiadau, £2,500 i'r Academi Gymreig, £1,600 ar gyfer recordiau, £1,000 i brynu llawysgrifau gan awduron, £1,000 ar gyfer placiau er cof am awduron a £400 i hyrwyddo darlleniadau cyhoeddus.

Ro'n i wedi crybwyll yn fy nghyfweliad y buaswn o blaid sefydlu Adran Saesneg i'r Academi Gymreig. Un o'r pethau cyntaf a wnes wedi cael fy nhra'd o dan fy nesg o'dd 'sgrifennu at rhyw 60 o awduron Saesneg eu hiaith gan ofyn am eu cefnogaeth i'r Rheol Gymraeg yn yr Eisteddfod Genedlaethol. A'th y llythyr yn enw Harri Webb a gwna'th hyn rywfaint o les i adeiladu pontydd rhynt llenorion Cymraeg a'u cyd-wladwyr Saesneg eu hiaith. Cyn bo hir ro'n i'n gallu trafod gydag aelodau o'r Academi, yn eu plith yr hybarch Bobi Jones, un o sylfaenwyr y gymdeithas, fy syniad o greu Adran Saesneg. Yna, 'sgrifennais at yr un awduron gan eu gwahodd i ddod i gyfarfod yn Abertawe ar 10 Ebrill 1968. Ymhlith y rhai a fu'n bresennol o'dd D. J. Williams ac ro'dd e'n frwd dros y syniad o groesawu awduron Saesneg Cymru i rengo'dd yr Academi. Dechreuws annerch y cyfarfod gyda'r geiriau, 'Please excuse my English – I learnt it in Wormwood Scrubs!'

Cynhaliwyd cyfarfod cyntaf yr Adran yng Nghaerdydd ar 9 Tachwedd 1968. Siaradws Glyn Jones am *The Dragon Has*

Two Tongues, darllenodd Gerald Morgan o'i flodeugerdd *This World of Wales* a chanodd Jack Jones gân fach inni. Ro'dd bron pob un o awduron Saesneg Cymru wedi cytuno bod yn aelodau o'r Academi. Dim ond un llais o'dd yn gro's i'r unfrydedd cyffredinol: cerddws Menna Gallie, yn hanner sliw, mas o'r cyfarfod am ryw reswm sy'n aros yn ddirgelwch hyd heddi. Ni welwyd hi byth wedyn yng nghyfarfodydd yr Academi.

Er bod y symiau a glustnodwyd i lenyddiaeth yn dishcwl yn eithaf pitw nawr, dyma gychwyn da: ro'dd y byd llenyddol yng Nghymru'n dechrau elwa'n sylweddol ar arian y wladwriaeth am y tro cyntaf. Cawsom ein beirniadu am dderbyn nawdd y wladwriaeth Brydeinig gan rai, wrth gwrs, ond bob yn bwt tawelwyd y feirniadaeth ac eithrio yn nhudalennau *Lol*, lle o'dd y dychan yn gallu bod yn ddoniol o ddeifiol o dro i dro. Dishcwylais ar yr arian a ddeilliai o ffynhonnell y Llywodraeth, a o'dd yn arian pobol Cymru mewn gwirionedd, fel iawndal am y llanast a wnaethpwyd i ddiwylliant ein gwlad dros y canrifoedd.

Fy mhrif broblem i o'dd cael y cyhoeddwyr i ddeall beth o'dd eu hymrwymiadau wrth dderbyn cymhorthdal. Yn fwyaf arbennig, rhoddai Alun Talfan Davies, perchennog Llyfrau'r Dryw, yr argraff ei fod yn dishcwl ffafrau ar gownt ei gefnogaeth i'm cais i fod yn Gyfarwyddwr Llenyddiaeth. Dechreuws ein trafferth gyda Gwasg y Sir tua'r adeg hon, ar gownt ei honiad fod *Y Faner* yn gwerthu 7,000 o gopïau'r wythnos. Gwn hefyd fod rhai awduron a dderbyniai ysgoloriaethau, yn enwedig rhai na lwyddai gyhoeddi eu llyfrau, wedi cymryd mantais o haelioni'r Cyngor. Ond dyna fe: rhywpeth newydd o'dd nawdd cyhoeddus ac ro'dd rhaid i bawb ddysgu shwt i ymddwyn wrth fynd ymla'n. Cofiaf Caradog Prichard, er enghraifft, yn erfyn arno i, ar faes yr Eisteddfod, i 'sgrifennu siec am £300 yn y man a'r lle, i dalu am wyliau yr o'dd e a'i wraig, Mattie, yn bwriadu eu cymryd yng Nghernyw, ac yn troi'n eithaf blin pan esboniais nad o'dd pethau'n gweithio fel 'na.

Do'dd dim dishcwl imi fynychu cyfarfodydd Panel Llenyddiaeth Cyngor Celfyddydau Prydain Fawr, ac yn wir, do'dd dim llawer o bwynt oherwydd ro'dd gan y Panel swyddogaeth wahanol, a thicyn mwy ymylol, ym mywyd llenyddol y Saeson, ond es i lan i Lundain o dro i dro er hynny. Cofiaf un cyfarfod yn arbennig pan gwrddais â Richard Hoggart, awdur *The Uses of Literacy*, a Robert Graves. Derbyniais lythyr oddi wrth y bardd rai dyddiau wedyn: ro'dd am gonan na cha's ymateb gan yr un ysgolhaig o Gymru i'w lyfr enwog *The White Goddess* ac, ar ben hynny, ro'dd am imi wypod ei fod yn gyfarwydd â llenyddiaeth Gymraeg. Ymhlith y pethau anhygoel a wetws wrtho i o'dd, 'I know all the rules of Senghenydd.' Ar yr un diwrnod cetho i ymddiheuriad gan Robert Mugabe. Ro'n i'n lladd amser yng Nghornel y Beirdd yn Abaty Westminster pan welais fintai o ddynion mewn siwtiau du a sbectolau houl yn dod ataf ac felly sefais o'r neilltu. Wrth iddynt fynd heibio gwenodd y pwysigyn yn eu canol a gweud wrtho i, 'I beg your pardon.' Rheswm arall dros beidio â mynychu cyfarfodydd Panel Llenyddiaeth Cyngor Celfyddydau Prydain Fawr o'dd presenoldeb Charles Osborne, y Cyfarwyddwr Llenyddiaeth, boi nawddoglyd ar y naw. Pan gynigiais enw Euros Bowen i gynrychioli Cymru yn ei sbloet blynyddol, *Poetry International*, gwrthododd yr awgrym oherwydd, yn ei farn ef, ro'dd Euros, un o'n beirdd mwyaf soffistigedig, yn 'one of the country bumpkins from Wales'.

Cynyddwyd y cymhorthdal i gylchgronau, gan gynnwys *Poetry Wales*, *Y Traethodydd*, *Taliesin* a *Barn*. Cychwynnwyd y gyfres o flodeugerddi blynyddol gyda'r cyfrolau *Cerddi '69* a *Poems '69* a'r gyfres *Writers of Wales*, gydag R. Brinley Jones a finnau'n gyd-olygyddion arni. Gweithiais yn hapus iawn gyda Brinley ar hyd y blynyddo'dd a da'th sawl llyfr o Wasg y Brifysgol o'dd yn ffrwyth ein cydweithrediad. Enillwyd y Gystadleuaeth i Feirdd Ifainc gan Nesta Wyn Jones a Sais o'r enw Glyn Hughes. Rhoddwyd £750 i Gregynog i greu Cymrodoriaeth a phenodwyd y llenor Saesneg B. S. Johnson, a dda'th yn ffrind da imi ac i Gymru yn y man, yn Gymrawd cyntaf. Cynhaliwyd Ffair Lyfrau gan y Cyngor Llyfrau gyda chymorth Cyngor y Celfyddydau. Ro'dd Clywch-y-Beirdd, gyda phobol yn darllen eu cerddi dros y teleffon, yn llwyddiant ysgubol, gyda dros 600 o wrandawyr yn ffonio bob wythnos. Da'th y cynllun olaf hwn i fodolaeth ar ôl imi ymweld â Friesland yn yr Iseldiroedd, lle cesglais nifer o syniadau yr o'n i'n medru eu gwireddu, megis siop lyfrau Oriel. Dechreuws y Pwyllgor fynegi diddordeb mewn diwyg llyfrau hefyd. A'th nifer o gynlluniau eraill i'r tywod, a gollyngwyd rhai eraill, fel yr ymgais i gasglu llawysgrifau awduron, ond o leiaf ro'dd y Pwyllgor yn barod i fentro ac arbrofi, ac ro'n i'n ddiolchgar am hynny.

Prif ddigwyddiad 1969 o'dd Cyngres Taliesin pan dda'th rhai o brif lenorion Iwerddon, yr Alban a Llydaw, yn eu plith Austin Clarke, Máirtín Ó Cadhain, Ronan Huon, Per Denez, Maodez Glanndour, Somhairle MacGill-eain (Sorley MacLean), Hugh MacDiarmid a Ruaraidh MacThòmais (Derick Thomson), i gwrdd â'u cyd-awduron yng Nghymru. Cyhoeddwyd y darlitho'dd yn y gyfrol *Literature in Celtic Countries* gan Wasg Prifysgol Cymru o dan olygyddiaeth J. E. Caerwyn Williams, ysgolhaig penigamp a fedrai bob un o'r ieitho'dd Celtaidd a gŵr a fu'n garedig iawn wrtho i.

Dechreuws yr Academi Gymreig dderbyn grantiau tuag at gostau gweinyddol a lansiwyd y cynllun Awduron mewn Ysgolion. Anfonwyd y ffotograffydd Julian Sheppard i dynnu lluniau o rai o brif awduron Cymru, a ffrwyth y prosiect hwn yw'r delweddau a welir yn fynych yn y wasg ac ar y teledu heddi. Nid anghofiaf fyth ymweld â David Jones yn ei ystafell yn Harrow-on-the-Hill. Wedi sgwrs o ryw awr, tra o'dd Julian yn tynnu cyfres o luniau ohono, gwelais gopi o'r *Welsh Nation*, papur Plaid Cymru, ar y ford o'n bla'n ni, a gwetais, 'I would have thought that would be a bit extreme for you, Mr Jones,' a chael yr ateb, 'Oh no, not extreme enough!' Dylanwad ei gyfaill Saunders Lewis, yn fwy na thebyg. A Waldo Williams wedyn, yn iard yr ysgol yng Ngwdig, a'r plant bach o'i gwmpas yn amlwg yn dwlu ar eu hathro. Rhoddwyd arian i'r Cyngor Llyfrau ar gyfer creu'r Adrannau Golygyddol, Dylunio a Chyhoeddusrwydd ac i'r BBC ar gyfer cyfres o gerddi i radio. Ymddangosodd rhifyn cyntaf y cylchgrawn *Planet* ym mis Awst 1970 gyda chefnogaeth y Cyngor, a dechreuws rhai o'r Aelodau Seneddol gonan am 'gynnwys politicaidd' y cylchgrawn bron ar unwaith. Wil Edwards, Leo Abse, Goronwy Roberts a Gwynoro Jones o'dd y rhai uchaf eu cloch, a'r Tori Wyn Roberts hefyd. Rhoddwyd yr argraff taw yr hyn o'dd yn eu corddi nhw o'dd y ffaith bod y feirniadaeth o'r Llywodraeth yn cael ei chyhoeddi yn yr iaith fain ac felly ei bod ar gael i bawb ei darllen. Cofiwch, do'dd y cartŵn o George Thomas ar glawr rhifyn cyntaf *Planet* ddim yn help i nacáu'r honiad fod cymorth y Cyngor yn gallu bod, yn anuniongyrchol, yn 'wleidyddol'. Toc wedyn derbyniodd Peter Thomas, Ysgrifennydd Gwladol Cymru, gŵyn gan Keidrych Rhys i'r perwyl fod y Pwyllgor Llenyddiaeth yn ffrynt i'r F.W.A. ac mai fi o'dd ei Bencapten!

Digwyddais gwrdd â grŵp o awduron Sofietaidd yng nghyntedd Gwesty'r Parc yng Nghaerdydd rhyw fin nos ym mis Ionawr 1971, yn eu plith Sergei Narovchatov, bardd ac aelod o'r Prif Sofiet, Giorgi Gulia, golygydd *Literaturnaya Gazeta*, prif bapur llenyddol y wlad, Mikhail Dudin, bardd o Leningrad, a bardd arall o'r enw, neu'r ffugenw, hyfryd Maxim Tank. Wedi sgwrsio â nhw am ryw awr, trefnais fynd â nhw i'r Rhondda tranno'th, gan fod Narovchatov yn awyddus i weld a fyddai'n gallu cwrdd â'r Cymro a o'dd wedi ishta gydag ef o gwmpas coelcerth yn ystod y rhyfel. Ni welwyd y Cymro ond cawson ni ddiwrnod hyfryd ar hewlydd y Cwm, y trigolion yn ein gwahodd i'w cartrefi ac yn dangos eu 'whilfrydedd arferol yn yr ymwelwyr.

Ro'dd y tri yn awyddus hefyd i gwrdd â'r nofelydd Gwyn Thomas oblegid roeddynt yn edmygwyr mawr o'i nofel *All Things Betray Thee* sydd wedi ei gosod yng Nghymru adeg Terfysgoedd Merthyr 1831. Gwahoddais Gwyn a'i wraig i ddod i gael swper gyda fy ffrindiau newydd a chafwyd sesiwn lenyddol fywiog iawn. Tua hanner nos, da'th Heledd, yn dair o'd, i lawr yn ei choban a'i phlethi ac ishta wrth ymyl Gwyn, a o'dd yn yfed peint o gwrw. 'What is that?' gofynnodd yn ei Saesneg prin. 'Pop,' atebodd Gwyn. 'Are you liking pop?' gofynnodd. 'Yes,' meddai Gwyn. 'A lot?' gofynnodd Heledd. 'Yes, a lot,' cyfaddefodd Gwyn. 'Too much?' gofynnodd Heledd.

'Yes, too much,' meddai Gwyn, a'r dagrau hallt yn powlio i lawr ei fochau. Ro'dd cwestiwn y groten fach ddiniwed yn rhy agos at y gwir.

Ymhen y mis cetho i wahoddiad i ymweld â'r Undeb Sofietaidd ac o hynny ymla'n es yno'n gyson, gan amlaf yng nghwmni awduron o Gymru megis Brian Morris, Harri Pritchard Jones, R. Gerallt Jones, Roland Mathias, Peter Finch, Wynn Thomas, Michael Parnell a Gillian Clarke. Es i bron bob tro i Georgia, ac i Abkhazia, lle o'dd Giorgi Gulia yn uchel ei barch fel nofelydd a mab i'r dyn o'dd wedi dyfeisio gwyddor i iaith ei wlad am y tro cyntaf toc ar ôl 'whyldro 1917. Treuliais wythnosau yn y Cawcasws a dechrau magu diddordeb gwirioneddol yn y clytwaith o ieitho'dd a siaredir yno. Cofiaf un ymweliad yn arbennig. Wrth gyrraedd Tbilisi dyma ferch ifanc yn ein croesawu gyda'r geiriau 'I your translator am. My name is Titsianna, my friends call me Anna.' Ymateb Brian Morris o'dd, 'Well, they would, wouldn't they?'

Ar un ymweliad es i gyda Ruth i Svaneti, cymuned o ryw 100,000 o bobol gyda'u hiaith eu hunain, yn uchel yn y mynyddo'dd lle roeddynt wedi addoli'r houl a lle nad o'dd yr olwyn yn perthyn i'w diwylliant cyn 1945. Gwelson ni ibecsiaid y tu fas i'r gwesty ac eryrod yn cylchdroi uwchben Mestia, yr unig bentre. Ro'dd Elbruz, mynydd dros 18,000 o dro'dfeddi, yn sgleinio ar y gorwel. Dysgais ychydig o iaith frodorol Georgia, ymadroddion fel *Karchima jós!* (Ymla'n!) yn bennaf, sydd 'da fi o hyd. Tybed faint ddysgodd Roy Hughes, yr Aelod Seneddol o Gasnewydd? Un bore, wrth ddod i lawr i frecwast yn y lifft, ro'dd Ruth a finnau wedi bod yn sgwrsio yng nghlyw mintai o Aelodau Seneddol o Brydain ac wrth gyrraedd y llawr, clywais Roy Hughes yn gweud wrth un o'i gyd-weithwrs, 'You know, this Georgian language is a bit like the Welsh we have back home.'

Teimlais gydymdeimlad cryf â nifer fawr o unigolion yn Georgia ac, er gwaethaf y gwahaniaethau amlwg, gwelais ddigon o debygrwydd i awgrymu ein bod i gyd yn frodyr a 'whiorydd. Ymhlith y beirdd rwy'n eu cofio o'dd Josef Nonashvili a Grigor

Abashidze. Rwyf wedi dilyn hynt a helynt y berthynas anodd rhynt Georgia a Rwsia yn ddiweddar, gan ochri â'r genedl fach bob tro.

Ar ymweliad arall â Tbilisi, yng nghwmni Gerallt Jones a Gillian Clarke, cetho i fy llosgi'n ddrwg tra oeddwn yn hinoni ger y pwll ar do gwesty'r Iveria ac, o ganlyniad, dw'i ddim yn cofio rhyw lawer am gam nesaf y daith, mewn awyren eithaf sbrachi, i Samarkand, lle treuliais rai dyddiau'n gorwedd mewn bath llawn o iogwrt. Ar y llaw arall, cetho i'r profiad bythgofiadwy o glywed Gillian, ar ochor y pwll, yn datgan drosodd a throsodd y llinell enwog gan James Elroy Flecker, 'We take the Golden Road to Samarkand.' Wrth feddwl, nid pawb sydd wedi cael y fraint o weld y Bardd Cenedlaethol mewn siwt moifad.

Fe es i hefyd i'r Ffindir yng nghwmni mintai o awduron o Gymru, gan gynnwys Sam Adams, Gwyn Williams, Pennar Davies a John Rowlands; ro'dd Sue Harries, swyddog Adran Saesneg yr Academi, gyda ni yn ogystal. Treuliais rai oriau yn ystod y gynhadledd yng nghwmni'r bardd Ffrangeg Eugène Guillevic. Aethon ni i Ynysoedd Åland sy'n gorwedd rhynt y Ffindir a Sweden a lle siaredir y Swedeg. Yno, ar dra'th unig, adeiladwyd coelcerth enfawr ar noson fyrraf y flwyddyn a gwelson ni'r houl yn mynd yn isel yn y ffurfafen yn lle machlud, a'r goleufer, neu Oleuni'r Gogledd, yn fflachio uwch ein pennau, un o'r golygfeydd mwyaf trawiadol sydd i'w gweld ar y ddaear hon. Cyfraniad y Cymry i'r hwyl o gwmpas y goelcerth o'dd dawnsio'r hoci-poci a darbwyllo'r Ffiniaid taw hen draddodiad Celtaidd ydo'dd. A 'whara teg iddo, ymunodd Pennar yn y miri yn ei ddull urddasol ei hunan.

Ond i ddychwelyd at y grantiau. Tua'r adeg hon cynyddai cyllid y Pwyllgor Llenyddiaeth ar raddfa o ryw ddeg y cant bob blwyddyn a rhan allweddol o'm gwaith i o'dd paratoi memoranda ac amcangyfrifon a fyddai'n caniatáu twf cyson a sylweddol; cymerai'r gorchwylion hyn, fel arfer, benwythnos cyfan. Erbyn hyn ro'n i wedi dysgu 'sgrifennu cofnodion y Pwyllgor a'r Paneli, yn ogystal â llu o weithgorau ar bynciau arbennig. Mwynheais yr agweddau hyn o'r gwaith a darganfod, er mawr syndod imi, fy mod i'n dicyn o fiwrocrat wrth reddf. Ond yn ddiau, treuliais fwy o amser yn gweithio gartref nag o'dd yn gwneud lles i'm hiechyd a da'th y 'wharenglwyf yn ôl yn weddol gyson. Hoff gêm Lowri a'i dwy 'wha'r, Heledd a Brengain, a anwyd ym 1968 a 1969, o'dd 'whara 'Dadi yn y swyddfa', er mawr cywilydd imi. O dro i dro ro'dd y merched yn gofyn, 'Beth wyt ti'n gwneud, Dad?' a minnau'n ateb, 'Sgwennu memorandwm', ac o ganlyniad roeddynt yn cyfeirio at y stydi fel 'y memorandrŵm'.

Dw'i ddim am roi'r argraff fod cyfarfodydd y Pwyllgor Llenyddiaeth yn mynd yn eu bla'n yn gwbl esmwyth bob tro. Yn wir, cafwyd trafodaethau eithaf tanbaid ar rai adegau. Cofiaf D. Tecwyn Lloyd yn gwrthwynebu'n ffyrnig gais gan Alexander Cordell am nawdd i gystadleuaeth ar gyfer nofel gydag ef yn feirniad arni. Bu dadl hir cyn i'r Pwyllgor benderfynu rhoi grant i ailsefydlu Gwasg Gregynog gan fod rhai o'r aelodau yn gweld cynhyrchu llyfrau cain braidd yn elitaidd. Ymdrechais yn galed i ddod o hyd i fodd o roi cymhorthdal i'r *Faner*, ond yn ofer oherwydd do'dd y perchnogion ddim yn gallu cyflwyno cais digon cynhwysfawr a chredadwy parthed nifer y copïau a werthid; ro'dd yr ateb yn wahanol bob tro y gofynnwyd y cwestiwn. Ni ddaethpwyd o hyd i fodd o roi arian i'r Eisteddfod Genedlaethol ar gyfer y prif wobrau llenyddol megis y Gadair a'r Goron, 'chwaith: ro'dd digon yn y coffrau i wneud hyn heb gymhorthdal gan y Cyngor, yn ôl Tom Parry.

Ro'dd rhai o'r aelodau'n ddrwgdybus o'r awgrym y dylai'r Pwyllgor gydweithredu â'r Pwyllgor Celf i sefydlu siop lyfrau/ oriel. Ond yn y man dechreuws y Pwyllgor ystyried y syniad o ddifrif, yn sgil memorandwm gan Raymond Garlick, *The Final Link*, hynny yw y ddolen derfynol rhynt awdur a darllenydd, sef y siop lyfrau. Treuliai'r Pwyllgor gryn amser yn trafod hyd syrffed beth o'dd diffiniad y Cyngor o 'lenyddiaeth greadigol' ac a ddylid cefnogi cylchgronau fel *Barn* nad o'dd yn gyfan gwbl lenyddol yn eu hanfod. Do'dd y Pwyllgor ddim o'r un farn ynglŷn â'r Cymdeithasau Rhanbarthol a'u polisïau ar gyfer llenyddiaeth 'chwaith.

Oherwydd ei fod yn gorfod siomi nifer fawr o bobol, dechreuws y Pwyllgor ddenu sylw haid o feirniaid; arwydd o iechyd y byd llenyddol o'dd hyn i mi ond, ar yr un pryd, gwastraff amser tra o'dd y cwynion mor ddi-sail a'r feirniadaeth mor bell o'r gwir. Agwedd y Cadeirydd tuag at y cwynion o'dd peidio ateb ein beirniaid yn ôl: yng ngeiriau Kipling, 'The answer is that we have got / The Gatling gun and they have not.' Gwetws Alun Richards rywpeth tebyg ar un o raglenni HTV: 'Unless you are prepared and able to be at least as well informed about their policies as the Welsh Arts Council itself, you will never be able to land anything more than glancing blows.' Y geiriau a âi trwy fy mhen gan amlaf o'dd *Aquila non capit muscas* (Nid yw eryr yn dal pryfed), arwyddair teulu A. E. Housman.

Ac felly a'th gwaith y Pwyllgor ymla'n fel ceffyl gwyllt, a finnau'n dysgu ei farchogaeth wrth iddo garlamu o flwyddyn i flwyddyn, gan gasglu profiad a hyder a cheisio gosod seiliau cadarn ar gyfer y dyfodol.

1973–1976

Dr Glyn Tegai Hughes, Warden Gregynog, o'dd Cadeirydd y Cyngor yn ystod y cyfnod hwn. Ro'dd Glyn, fel Is-gadeirydd y Pwyllgor o dan T. J. Morgan, wedi bod yn llym ei gyfraniad i'r trafodaethau hyd yn hyn, ac yn tueddu i fod yn fwy carcus na'i ragflaenydd, a o'dd yn fodlon fy ngadael yn dawel am wythnosau ar eu hyd. Ro'dd y Cadeirydd newydd yn dicyn mwy cadarn ei farn ac yn fwy awyddus i gael ei ffordd ei hunan.

Ar ben hynny, ro'dd Glyn wedi bod yn ddrwgdybus ohono i, yn enwedig ar ôl imi gyflwyno memorandwm *The Publishing of Books in Wales Today: towards a National Publishing House* ym mis Mehefin 1970. Bu'r syniad o greu un tŷ cyhoeddi mawr ar gyfer Cymru, wedi ei ariannu'n ddigonol a chyda staff arbenigol i ymgymryd â gwahanol agweddau ar y broses gyhoeddi, yn hytrach na lliaws o fân gyhoeddwyr yn ffaelu cyrraedd safonau

97

proffesiynol, yn apelio ato i'n enfawr ond yn wrthun i ddaliadau *laissez-faire* y Rhyddfrydwr, bid siŵr, oherwydd ei fod yn meddwl bod y fath sefydliad yn debyg o 'wladoli' y diwydiant cyhoeddi yng Nghymru. Ta p'un, llwyddodd Glyn i ddadlau'n erbyn y syniad a'i ladd yn y diwedd. Ond mas o'r ddadl hon da'th y penderfyniad i ariannu pedair adran y Cyngor Llyfrau – rhyw fath ar wladoli, mewn gwirionedd, gan fod y Cyngor yn dibynnu'n llwyr ar gymhorthdal – felly nid gwastraff o'dd fy ymdrechion wedi'r cyfan. Da'th Glyn a finnau'n fwy cyfeillgar wedyn, yn enwedig yn ystod yr ymdrech i ailsefydlu Gwasg Gregynog pan o'dd raid inni gydweithredu er mwyn cael y maen i'r wal.

Erbyn 1973 ro'dd cyllid y Pwyllgor wedi cynyddu i £89,500 ond ro'dd dyddiau arloesol y Pwyllgor yn dirwyn i ben. Eto i gyd, ro'dd 'na ddigonedd o waith i'w wneud o hyd. Pwysleisiodd y Pwyllgor sawl tro yr angen am ryw ddeg y cant o'r adnoddau a o'dd gan y Cyngor i'w wario, er mwyn ariannu ei gynlluniau'n ddigonol, ond ni ddigwyddws hyn erio'd. 'We cultivate literature on a little oatmeal', 'whedl Sidney Smith, o'dd agwedd y Cyngor bob tro.

Gadewch imi roi ychydig o ystadegau 'to. Grant Cyngor Celfyddydau Cymru ym 1973/4 o'dd £1,152,430; rhoddwyd £316,000 i opera, £275,150 i ddrama, £148,480 i gerddoriaeth, £109,000 i'r Cymdeithasau Rhanbarthol, £89,500 i lenyddiaeth, £63,420 i gelf a £34,020 i wyliau cerddorol. Ar yr un pryd, ro'dd y Pwyllgorau Llenyddiaeth yn yr Alban a Gogledd Iwerddon yn genfigennus o'u cymar yng Nghymru a chafwyd sawl cyfarfod i drafod y sefyllfa gyda Trevor Royle a Michael Longley, fy nghyd-weithwrs yn y gwledydd hynny; yn wir, dros y blynyddo'dd da'th Trevor a Michael yn ffrindiau da imi ac rwyf wedi catw mewn cysylltiad â nhw ers hynny. Hanesydd milwrol yw Trevor erbyn hyn ac mae Michael yn un o feirdd pwysicaf Iwerddon.

Yng nghwmni Trevor Royle ro'n i wedi ymweld â Hugh MacDiarmid am y tro cyntaf ym mis Tachwedd 1972 a thrachefn ym mis Mehefin 1973 pan aethon ni i'w fwthyn

bach ger Biggar yn Swydd Lanark. Wedyn, ym 1974, da'th
y bardd a'i wraig i sefyll gyda ni tra oedden nhw'n ymweld
â Chymru. Un noson gofynnais iddo a fyddai'n hoffi cwrdd
â Glyn Jones. Nawr, ro'dd hyn yn annoeth braidd gan fod y
Sgotyn wedi lladrata darn o stori fer gan Glyn a'i gyhoeddi fel
cerdd o'i eiddo ef. Cafwyd cryn dicyn o gyhoeddusrwydd yn y
T.L.S. ar y pwnc hwn. Ond do'dd dim angen becso. Pan dda'th
MacDiarmid i mewn i'r ystafell, ac ar ôl siglo llaw, gwetws
Chris (Christopher Murray Grieve o'dd ei enw iawn), 'My
wife thinks a meeting between you and me might prove an
embarrassment. But I'm not embarrassed, are you?' Atebws
Glyn, gan wenu, 'No, I'm not embarrassed, why should I be?'
Eisteddodd y ddau fardd, un gyda gwydraid o'i hoff Glenfiddich
a'r llall gyda sudd oren, a chawson ni un o'r sgyrsiau mwyaf
diddorol a gafwyd ar ein haelwyd erio'd.

A'th rhaglen waith y Pwyllgor ymla'n fel o'r bla'n, ond gyda
nifer o gynlluniau newydd. Cetho i hoe ym mis Ebrill 1973
pan es i Iwgoslafia am ddeng niwrnod ar draul Llywodraeth
y wlad honno, er ei fod yn dicyn o *busman's holiday* gan fy
mod i wedi ymweld â mudiadau diwylliannol, cyhoeddwyr,
papurau newydd, cymdeithasau awduron a llyfrgelloedd ym
Melgrâd, Zagreb, Macedonia, Vojvodina a Kosovo. Profiad
newydd o'dd gweld perfformiad o *Jesus Christ, Superstar!*
mewn Serbo-Croateg hefyd. Chlywais i ddim byd i awgrymu
bod gan Iwgoslafia broblemau ethnig a fyddai'n rhwygo'r wlad
yn shib-ar-hals yn nes ymla'n, gan fod pob ymwelydd yn cael
ei gatw mewn rhyw fath ar goridor ymhell o bawb a phopeth
a fyddai'n awgrymu'n wahanol. Da'th mintai o awduron
Iwgoslafaidd i gynhadledd yr Academi ac a'th Gwyn Thomas
i gynrychioli Cymru yn yr Ŵyl Farddoniaeth Ryngwladol yn
Struga, Macedonia. Ymhlith y beirdd y cwrddais â nhw yn
Sarajevo o'dd Izet Sarajlić, bardd mwyaf Bosnia Hercegovina
ers yr Ail Ryfel Byd, a o'dd yn y ddinas yn ystod y gwarchae
erchyll gan y Serbiaid rhynt 1992 a 1996; collodd ei 'whiorydd
a'i wraig a buws yntau farw yn 2002 yn 72 mlwydd o'd. Wrth
imi 'sgwennu'r bennod hon mae Ratko Mladić wedi cael ei

ddal ac yn ymuno â Radovan Karadžic, ac eraill, yn yr Hâg. Mae dynion felly yn dwyn anfri ar genedlaetholdeb.

Es i hefyd i Gwebéc ym 1975 ac i Stockholm ym 1976 gyda'r un amcan o ddysgu am nawdd i lenorion yng Nghanada a Sweden. Yn yr un flwyddyn talwyd nifer o gyhoeddwyr Cymreig i ymweld â Ffair Lyfrau Ryngwladol Frankfurt am y tro cyntaf. Ymhlith y beirdd y des i'w hadnabod o'dd Ivan Malinovski, bardd o Ddenmarc a drigai yn ardal Reftele yn ne Sweden (nepell o Ystad lle mae Kurt Wallander yn dal pobol ddrwg) ac aethon ni i aros 'dag e a'i wraig Ruth, crefftwraig o fri. Un tawedog ar y naw o'dd Ivan ac un o feirdd mwyaf yr iaith Ddaneg. Honnai ei fod yn llunio ei gerddi tra byddai'n eistedd ar garreg enfawr yn y fforest. Ro'dd ef a'i wraig yn Gomiwnyddion ac yn gyn-aelodau o'r Gwrthsafiad yn Nenmarc. Pan ofynnais i Ruth beth ro'dd hi wedi ei wneud yn ystod y rhyfel, atebws yn ffyrnig, 'I kill very much Germans!', gan roi ei dau fys i ochor fy mhen. Eto i gyd, pobol fwyn a charedig o'dd y ddau. Mae eu merch, Nina Malinovski, yn fardd a dramodydd hefyd.

Yn ystod fy ymweliad â Stockholm cwrddais â Liv Ullmann, yr actores Norwyaidd a edmygwn yn fawr. Yn wir, cetho i'r pleser o ddawnsio 'da hi – am ryw dri munud. 'Where are you from?' gofynnws, ei llyced glas anhygoel yn gwenu arno i. 'From Wales,' mynte fi. Yna, tro rhywun arall o'dd hi i ddawnsio 'da hi. Tranno'th, mewn siop lyfrau lle ro'dd hi'n arwyddo copïau o'i hunangofiant, *Forandringen*, a gyhoeddwyd yn ddiweddarach o dan y teitl *Changing*, es i ati gyda fy nghopi yn barod am ei llofnod. 'Where are you from?' gofynnws. 'From Wales,' mynte fi 'to. A thro rhywun arall o'dd hi wedyn. Hei ho!

Trefnwyd arddangosfa i goffáu Dylan Thomas ym mis Tachwedd 1973, ucen mlynedd ar ôl ei farwolaeth, a phenodwyd Peter Finch i fod yn rheolwr siop Oriel. Ro'dd Peter eiso's yn adnabyddus fel bardd a golygydd y cylchgrawn *Second Aeon* ond o hyn ymla'n da'th yn amlwg fel llyfrwerthwr o fri hefyd. Nace gwerthu llyfrau'n unig o'dd ei gyfrifoldeb, 'swa'th, ond trefnu rhaglen o weithgareddau llenyddol yn yr Oriel, gan gynnwys darlleniadau a chyfres o bosteri llwyddiannus dros ben, ac fe wna'th hyn gydag ymroddiad a gweledigaeth, gan dyfu'n weinyddwr galluog ar y naw. Ymddeolws Peter o fod yn Brif Weithredwr yr Academi a'r corff newydd, Llenyddiaeth Cymru, ym mis Mehefin 2011 wedi gyrfa ddisglair.

'Literature flourishes best when it is half a trade and half an art,' meddai William Ralph Inge, a gwelai'r Pwyllgor rywfaint o wirionedd yn ymadrodd Deon Sant Pawl. Rhaid o'dd cefnogi'r siopau os o'dd llyfrau Cymru yn mynd i gyrraedd eu darllenwyr. I'r perwyl hwn dechreuws y Pwyllgor estyn grantiau i siopau ledled y wlad, er nad o'dd yr arbrawf hwn yn llwyddiannus iawn. Do'dd nawdd o ffynhonnell gyhoeddus a buddiannau busnesau bach preifat ddim yn gorwedd gyda'i gilydd yn hawdd a rhaid o'dd dirwyn y cynllun i ben.

Da'th Eugène Ionesco i Gymru am bythefnos ym mis Hydref 1974 i dderbyn Gwobr Ryngwladol y Cyngor a chafwyd rhaglen lawn o waith y dramodydd Ffrengig yng ngholegau'r Brifysgol. Ymosododd Alexander Cordell ar y wobr ar unwaith oherwydd, meddai, nad o'dd o blaid rhoi arian cyhoeddus i UNESCO! Bu'n rhaid imi fynd ar y teledu i esbonio mewn geiriau unsill ei fod e wedi camglywed, ac o ganlyniad ca's Ruth a finnau wahoddiad i ginio gan Syr William Crawshay yn ei gartref, Llanfair Court, ger y Fenni. Ro'dd e'n anghymeradwyo Cordell ar gownt y portread o William Crawshay, y meistr haearn o Gyfarthfa, yn y nofel *Rape of the Fair Country*. Ei farn ef o'm rhan yn y rhaglen deledu o'dd 'Capital! Capital!' – y tro cyntaf imi glywed yr ymadrodd hwnnw erio'd. Oddi wrth Ionesco y dysgais 'le zizi pan-pan' am y weithred rywiol, gyda llaw.

Comisiynwyd Mairwen Gwynn Jones i baratoi adroddiad ar shwt y byddai'r Pwyllgor Llenyddiaeth yn ymestyn nawdd i lenyddiaeth i blant. Ro'dd y Cyngor eiso's yn rhoi ysgoloriaethau i awduron ffuglen i ddarllenwyr iau, grantiau cynhyrchu tuag at gyhoeddi llyfrau plant a gwobrau i'w hawduron, a derbyniwyd memorandwm nodweddiadol hir, trwyadl a chynhwysfawr gan Mairwen a arweiniodd yn y man at sefydlu Panel Llenyddiaeth i Blant o dan ei chadeiryddiaeth frwdfrydig hi. Dyma ddechrau cyfnod newydd o nawdd i'r rhan bwysig hon o etifeddiaeth lenyddol ein gwlad.

Er bod y Pwyllgor yn ymdrechu'n deg i gatw'r ddyshgl yn wastad a gwario ar awduron yn y ddwy iaith yn weddol gyfartal, do'dd hynny ddim yn bosibl bob tro. Yn y Gystadleuaeth i Feirdd Ifainc, er enghraifft, a enillwyd gan Tony Curtis, Duncan Bush a Nigel Jenkins ar yr ochor Saesneg, do'dd beirniaid y gystadleuaeth Gymraeg ddim yn gallu argymell enillwyr gan fod y safon mor isel. Eto i gyd, y gobaith o'dd y byddai'r ddwy iaith yn cael dosraniad ariannol cyfartal o hyn ymla'n, o ystyried bod gan y Pwyllgor ddwy Swyddog Llenyddiaeth erbyn hyn, sef Pamela Parry-Jones (Saesneg) a Gwerfyl Pierce Jones (Cymraeg), ac felly y bu. Dilynwyd Pamela yn fuan gan Sue Harries. Wedi iddynt symud o'u swyddi gyda'r Cyngor maes o law, ca's Gwerfyl yrfa lwyddiannus iawn fel Cyfarwyddwr y Cyngor Llyfrau a Sue fel prif swyddog Adran Saesneg yr Academi. Yn ystod y flwyddyn honno ro'dd cyllid y Pwyllgor wedi cynyddu i £187,500.

Llusgai achos *Y Faner* ymla'n o gyfarfod i gyfarfod trwy gydol y blynyddo'dd hyn fel albatros o gwmpas ein gwddw. Gwrthododd y Cyngor argymhelliad gan y Pwyllgor y dylai'r Cyngor roi cymhorthdal i'r papur oherwydd nad o'dd yn barod i roi arian i bapurau newydd. Er mwyn rhoi help llaw i'r papur, rhoddwyd grant ar gyfer llyfryn yn dwyn y teitl *Pigion y Faner* ond ychydig iawn o lwyddiant a ga's hwnnw, ac ni fanteisiodd y papur ddim ar ei gorn. Ro'dd yn ymddangos bod dyddiau'r *Faner* yn dirwyn i ben oherwydd diffyg gweledigaeth ar ran y cyhoeddwyr a diffyg cefnogaeth gan y cyhoedd.

Penderfynwyd gofyn i'r Cyngor dderbyn egwyddor newydd, sef y gallai estyn ei nawdd i bapurau. Ar yr un pryd, tynnodd Glyn Tegai sylw'r Cyngor at yr anawsterau mawr a wynebai'r Pwyllgor wrth ystyried achos *Y Faner*, hen bapur Rhyddfrydol. Ymhlith materion a fynnai sylw o'dd ansawdd yr wythnosolyn, a o'dd yn dra anfoddhaol ym marn llawer, union faint ei gylchrediad, gan nad o'dd unrhyw ffigyrau argyhoeddiadol ar gael, cymhwyster ei olygyddion, Gwilym R. Jones a Mathonwy

Hughes, a o'dd mewn o'd, a'i naws wleidyddol, a o'dd yn fwyfwy cefnogol i achos un blaid yn unig, sef Plaid Cymru. Cytunodd Bedwyr Lewis Jones a Glyn Tegai nad o'dd safonau'r papur i'w cymeradwyo ar y cyfan, a gadawyd y mater yno dros dro. Ar y llaw arall, cynigiwyd cymhorthdal o £5,600 i olygydd *Y Cymro* ar gyfer atodiad ar y celfyddydau, ond gwrthodwyd y cynnig hwn oherwydd, ym marn y perchnogion, na fyddai'n briodol i bapur newydd dderbyn cefnogaeth ariannol gan gorff cyhoeddus. Pam gofyn, felly?

Ca's Ruth ddamwain yng Ngregynog ym 1974. Ro'n ni'n sefyll yno am noson ar y ffordd i'r Gogledd. Yn hwyr y nos, a thra o'n i mewn cyfarfod o Fwrdd y Wasg, baglodd ar ddarn o hen garped a chwympo dimbar-dambar i lawr y stâr o'r top i'r gwaelod, gan ddatgysylltu ei hysgwydd. Do'dd dim meddyg ar gael yng nghyffiniau Tregynon ac ro'dd rhaid imi fynd â hi draws gwlad i'r ysbyty yn Amwythig. Daethon ni'n ôl i Gregynog gyda'r wawr. Wedi gorffwys am awr, a Ruth yn dal mewn po'n mawr, penderfynais fynd sha thre cyn brecwast. Ond ar y ffordd heibio'r ffreutur yr o'dd bil am noson o lety a brecwast yn aros amdanom. Cetho i fy nghymell gan ffrindiau a chyd-weithwrs i fynd â Gregynog i'r gyfraith am gyflwr truenus ei garpedi, ond do'dd Ruth ddim am wneud hynny.

Bwrdd Gwasg Gregynog o'dd y pwyllgor mwyaf diflas y bu'n rhaid imi ei fynychu erio'd. Ro'n i wedi bod yn frwdfrydig dros atgyfodi'r Wasg ac wedi'i hamddiffyn yng nghyfarfodydd y Pwyllgor Llenyddiaeth rhag y sawl a o'dd yn erbyn rhoi cymhorthdal iddi. Cadeirydd y Bwrdd, yr Arglwydd Kenyon, o'dd y maen tramgwydd. Ro'dd yr hen foi'n fyr ei olwg ac yn fyddar i'r graddau nad o'dd pwynt ceisio mynd i'r afael â phethau oherwydd ei fod yn anwybyddu pawb ond Glyn Tegai. Ei brif ddiléit o'dd swanco am y llyfrau yn eu rhwymiadau cain a o'dd yn ei lyfrgell, a phawb o gwmpas y ford yn gorfod gwrando arno'n rhygnu ymla'n. Mewn un cyfarfod dechreuws ddirepu Ioan Bowen Rees, Prif Weithredwr Cyngor Gwynedd a gŵr Margaret, 'wha'r Ruth, am ei fod o blaid datganoli. Ro'dd yr aelodau eraill yn gwypod yn iawn am y berthynas deuluol rhynt Ioan a finnau ond ddywedwyd dim nes imi fentro, 'I think you're being scurrilous, Chairman. I suggest we move to the next item on the agenda.' Mae'n drist shwt mae'r Cymry'n gallu bod yn wasaidd ym mhresenoldeb hen Doris o'r fath. *Ça ira, ça ira, ça ira...*

Cafwyd anghytundeb o dro i dro nid yn unig rhynt y Pwyllgor a'r rhai o'dd yn derbyn nawdd y Cyngor, neu o'dd yn ymofyn ei nawdd, ond rhynt aelodau o'r Pwyllgor ei hunan. Gwyddwn fod Syr Thomas Parry yn erbyn hala awduron o Gymru i wledydd a o'dd o dan reolaeth Gomiwnyddol ac yn llawn mor ffyrnig yn erbyn croesawu awduron o'r gwledydd hynny i dreulio amser yn ein gwlad ni. Ar ben hynny, ro'dd ef o'r farn bod y Pwyllgor yn gwario gormod o arian ar lenyddiaeth ac fy mod i'n 'Decsan' yn y modd yr anogwn yr aelodau i fod, yn ei olwg ef, yn 'afradlon'.

Ond cawson ni ein synnu yng nghyfarfod mis Mehefin 1974 pan gynigiodd Tom Parry fod y Pwyllgor yn rhoi'r gorau i'r arfer o roi gwobrau i awduron yn gyfan gwbl. Cafwyd trafodaeth frwd ar y pwnc hwn: collwyd y cynnig gan 'whe phleidlais i bedair, gydag un aelod yn ymatal, a chytunwyd i barhau gyda'r cynllun pwysig hwn. Gadawodd Thomas Parry y Pwyllgor o'i wirfodd yn fuan wedyn. Nace dyma'r tro olaf iddo dynnu yn gro's i farn y mwyafrif, 'whara teg iddo. Cwbl gyson ac anrhydeddus o'dd ei benderfyniad i beidio derbyn un o brif wobrau 1976. Ro'dd ei gyfraniad i ysgolheictod eisio's wedi'i gydnabod gan Brifysgol Cymru, meddai, ac ar ben hynny ro'dd yn awyddus i osgoi'r anghysondeb a allai godi o dderbyn y wobr ar ôl ceisio dwyn perswâd ar y Cyngor i roi terfyn ar ei bolisi o ddyfarnu gwobrau i awduron. A'th y prif wobrau i T. J. Morgan a Gwyn Thomas y flwyddyn honno.

Vivian Griffiths, cefnder y bardd Bryn Griffiths, o'dd ein beirniad selocaf a mwyaf di-glem yn y cyfnod hwn. Ro'dd y Pwyllgor wedi gwrthod rhoi ysgoloriaeth iddo ar sawl achlysur, a hynny ar dir diffyg ansawdd ei waith. Dechreuws 'sgrifennu llythyrau cas ato i ac at aelodau'r Pwyllgor ac, er na wetais hyn wrth neb ar y pryd, ro'dd yn arfer ffonio fy nghartref yn hwyr y nos i ddadlwytho'i feil. Cynigiodd Glyn Tegai gwrdd ag ef yng nghwmni Roland Mathias ond ni dda'th i'r cyfarfod. Parhaodd y Cadeirydd i ohebu ag ef ond heb ei ddarbwyllo bod ei geisiadau wedi cael ystyriaeth deg gan y Pwyllgor. Wedi hynny, cetho i orchymyn gan y Pwyllgor i beidio ymateb i unrhyw ymgais gan y brawd hwn i gysylltu â mi, ond da'th y llythyrau annymunol i'r swyddfa am flynyddo'dd wedyn. *Multa fero ut placem genus irritabile vatum.* Un arall o'r un lliw o'dd Evan Gwyn Williams, a arwyddai ei lythyrau 'Ebenezer Chapel' a 'The Hawk of Kuwait' cyn iddo yntau dewi.

1976–1979

Cadeirydd y Pwyllgor yn ystod y cyfnod hwn o'dd Roland Mathias, cyn-brifathro a llenor o fri. Dyma'r tro cyntaf i Gymro di-Gymraeg fod yn gyfrifol am gadeirio'r Pwyllgor. Ond Cymro gwladgarol ac eangfrydig iawn o'dd Roland ac un a gefnogai achos y Gymraeg bob cyfle a gâi. Pan ofynnais iddo pa newidiadau ro'dd am eu gwneud ym mholisïau'r Pwyllgor, gwetws ei fod, fel hanesydd, yn cretu mewn parhad nace 'whyldro ac yr o'dd am adeiladu ar yr hyn a o'dd wedi ei gyflawni eiso's. Ac felly y bu yn ystod cyfnod ei gadeiryddiaeth.

Ro'dd Roland yn ŵr dymunol dros ben ac ro'dd yn gallu swyno pobol gyda'i lais diwylliedig. Ond clywais gan Aneurin Thomas fod Ardalyddes Môn o'r farn fy mod i wedi difwyno Roland gyda fy naliadau politicaidd. Nid dyma'r unig dro i rywun gyfeirio at hyn yn ystod fy amser gyda'r Cyngor ond fe'm syfrdanwyd er hynny. Ni wyddai'r Ledi fod Roland yn wladgarwr pybyr flynyddo'dd cyn inni gwrdd â'n gilydd. Pan o'dd yn brifathro Ysgol Ramadeg Doc Penfro yn y Pum Degau ro'dd e wedi achosi helynt gyda'r llywodraethwyr trwy godi'r Ddraig Goch ar Ddydd Gŵyl Dewi. Ond gyda fy llaw ar fy nghalon, gallaf sicrhau'r darllenydd nad wyf yn ymwybodol fod y Pwyllgor wedi gadael i ystyriaethau politicaidd ddylanwadu ar ei benderfyniadau erio'd – ac eithrio pan o'dd Syr Thomas Parry yn trwsto yn erbyn Comiwnyddiaeth.

Dyraniad y Cyngor i lenyddiaeth ym 1976/7 o'dd £220,000. Ymhlith y pethau cyntaf a wnaed gan y Pwyllgor ro'dd argymell cymhorthdal i *Barddas*, cylchgrawn y Gymdeithas Gerdd Dafod o dan olygyddiaeth Alan Llwyd. Digwyddws hyn ar ôl i Roy Stephens ddwyn perswâd ar yr aelodau yn ei ffordd ddihafal ei hunan. Cynyddwyd y grant i'r Academi Gymreig ar gyfer cyflogi dau Ysgrifennydd, a chyda'r gefnogaeth hon datblygodd gwaith y gymdeithas yn sylweddol. Enillwyd Gwobr Tir na n-Og (fi fathodd yr enw, gyda llaw) gan yr awdures Americanaidd Susan Cooper am ei nofel i blant *The Grey King* a chan T. Llew Jones am *Tân ar y Comin*. Da'th yr awdur o'r Swisdir, Friedrich Dürrenmatt, i Gymru ym mis Tachwedd 1976 i dderbyn y Wobr Ryngwladol. Cetho i'r dasg o'i yrru ef a'i briod o gwmpas y colegau. Yfodd yr awdur sawl potel o win drud ymhob gwesty ar y gylchdaith ac erbyn seremoni cyflwyno'r Wobr yn yr Angel yng Nghaerdydd ro'dd e wedi yfed shwt gymaint ro'dd yn ffaelu codi o'i wely. Ym 1976 hefyd cyhoeddwyd record hirfaith o R. S. Thomas yn darllen ei gerddi ar label Oriel a detholiad o'r Hengerdd gan Recordiau Sain.

Dechreuws y gwaith ar *Geiriadur yr Academi Gymreig* o dan olygyddiaeth Bruce Griffiths ac, yn y man, Dafydd Glyn Jones. Dyma un o'r cynlluniau pwysicaf oll i gael nawdd y Pwyllgor. Ar y dechrau, ro'dd rhai o'r aelodau yn anfodlon i estyn nawdd i'r fenter ac ro'dd rhai o'r Academi yn llugo'r eu cefnogaeth hefyd. Ond gwelais werth y fath gyfeirlyfr o'r cychwyn cyntaf a chyda chymorth Richard Griffiths, un o'r aelodau, Tori mawr ac Athro Ffrangeg yng Nghaerdydd, llwyddodd y Pwyllgor i ddod o hyd i arian am rai blynyddo'dd nes bod y llyfr bron yn barod i'w gyhoeddi. Trueni, gyda llaw, na welodd Prifysgol Cymru ei ffordd yn glir i gydnabod camp Bruce a Dafydd. Ar yr un pryd, gwrthodws y Pwyllgor gefnogi cais gan Roy Stephens am ysgoloriaeth i'w helpu i baratoi'r *Odliadur*, a hynny oherwydd bod Gwyn Erfyl yn ffaelu gweld pwynt i'r fath lyfr. Yn ffodus, datwneud y penderfyniad a wna'th y Pwyllgor yn ei gyfarfod nesaf, yn absenoldeb Gwyn Erfyl, a chynnig ysgoloriaeth 'whe mis i Roy i lunio ei lyfr tra gwerthfawr. Mae'r *Geiriadur* a'r *Odliadur* ymhlith y llyfrau pwysicaf i dderbyn nawdd y Cyngor.

Toc wedyn bu'n rhaid i'r Cadeirydd atgoffa'r aelodau y dylai'r holl faterion a drafodid gan y Pwyllgor fod yn gwbl gyfrinachol. Yr o'dd lle i gretu bod Adran Newyddion HTV yn gwypod am benderfyniad y Panel Cymorth i Awduron i gynnig ysgoloriaeth i Roy Stephens cyn i'r mater ddod gerbron y Pwyllgor a'r Cyngor. Bu'n rhaid imi gyfaddef fy mod i'n gwypod am achosion cyffelyb pan ddatgelwyd argymhellion y Pwyllgor i HTV cyn i'r Cyngor allu rhoi sêl ei fendith arnynt. Y gred ar y pryd ymhlith yr aelodau o'dd taw Gwyn Erfyl o'dd yn rhyddhau'r wybodaeth hon: ar un achlysur, tra o'dd cymorth i'r *Faner* o dan sylw, gadawodd y cyfarfod i ffonio ei gyd-weithwrs yn HTV ac i roi gwypod i berchnogion y papur.

Ar ben y cyfan, tua'r adeg hon y dechreuws y drafferth gyda Gwynn ap Gwilym, o'dd wedi ei benodi i swydd weinyddol Adran Gymraeg yr Academi gan Gyngor y Celfyddydau. Swyddog tra anfoddhaol o'dd hwn, na chymerai ei gyfrifoldebau o ddifrif. Ym marn rhai ro'dd e wedi cymryd at fywyd cymdeithasol y brifddinas gyda gormod o frwdfrydedd, yn enwedig yn ystod yr awr ginio estynedig. Ro'dd hyn yn drueni, ond do'dd e ddim yn fodlon derbyn gair o gyngor ac a'th pethau o ddrwg i wa'th. Ar ôl rhai misoedd bu'n rhaid gweud wrth Bobi Jones, Cadeirydd Adran Gymraeg yr Academi, beth o'dd yn mynd ymla'n, ond eto ni thyciai dim i gael y Swyddog i ddod at ei go'd. Ysgrifennws Bobi femorandwm hir a thrwyadl am ei ymddygiad ac amodau ei benodiad ar gyfer y cyfreithwyr. Yn y diwedd ca's ei ddiswyddo gan y Cyngor ond, yn anffodus, nid o fewn y cyfnod prawf fel y'i diffiniwyd yn ei gytundeb. Fe aethpwyd â'r mater i'r llys wedyn ac, yn y diwedd, ym mis Chwefror 1978, ca's Gwynn ap Gwilym iawndal bach o'dd yn werth ei dalu i gael gwared ohono. Gwynt teg ar ei ôl, meddai pawb.

Diddorol o'dd yr arolwg o'r arian a roddwyd yn uniongyrchol i awduron rhynt 1968 a 1978. Dyfarnwyd 78 o wobrau a phrif wobrau a 41 o grantiau teithio i 18 o wledydd. O'r 82 o awduron

(38 yn y Gymraeg) a dderbyniodd gefnogaeth y Cyngor yn y modd hwn, fe'n siomwyd gan ryw ddwsin na lwyddodd i gyhoeddi dim o ganlyniad i'r cyfnod o gael eu rhyddhau o'u swyddi, yn eu plith nifer o awduron adnabyddus. Dewisodd Ned Thomas 'sgrifennu ei lyfr dylanwadol *The Welsh Extremist* yn hytrach na'r nofel arfaethedig a ffaelodd Islwyn Ffowc Elis lunio'r nofel am Lywelyn ap Gruffydd ro'dd pawb yn ei dishcwl yn eiddgar. Pan 'sgrifennws Roger Jones Williams, y Swyddog Llenyddiaeth Gymraeg, lythyr caredig at Islwyn yn holi am gynnydd y nofel, ymatebws trwy weud bod y Swyddog yn ei hambygio ef.

Yr esgus mwyaf lliwgar am beidio cyflawni'r amodau o'dd un Keidrych Rhys: ro'dd e wedi 'sgrifennu ei hunangofiant, meddai, ond ro'dd y bardd Bryn Griffiths wedi torri mewn i'w fflat yn Hampstead a dwgyd y deipysgrif. Ond at ei gilydd ro'dd y cynllun wedi esgor ar nifer o lyfrau o bwys a theimlwyd ei fod yn un gwerth 'wheil. O leiaf da'th llenorion fel Ned Thomas, John Tripp a Roland Mathias yn ôl i Gymru o dan y cynllun hwn. Mater o daflu bara ar y dyfroedd o'dd y cynllun ysgoloriaethau mewn ymgais i greu cnewyllyn o awduron proffesiynol, amcan sy'n aros y tu hwnt i afael pob corff cyhoeddus yng Nghymru hyd heddi, oddieithr y cyfryngau, er gwaethaf y cymorthdaliadau sylweddol sydd ar gael.

Ym mis Mehefin 1978 defnyddiwyd offer cyfieithu ar y pryd am y tro cyntaf. Gofynnodd y Pwyllgor i'r Cyngor ddarparu'r teclyn ar gyfer pob un o'i Bwyllgorau ac fe wna'th, ond ni fanteisiai'r Pwyllgorau eraill ar y cyfle hwn ac yn bendant ni siaradwyd gair o Gymraeg yng nghyfarfodydd y Cyngor, er bod nifer o Gymry da ymhlith yr aelodau. Yn wir, blinedig i mi o'dd gorfod gwrando ar yr acenion Seisnig a glywid yng nghyfarfodydd y Cyngor, yn enwedig pan o'dd opera o dan sylw. Ar ben hynny, tra bod y Pwyllgor Llenyddiaeth yn gorfod cyfiawnhau pob cais am gynnydd ariannol, arferai'r Cwmni Opera gael canno'dd o filo'dd o bunno'dd yn ychwanegol heb fwy na phum munud o drafodaeth, a hynny gan aelodau megis Alun Hoddinott a William Mathias o'dd yn gysylltiedig â'r Cwmni ac yn manteisio ar ei nawdd.

Da'th Astrid Lindgren i Gymru ym mis Hydref 1978. Roger Jones Williams a ga's y pleser o deithio yn ei chwmni. Un annwyl iawn ydo'dd, a mynegai ddiddordeb brwd ym mhopeth ro'n ni am ei ddangos iddi. Aethpwyd â hi i nifer o lefydd lle cyfarfu â channo'dd o blant a o'dd eisio's wedi darllen ei llyfrau yn Gymraeg a Saesneg. Hyd yn o'd yn Amgueddfa Sain Ffagan ro'dd ei chwrteisi'n amlwg: 'He was a very nice man,' meddai am y swyddog a o'dd yn ei thywys o gwmpas, 'but, oh, he wanted to tell me everything.' Rhoddwyd cymhorthdal i Goleg Llyfrgellwyr Cymru i sefydlu Canolfan Llyfrau Plant, a dyfodd yn y man i fod yn Adran o dan adain y Cyngor Llyfrau. Erbyn 1978/9 dyraniad y Cyngor o'dd £333,500.

Nid a'th yr un flwyddyn heibio heb i drafferth godi yn y berthynas rhynt y Pwyllgor a Christopher Davies, cyhoeddwr y cylchgrawn *Barn*; yn wir, ni fu nemor gyfnod er 1968 heb ei anawsterau. Tra o'dd cyrff eraill yn bwrw ymla'n gyda'u gwaith, ro'dd y cwmni hwn am gonan am bob dim. Ro'dd John Phillips, rheolwr y cwmni, wedi bod yn gwneud honiadau gwyllt yn y wasg a nawr gofynnai, yn fygythiol, am enwau a chyfeiriadau aelodau'r Pwyllgor. Asgwrn y gynnen o'dd nad o'dd y cwmni yn glynu at safonau proffesiynol ynglŷn â chytundebau awduron a thalu breindaliadau. Cafwyd llu o lythyrau gan awduron na cha's eu talu, yn eu plith y nofelydd hynaws Marion Eames. Sbardunodd difaterwch y cwmni y rhigwm hwn gan Harri Webb:

> Behold the books of Mammon Press
> Which show a big deficit,
> The arts in Wales are in a mess,
> Not worth the taxman's visit;
> But no, let apprehension cease
> And fears and doubt stop biting,
> For this is just another piece
> Of good creative writing.

Ar ben hynny, honiad John Phillips a Gwyn Erfyl o'dd bod y Cyngor yn ymyrryd â rhyddid golygyddol y cylchgrawn ac yn ei gosbi trwy beidio cynyddu'r grant. Lap a lol o'r math gwaethaf o'dd hyn ond do'dd dim pall ar gwynion y cwmni. Yn y diwedd, aethpwyd â'r anghydfod at gyfarfod a gadeiriwyd gan Prys Morgan ym mis Ebrill 1979, pan dderbyniws John Phillips nad o'dd ym mwriad y Cyngor i ymyrryd â rhyddid golygyddol *Barn* ac nad o'dd am gosbi'r cylchgrawn ar gownt sylwadau'r Golygydd am gymhorthdal y Cyngor 'chwaith, ond yn hytrach am resymau yn ymwneud â'r modd yr o'dd y cwmni yn defnyddio nawdd y Cyngor. Ffordd ddigywilydd o roi pwysau ar y Pwyllgor am ragor a rhagor o nawdd o'dd yr ymosodiadau di-sail hyn, ym marn rhai.

Ar yr un pryd, penderfynws y Pwyllgor beidio ag adnewyddu'r grant i Christopher Davies ar gyfer cyflogi Lynn Hughes, golygydd Saesneg y cwmni, ac o ganlyniad fe dda'th ei gyfnod fel aelod o staff i ben. Toc wedyn trodd John Phillips ei ynnau ar y Cyngor Llyfrau gyda chwynion tebyg yn erbyn ei staff a'i bolisïau. Do'dd dim modd bodloni Christopher Davies yn ei 'whant am gymhorthdal o ffynonellau cyhoeddus. Roeddynt yn arbennig o genfigennus o'r grantiau a a'th i Wasg Gomer, gan awgrymu fwy nag unwaith fy mod yn derbyn llwgrwobrwyon o Landysul. Sôn am Bacon a Bungay! Ar y llaw arall, cetho i Gomer yn onest ac yn broffesiynol yn eu hagwedd tuag at y Cyngor ac ro'dd John a Huw Lewis wastad yn foneddigaidd ac adeiladol.

Amser helbulus o'dd hwn i'r Pwyllgor ar y cyfan. Cododd llais Peter Meazey, perchennog Siop y Triban yng Nghaerdydd, yn erbyn y Cyngor am gynnal siop Oriel, er bod problemau Peter, un o gyn-drigolion Garth Newydd, yn tarddu cymaint o resymau teuluol â rhai ariannol ac nad o'dd dim y medrai'r Cyngor ei wneud i'w helpu yn hynny o beth. Ro'dd rhai o'r aelodau o'r farn fod y Pwyllgor wedi ehangu ei weithgareddau'n rhy gyflym ac wedi ceisio helpu gormod o gyrff ac unigolion mas o goffrau annigonol. Yn ddiau, ro'dd gronyn o wir yn hyn a dylswn fod wedi ffrwyno uchelgais yr aelodau, a'm dymuniad i, i fod o gymorth i bron pawb a ofynnai am help.

Er mwyn cael barn y cyhoedd, cynhaliwyd fforwm yng Ngholeg Prifysgol Gogledd Cymru, Bangor, ar 27 Hydref 1979. Mynychwyd yr achlysur gan 14 aelod o'r Pwyllgor, 'whech aelod o staff yr Adran Lenyddiaeth, Cyfarwyddwr y Cyngor, y Cyfarwyddwr Cyllid, Cadeirydd y Cyngor a chynrychiolwyr o gyrff a noddid gan y Cyngor megis yr Academi a'r Cyngor Llyfrau, cyfanswm o rhyw 60 o bobol. Dim ond 18 aelod o'r cyhoedd o'dd yn bresennol. Y prif siaradwr o'r llawr o'dd Meirion Pennar, a roddws araith hir ac amherthnasol, gan grwydro yma a thraw heb grybwyll yr un cynnig ymarferol. Casgliad y Pwyllgor o'dd bod y fforwm yn ddigwyddiad drud i'w drefnu ar gyfer cyn lleied o bobol ac na lwyddodd i ddatblygu cyfathrach ddefnyddiol rhyngddo a'i feirniaid. Ni fu'r fforwm hwn fawr o werth i'r cyhoedd nac i'r Cyngor, 'chwaith.

Eto i gyd, dw'i ddim am roi'r argraff fod cyfnod Roland Mathias fel Cadeirydd yn fethiant llwyr. Cynnal y rhaglen graidd o'dd y gamp ac fe wna'th hynny gydag ymroddiad cadarn. Ro'dd Roland wedi bod yn aelod o'r Pwyllgor er 1969 ac ro'dd e'n Gadeirydd hynod o boblogaidd. Yn ei gyfarfod olaf ym mis Tachwedd 1979 talwyd teyrnged iddo gan y staff a'r aelodau am y dull deheuig y cyflawnai ei ddyletswyddau a rhoddwyd anrheg iddo ar achlysur ei ymadawiad, rhywpeth a o'dd heb ei gynsail yn hanes y Pwyllgor.

Da'th y llyfr *Y Celfyddydau yng Nghymru 1950–1975*, a'i gymar Saesneg, o'r wasg o dan fy ngolygyddiaeth i tua diwedd 1979; rhestrwyd holl aelodau'r Cyngor a'i Bwyllgorau yn y llyfr hwnnw. Byddai'n braf pe bai rhywun yn mynd ati i olygu llyfr tebyg ar gyfer y cyfnod 1975–2000. Gwerthfawrogais y ffaith fy mod i'n cael rhwydd hynt gan y Cyngor i olygu llyfrau a chyhoeddais nifer yn ystod y blynyddo'dd hyn, yn eu plith y flodeugerdd *The Lilting House* (1969), *Artists in Wales* (tair cyfrol: 1971, 1973, 1977), *The Welsh Language Today* (1973), *Linguistic Minorities in Western Europe* (1976) a *Green Horse* (1978). Ar y llaw arall, teimlais reidrwydd i roi lan golygyddiaeth

111

Poetry Wales ym 1973. Da'th Gerald Morgan i'r gadair olygyddol am ddau rifyn ac yna fy nghyfaill Sam Adams. Am un peth, ro'n i wedi gwneud y camgymeriad o werthu'r cylchgrawn i Christopher Davies ac ro'n i nawr yn dra awyddus i jengid rhag crafangau Alun Talfan.

Ym mis Ionawr 1979 arwyddais lythyr yn cefnogi egwyddor datganoli ar y cyd â 61 o awduron Cymraeg a Saesneg. Yn y refferendwm a gynhaliwyd ar 1 Mawrth cafwyd 243,048 o bleidleisiau gan yr ymgyrch Ie a 956,330 gan yr ymgyrch Na. Do'dd hyn ddim yn rheswm i ddigalonni gormod, yn fy marn i, ond yn hytrach yn sbardun i ailddechrau drachefn. Ond ro'dd 'na un canlyniad o bwys i'r Pwyllgor, gan i Ned Thomas ein hysbysu nad o'dd am barhau gyda'i gylchgrawn *Planet*. Ro'dd yr aelodau'n dyheu am ddod o hyd i gyfnodolyn arall a fyddai'n trafod materion Cymru trwy gyfrwng y Saesneg. Da'th yr awgrym y dylid ariannu *The New Rebecca*, cylchgrawn Paddy French, ond bu hyn yn ormod i'w lyncu gan rai aelodau o'r Cyngor, a gofiai ymosodiadau'r hen *Rebecca* ar byrth y Sefydliad Cymreig rai blynyddo'dd ynghynt. Y gwir reswm o'dd nad o'dd cynnwys y cylchgrawn, ym marn mwyafrif aelodau'r Pwyllgor, yn ddigon llenyddol neu gelfyddydol i gyfiawnhau nawdd Cyngor y Celfyddydau.

Ym mis Tachwedd 1979 fe es gyda John Lewis, Gwasg Gomer, a John Dudley Davies o'r Cyngor Llyfrau i Husum yn Schleswig-Holstein, ar gyfer lansio cyfieithiad o'm llyfr *Linguistic Minorities in Western Europe*. Ro'n i wedi 'sgrifennu'r llyfr ym 1974 ar ôl cael fy sbarduno i gychwyn ar y gwaith wedi imi weld slogan ar wal yn Biarritz: 3 + 4 = 1. Gofynnais i'm ffrind Txillardegi (José Luis Alvarez), un o sylfaenwyr y mudiad 'whyldroadol ETA, o'dd yn byw fel alltud yn Hendaye ar y pryd, beth o'dd hyn yn ei olygu a chael yr esboniad fod y tri rhanbarth o Euzkadi sydd yn Sbaen a'r pedair sydd yn Ffrainc yn gwneud un wlad. Yn Husum darllenais gyfieithiad Cymraeg o'r gerdd enwog am 'y ddinas lwyd' gan Theodor Storm, a blesiodd y gynulleidfa'n fawr. Gwna'th ambell un 'wherthin, hyd yn o'd, pan gyfeiriais at y llyfr fel un da i gatw ffenestr ar

Charlie Symes, tad fy mam

Lilian a Charlie Symes,
rhieni fy mam

Annie Sophia Lloyd, y ferch o
Glasgwm, mam fy nhad

Herbert Arthur Lloyd, fy nhad, cyn
cyrraedd Hewlgerrig, Rhagfyr 1910

Alma Symes, fy mam, ar ei phen-
blwydd yn 21, 1931

Alma ac Arthur
Lloyd Stephens,
fy rhieni, ar ddydd
eu priodas, 1935

Fy nhad ym mhwerdy Glan-bad, tua 1955

Y crwt pum mlwydd oed

Gyda'm brawd bach, Lloyd,
ym 1944

Trefforest gyda Meadow Street ar y dde

Swyddogion Ysgol Ramadeg y Bechgyn, Pontypridd, 1955–6

Bydd yn barod, 1956

Adran Ffrangeg Coleg Prifysgol Cymru, Aberystwyth, 1961

Slogan a baentiais ar wal Maes Lowri, Aberystwyth, 1961

Y gŵr gradd, Aberystwyth, 1961

Ysgol Haf Plaid Cymru,
Pontarddulais, 1962

Gyda Harri Webb tu fas i Garth
Newydd, Merthyr Tudful, 1963

Pont Trefechan,
Aberystwyth,
Chwefror 1963

Pont Trefechan,
Aberystwyth,
Chwefror 1963

Y slogan enwog ar wal
ger Llanrhystud

Diwrnod ein priodas, 1965

Ymgeisydd Plaid Cymru,
Merthyr Tudful, 1966

Ruth, 1966

Buddugoliaeth Gwynfor
Evans, Gorffennaf 1966

Adeg fy mhenodiad i'm swydd
gyda Chyngor Celfyddydau
Cymru, 1967

Ticyn o hwyl yn
y swyddfa gyda
Fay Williams
ac Elan Closs
Roberts

Y biwrocrat wrth
ei ddesg

Gyda'n plant,
Brengain, Huw,
Lowri a Heledd

Fy nghyfaill
Glyn Jones
Llun: Julian Sheppard

Fy nghyfaill Harri Webb
Llun: Julian Sheppard

Fy nghyfaill
Leslie Norris
*Llun: Julian
Sheppard*

Ruth, 1990

Prifysgol Brigham
Young, Provo, Utah

Athro Gwadd, BYU, 1991
Llun: Ben Hussain

Ein mab, Huw

Gyda'n merched, Heledd, Lowri
a Brengain, 2010

Gyda'n hwyrion a'n hwyresau, 2011

Ein cartref, Blaen-bedw, yn yr Eglwys Newydd

agor ar ddiwetydd o haf. Ond yn rhyfedd iawn, ni dderbyniais *pfennig* am *Minderheiten in Westeuropa* gan y cyhoeddwyr Almaenig.

Ymdrechais yn galed i gatw fy niddordeb mewn ieithoedd lleiafrifol yn fyw. Ymhlith y cyrff allanol yr o'n i'n aelod ohonynt ro'dd Pwyllgor y Deyrnas Unedig dros Ieithoedd Llai, corff a sefydlwyd gan y Comisiwn Ewropeaidd, a'r Centre Internacional Escarré per a les Minories Ètniques i les Nacions (CIEMEN), sefydliad â swyddfeydd yn Barcelona. Rhoddais ddarlith ar leiafrifoedd Gorllewin Ewrop yn abaty St Michel de Cuixa ym mis Awst 1980 lle ro'dd fy nghyfaill Aureli Argemí, Ysgrifennydd y sefydliad, yn fynach. Ro'n i'n aelod hefyd o Banel Llenyddiaeth y Cyngor Prydeinig yn Llundain, er nad o'dd llawer o bwynt imi fynychu ei gyfarfodydd oherwydd dim ond llyfrau ac awduron Seisnig o'dd yn cael nawdd y corff hwnnw. Gresyn nad yw'r Cyngor Prydeinig wedi derbyn ei gyfrifoldeb i hyrwyddo diwylliant ein gwlad, dim ond mewn ffordd lugo'r ac ysbeidiol.

1980–1983

Erbyn i Prys Morgan, hanesydd o fri ac un o feibion T. J. Morgan, ddod yn Gadeirydd ym mis Chwefror 1980 ro'n i wedi bod yn gweithio ar *Y Cydymaith i Lenyddiaeth Cymru* a'i gymar, *The Oxford Companion to the Literature of Wales*, ers dwy flynedd. Rhan o'm cyfrifoldebau fel Cyfarwyddwr Llenyddiaeth o'dd y cynllun hwn ac ro'dd caniatâd 'da fi i weithio arno yn ystod oriau swyddfa. Ond, mewn gwirionedd, do'dd hynny ddim yn bosibl oherwydd pwysau gwaith yr Adran o ddydd i ddydd. Rhaid o'dd gweithio gartref bron bob min nos, ar bob penwythnos ac, yn wir, hyd yn o'd ar fy ngwyliau, fel y cofiaf yn iawn. Nace 'smaldod ar fy rhan i o'dd gweud fy mod i'n dishcwl ymla'n at ddydd Nadolig er mwyn cael hoe o'r *Cydymaith*.

Cyn bo hir ro'dd y cynllun wedi mynd yn rhan o'm ffordd o fyw. Pan ddechreuais arno ro'dd Lowri, fy merch hynaf, yn y flwyddyn gyntaf yn Ysgol Gyfun Glantaf ac erbyn i'r gwaith weld golau dydd ro'dd hi'n lasfyfyrwraig ym Mangor. Arferai'r plant gyfeirio at y *Cydymaith* fel 'y monster yn yr atig' ac fe glywais Heledd yn gweud wrth ei ffrind fach shwrne, 'Hoff lyfr Dad yw llyfr Dad.' Ni ches dâl am olygu'r *Cydymaith* oherwydd, ym mis Gorffennaf 1981, wedi i'r Academi, yn ddirybudd, fynegi ei bwriad o geisio am gymhorthdal gan y Cyngor ar gyfer costau cyhoeddi'r ddwy gyfrol, diddymwyd y cytundeb gwreiddiol ar fy nghais i a chytunais i beidio derbyn na ffi na breindal. Ond yr o'n i'n fodlon parhau i weithio ar y *Cydymaith* oherwydd fy mod i'n gweld pa mor ddefnyddiol fyddai'r fath lyfr yn y pen draw. Cetho i gymorth hynod werthfawr Nan Griffiths, Christine James, Anne Howells a Ruth Dennis-Jones tra bûm yn gweithio ar y llyfr.

Dysgais lawer am shwt i gasglu deunydd a'i olygu i'r safonau uchaf fel golygydd yr *Oxford Companion*, gan fanteisio ar brofiad Dorothy Eagle, cynrychiolydd Gwasg Prifysgol Rhydychen ar y bwrdd. Hi o'dd golygydd yr adargraffiadau o'r *Oxford Companion to English Literature*, a olygwyd yn gyntaf gan Syr Paul Harvey ym 1932, a llu o gyfeirlyfrau eraill. Proflenni glân iawn a gyflwynwyd inni gan y Wasg. Serch hynny, hawdd o'dd colli ambell i lithriad fel y cyfeiriadau at 'Duns Scotus, the medieval photographer' a 'Celtic millionaires crossing between Wales and Ireland' os nad oeddech wedi magu llygad barcud ac yn gallu aros yn effro yn hwyr y nos. Gwetws rhywun, 'Working for Oxford University Press is rather like making love to a duchess: one is more conscious of the privilege than the pleasure.' Ond braint a phleser ill dau a getho i wrth weithio i'r wasg. Rhoddwyd terfyn ar ddarllen y proflenni ym mis Rhagfyr 1985 a derbyniais y copïau cyntaf o'r *Cydymaith* ar 17 Chwefror 1986.

Gwyn Jones o'dd Cadeirydd cyntaf bwrdd rheoli'r *Cydymaith* ac R. Brinley Jones a'i holynodd ym 1985. Ymhlith aelodau eraill ro'dd R. Geraint Gruffydd, Pennar Davies, Harri Webb (a ga's y syniad yn y lle cyntaf) a Ceri W. Lewis ar ran Gwasg Prifysgol Cymru. Darllenwyd y deipysgrif Saesneg gan Roland Mathias ac yn Gymraeg gan Tom Parry, ond unwaith yn rhagor anghytunodd Syr Thomas â'r modd yr o'dd y gwaith yn mynd yn ei fla'n, yn enwedig gan fy mod i'n bwriadu cynnwys cofnodion ar bobol fel Aneurin Bevan, Dic Aberdaron, Sarah Jacob, Keir Hardie, Santes Melangell, Adelina Patti, Gwladus Ddu a Dic Penderyn; ar y llaw arall, yr o'dd o blaid cynnwys Undeb Chwarelwyr Gogledd Cymru. Yn ofer ceisiais esbonio taw cyfeirlyfr o'dd y *Cydymaith* i fod, rhywpeth i'w gatw wrth benelin y darllenydd wrth iddo fwynhau *dwy* lenyddiaeth ein gwlad ac ro'dd rhaid cynnwys gwybodaeth am bobol a o'dd yn ymddangos yno. Cwynai hefyd am rai o'r cofnodion a ysgrifennwyd gan aelodau o Adrannau Cymraeg y colegau ar gownt eu gwallau. Gadawodd y bwrdd cyn i'r gwaith gael ei gwblhau a bu farw cyn y diwrnod cyhoeddi ym 1986. Fel ernes o'm gwerthfawrogiad a'm hedmygedd ohono fel ysgolhaig, es â chopi o'r *Cydymaith* at ei weddw.

Dyraniad y Cyngor i lenyddiaeth ym 1979/80 o'dd £385,400. O ganlyniad i dranc *Planet*, hysbysebwyd bwriad y Cyngor i noddi cylchgrawn Saesneg arall. Ymhlith y pethau cyntaf a wna'th y Pwyllgor o dan gadeiryddiaeth Prys Morgan ro'dd argymell cymhorthdal i'r cylchgrawn *Arcade*, a welodd olau dydd ym mis Hydref 1980. John Osmond o'dd y golygydd ac ro'dd Ned Thomas, Dai Smith, Robin Reeves a Nigel Jenkins ymhlith aelodau'r bwrdd. Gyda phobol mor ddisglair wrth y llyw, ro'dd y Pwyllgor yn dishcwl i'r cylchgrawn newydd fod yn llwyddiant. Ond yn anffodus, ni chyflawnodd ei addewid i gyrraedd ei nod o werthu 5,000 o gopïau, ac am y rheswm hwn ataliwyd y grant gan y Cyngor a bu'n rhaid dirwyn y cylchgrawn i ben ym mis Mawrth 1982. Credai Brian Morris fod *Arcade* wedi mynd yn rhy ddrud i'w noddi (ro'dd y cais am £60,000) ac nad o'dd arwyddion credadwy ei fod yn debyg o wella ei gylchrediad. Unwaith yn rhagor ro'n ni wedi profi nad o'dd marchnad i gylchgrawn safonol/poblogaidd yn Saesneg yng Nghymru a mawr o'dd siom y Pwyllgor o'r herwydd.

Da'th y *Cydymaith* yn faen tramgwydd yn y berthynas rhynt y Cyngor a'r Academi yn ystod 1980. Gyda diffyg o tua £10,000 yn ei chyllid, gofynnws yr Academi am grant ychwanegol, gan fwgwth rhoi'r gorau i'r gwaith a diswyddo'r cynorthwy-ydd golygyddol, Christine James, am ddeuddeng mis. Ystyriai'r Pwyllgor fod y dull y gofynnwyd am yr arian ychwanegol yn ffiaidd. Ro'dd yr Academi yn bwgwth rhoi'r gorau i gynllun y gwyddai fod gan y Cyngor ddiddordeb brwd ynddo, ac yn llawn sylweddoli taw fi o'dd yn olygydd arno. Ar ben hynny, cytunai'r aelodau ei bod yn warthus fod yr Academi wedi penderfynu rhoi ei swyddogion ar raddfeydd cyflogau prifysgol, a hynny heb ymgynghori ymla'n llaw. Yn y diwedd, cytunwyd i argymell bod y swm o £8,800 i'w roi yn grant atodol i'r Academi i gwrdd â'r diffyg ariannol arfaethedig. Cadeirydd yr Adran Saesneg ar y pryd o'dd G. O. Jones, Cyfarwyddwr yr Amgueddfa Genedlaethol, dyn bach crintachlyd yn fy mhrofiad i.

Yn y cyfarfod a gynhaliwyd ym mis Ebrill 1981, er budd nifer o aelodau newydd, gan gynnwys Meredydd Evans, R. Brinley Jones ac Ann Saer, ac ym mhresenoldeb Syr Hywel Evans, a o'dd newydd gael ei benodi'n Gadeirydd ar y Cyngor, siaradws Prys Morgan yn huawdl am waith y Pwyllgor. Tarodd y post i'r pared glywed pan dynnodd sylw at farn yr aelodau fod yr adnoddau a glustnodwyd gan y Cyngor yn annigonol i gynnal ei raglen a'i fod eiso's wedi rhoi'r gorau i nifer o gynlluniau. Mynegodd y gobaith y byddai'r Cyngor yn cytuno i ddyrannu yn fwy hael i lenyddiaeth ymhen blwyddyn neu ddwy. Wrth adolygu gwaith y Pwyllgor nododd Prys mai prinder arian o'dd wrth wraidd y rhan fwyaf o'i broblemau, gan nad o'dd ganddo'r adnoddau ariannol i gyflawni ei ddyletswyddau mewn dull teilwng a phroffesiynol. Derbyniodd y Pwyllgor gynnig Brian Morris y dylid penodi gweithgor a'i siarso â'r dasg o archwilio'r modd yr o'dd y Cyngor yn noddi llenyddiaeth, ac fe wnaed hynny. Dyraniad y Cyngor i lenyddiaeth ym 1980/1 o'dd £439,500.

Ystyriodd y gweithgor nifer o ffeithiau perthnasol. Ro'dd yn anfantais i lenyddiaeth, meddai, nad o'dd yn gelfyddyd berfformiadol; ro'dd gan Gymru ddwy lenyddiaeth, gyda chryfderau a gwendidau gwahanol; cymharol ychydig o'dd y Cymdeithasau Rhanbarthol yn ei wario ar gynlluniau llenyddol; ro'dd diwylliant Cymru'n llenyddol yn anad dim ac ro'dd yn rhaid ystyried llenyddiaeth y gorffennol i raddau nad o'dd yn wir am y celfyddydau eraill; ro'dd cysylltiadau clòs rhynt yr iaith a llenyddiaeth Gymraeg â chymdeithas Cymru a o'dd yn hanfodol i swyddogaeth y Cyngor fel noddwr; ro'dd y rhan fwyaf o'r cynlluniau a o'dd yn cael eu cynnal o gyllideb y Pwyllgor yn ddifrifol brin o arian ac ro'dd graddfeydd taliadau i lenorion yn cymharu'n wael iawn â rhai artistiaid eraill. Aelodau'r gweithgor o'dd Walford Davies, sef Is-gadeirydd y Pwyllgor ar y pryd, Richard Griffiths, Brian Morris, D. Geraint Lewis a Brinley Jones. Ond ni dda'th dim o'r cais i gynyddu cyllid y Pwyllgor. Yr unig ychwanegiad i'w adnoddau o'dd penderfyniad gan Gyngor Celfyddydau Prydain Fawr i gynnig cymhorthdal i'r Academi ar gyfer argraffu'r *Cydymaith*.

Do'dd dim hawl 'da fi i gonan am hyn oll: fy nghyfrifoldeb i o'dd darparu'r ffeithiau a gadael i Gadeirydd y Pwyllgor a'r rhai o'dd yn aelodau o'r Cyngor ddadlau dros y dosraniad i lenyddiaeth. Bu'n rhaid imi wneud fy ngorau glas i weinyddu'r hyn o'dd ar gael hyd eithaf fy ngallu. Ar y llaw arall, do'n i ddim yn medru dioddef anghysondeb ac aneglurdeb ym mhenderfyniadau'r Pwyllgor, yn enwedig newid barn o un cyfarfod i'r nesaf, a chollais fy limpin fwy nag unwaith, rhaid cyfaddef.

Cymro Cymraeg o'dd Hywel Evans, cyn-Bennaeth y Swyddfa Gymreig, a'r gobaith o'dd y byddai'n fwy cefnogol i waith y Pwyllgor Llenyddiaeth. Ond nid felly y bu; cerddoriaeth o'dd ei brif ddiléit. Ni chetho i gyfle i siarad â'r Mandarin hwn erio'd a do'dd e ddim yn fodlon fy nghydnabod pan welem ein gilydd y tu fas i swyddfeydd y Cyngor: yn null y gwasanaeth sifil, ni siaradai ef ond gyda'r Cyfarwyddwr. Ond siwrne, mewn derbyniad, dyfynnais sylw Francis Bacon yn ei glyw: 'Money is like muck, not good except it be spread', ac fe a'th ei wyneb yn goch. Ar ben hynny, cofiai 'fallai yr ymweliad â'r Swyddfa Gymreig gan fintai o aelodau Cymdeithas yr Iaith, a minnau yn eu plith, yn ystod y 'Whe Degau, pan gyflwynwyd deiseb o blaid arwyddion dwyieithog. Eto i gyd, ca's ran allweddol i gael Willie Whitelaw i newid ei feddwl parthed sianel Gymraeg ar

ôl i Gwynfor Evans fwgwth ymprydio. Tawelu'r dyfroedd o'dd
ei amcan bob tro er mwyn catw'r *status quo*.

Cwynai'n gyson wrth y Cyfarwyddwr fy mod i'n
'boliticaidd', er nad o'n i'n weithgar gyda'r Blaid bellach
– ddim yn agored, ta p'un. Mae tueddiad ar ran rhai pobol i
feddwl bod unrhyw weithgaredd dros Gymru yn 'boliticaidd'.
Gwyddai, efallai, rywfodd neu'i gilydd, fy mod i wedi cymryd
rhan yn seremonïau'r Orsedd yng Nghilmeri ar achlysur
saithcanmlwyddiant marwolaeth Llywelyn ap Gruffydd
ym 1982 a phan ddadorchuddiwyd cofeb i'n Llyw Olaf yng
Nghaernarfon ar 11 Rhagfyr yn yr un flwyddyn. Ond ni wna'th
Aneurin Thomas ddim byd abythdu fe, 'whara teg.

Ymdrechodd y Pwyllgor yn hir ac yn galed i achub *Y Faner*
rhag ei thranc. Cynyddodd y grant i Wasg y Sir bob blwyddyn
a gwelwyd gwelliant yn safonau'r papur o dan olygyddiaeth
Jennie Eirian Davies. Gweithiai hi mewn amgylchiadau
truenus, heb ffôn yn ei swyddfa ac yn gorfod gofyn caniatâd
gan y brodyr Evans am bob dim. Trist iawn o'dd marwolaeth
y fenyw alluog hon ym 1982. Ofnais am ychydig fod y stra'n o
gatw'r papur yn mynd yn erbyn y llif wedi cael effaith andwyol
ar ei hiechyd. Ond ro'n i'n falch cael sicrwydd gan ei gŵr,
Eirian Davies, nad o'dd a wnelo ei marwolaeth annhymig
ddim â pholisi'r Cyngor. Penodwyd Emyr Price yn Olygydd
a Marged Dafydd yn Is-Olygydd toc wedyn. Ar yr un pryd,
derbyniodd y Cyngor gynnig y Pwyllgor y dylid trosglwyddo'r
cyfrifoldeb dros noddi'r papur i ofal grant y Llywodraeth a
weinyddid gan y Cyngor Llyfrau. Do'dd y Cyngor hwnnw ddim
yn barod i dderbyn y cyfrifoldeb gan nad o'dd cymhorthdal
y Llywodraeth i gylchgronau poblogaidd yn ddigonol. Felly,
llusgodd y mater ymla'n ac ymla'n.

Bu farw tad Ruth ar 16 Ebrill 1981. Do'dd hi ddim yn gallu
bod gyda ni a gweddill y teulu yn y gwasanaeth coffa yn y
Tabernacl yn Aberystwyth gan ei bod yn erfyn plentyn. Ganwyd
Huw Meredydd yn y mis Mai canlynol a mawr o'dd llawenydd
ei rieni a'i dair 'wha'r. O'm rhan i, cetho i fodlonrwydd dwfn
yn fy mhlant a'm bywyd teuluol ar hyd y blynyddo'dd, yn

enwedig yng nghwmni Ruth, a hebddyn nhw byddai pwysau'r gwaith wedi bod yn anoddach i'w ddwyn. Ar ben hynny, ro'n i mewn iechyd da ac ro'dd fy 'sgwyddau'n ddigon cydnerth a'm crwmpyn yn ddigon cryf i wrthsefyll bron popeth.

Do'dd rhaglen waith y Pwyllgor ddim yn gyfan gwbl drychinebus, 'chwaith. Da'th Derek Walcott, y bardd o'r Caribî, i Gymru fel derbynnydd y Wobr Awdur Rhyngwladol ym 1980 a Margaret Atwood, yr awdur o Ganada, ym 1982. Tony Bianchi, y Swyddog Llenyddiaeth Saesneg, o'dd yn bennaf cyfrifol am y rhaglen o weithgareddau a drefnwyd ar eu cyfer. Ymhlith yr awduron a dda'th i'r gynhadledd yn y Dyffryn i anrhydeddu Margaret Atwood ro'dd Beryl Bainbridge, Ruth Fainlight, Angela Carter, Fay Weldon ac Eigra Lewis Roberts. Ond collais y cyfan oherwydd fy mod i yn y gwely gyda phwl o'r hen elyn, y 'wharenglwyf.

Fy nghyfrifoldeb i o'dd catw'r gwaith i symud yn ei fla'n a gwnes i hynny gyda fy holl egni. Ym mis Hydref 1982 'sgrifennais femorandwm am yr angen i gael cylchgrawn llenyddol Saesneg newydd. Ro'dd cryn amheuaeth am hyn ar y dechrau, yn rhannol ar gownt ein profiad gydag *Arcade* ond yn bennaf oherwydd bod sôn bod yr Undeb Awduron, corff newydd ar y pryd, yn bwriadu cyhoeddi ei gylchgrawn ei hunan. Ond pan welws y Pwyllgor y clytwaith *New Wales*, a gyflwynwyd gan John Morgan or-hyderus a hanner sliw, penderfynws gefnogi'r syniad a ddisgrifiwyd yn fy memorandwm.

Cychwynnodd nifer o gyhoeddiadau eraill hefyd tua'r amser hwn, yn eu plith y gyfres *Bro a Bywyd*, syniad ro'n i wedi ei gael yn ystod fy ymweliad â Friesland. Penderfynwyd yn ogystal ddatblygu Poetry Wales Press fel cyhoeddwr llyfrau Saesneg, gwasgnod a dyfws gyda threigl amser i fod yn Seren o dan reolaeth Mick Felton. Da'th nifer o lyfrau hardd i fodolaeth o ganlyniad i arweiniad y Panel Llenyddiaeth i Blant, o dan gadeiryddiaeth D. Geraint Lewis, yn eu mysg ddwy gyfrol ardderchog o storïau'r Mabinogi wedi eu darlunio gan Margaret Jones.

Da'th cyfnod cadeiryddiaeth Prys Morgan i ben ym mis Chwefror 1983 gyda phenderfyniad gan y Cyngor i beidio cynyddu'r dyraniad i'r Pwyllgor. Ro'dd y Cyngor wedi gwrthod cydnabod dadl y Pwyllgor fod diffyg arian yn amharu'n ddifrifol ar ei raglen waith. Ro'dd Walford Davies, Is-gadeirydd y Pwyllgor, a Richard Griffiths, a o'dd yn y cyfarfod pan drafodwyd y mater, o'r farn mai rhan o'r rheswm dros beidio â rhoi nawdd digonol i lenyddiaeth o'dd diffyg dealltwriaeth ar ran aelodau'r Cyngor o'r angen i gynnal dwy lenyddiaeth ein gwlad.

Ofer hefyd o'dd yr araith feddylgar gan Tom Ellis A.S. yng Nghaerdydd ym mis Ebrill 1977, pan wetws: 'The function of the Welsh Arts Council is to foster the arts in Wales in so far as they play a part in moulding our national cultural life. Welsh culture is overwhelmingly literary. If we lose our native literary tradition extending over fourteen centuries, all will be lost and there will be no such thing as Welsh culture. The very raison d'être of the Council will have ceased to exist... The heart and soul of the Welsh Arts Council must be literary.' Cwympws ei eiriau ar glustiau byddar cyn belled ag yr o'dd aelodau'r Cyngor yn y cwestiwn. Yr un effaith a ga's llu o lythyron gan y cyhoedd, a thua hanner cant o awduron yn eu mysg. Dechreuws fy nadrithiad gyda'r modd y dosrennid arian y Cyngor tua'r cyfnod hwn.

Ro'dd Prys Morgan yn Gadeirydd hynod alluog, yng ngolwg yr aelodau a'r swyddogion fel ei gilydd. Bachan dymunol dros ben yw ef o hyd, yn eang ei ddiwylliant ac yn gwmni da ar bob achlysur. Yn ei gyfarfod olaf cyflwynwyd anrhegion iddo am ei wasanaeth ar y Pwyllgor a'r Cyngor er 1975. Cofiaf iddo gyfeirio, wrth ffarwelio â ni, at yr arwydd ar yr hen fysus Western Welsh ers talwm: 'Lower your head when leaving.' Ond ro'dd gan Prys achos i ddal ei ben yn uchel am y modd yr o'dd wedi brwydro dros fuddiannau'r Pwyllgor Llenyddiaeth ar hyd y daith.

1983–1986

Walford Davies, Cyfarwyddwr Adran Efrydiau Allanol Coleg Prifysgol Cymru, Aberystwyth, a golygydd *Everyman's Library*, o'dd Cadeirydd y Pwyllgor Llenyddiaeth yn ystod y cyfnod hwn. Parhaodd craidd y rhaglen waith fel o'r bla'n – y Cyngor Llyfrau, yr Academi, y cylchgronau, ysgoloriaethau, gwobrau, grantiau i gyhoeddwyr ac ati – felly o hyn ymla'n soniaf am gynlluniau newydd yn unig.

Amharwyd ar fy ngwaith beunyddiol yn yr Adran Lenyddiaeth am sbelan ar ôl imi gael damwain ar yr M4 tra oeddwn yn mynd i gyfarfod yn Llandysul ar 27 Hydref 1984. Gyrrais i mewn i gre o geffylau trymion, gan ladd un ohonynt a mynd oddi ar y ffordd ac i lawr y dibyn. Digwyddws hyn yn ystod streic y glowyr ac fe'm hachubwyd gan yr heddlu a o'dd yn swato o dan un o'r pontydd ar y fodurffordd. Treuliais wythnos yn yr ysbyty tra o'dd y llarpiadau ar fy ngwyneb yn cael eu trin ac wedyn rhyw fis i wella'n llwyr. Cetho i lu o gardiau'n dymuno gwellhad buan imi ond dim gair gan John a Huw Lewis, cyfarwyddwyr Gwasg Gomer, a o'dd wedi gofyn imi fod yn bresennol mewn cyfweliadau ar gyfer swydd golygydd y bore hwnnw. Penodwyd Cathryn Gwynn, merch Mairwen a Gwynn Jones, a dda'th yn y man yn ail wraig i Peter Jones, Cyfarwyddwr Celf y Cyngor, a fu farw'n ddiweddar.

Ymhlith y pethau cyntaf a wna'th y Pwyllgor ym 1983 o'dd noddi darlleniad gan R. S. Thomas yn Theatr y Sherman ar achlysur ei ben-blwydd yn 70 o'd. Darllenodd y bardd nifer o gerddi yn ei lais undonog heb air o eglurhad ond i weud, 'They all seem the same to me.' Na, ni chanwyd 'Pen-blwydd hapus, Mr Thomas' wedyn. Ymhlith y darllenwyr eraill o'dd Raymond Garlick ac R. Gerallt Jones, a dangoswyd ffilm John Ormond am y bardd. Ro'n i'n hoff iawn o Gerallt ac ergyd fawr o'dd ei golli ym 1999.

Ym 1983, hefyd, penodwyd Alan Llwyd yn Drefnydd y Gymdeithas Gerdd Dafod. Dros y degawd nesaf cetho i ambell i sgwrs gydag Alan i'r perwyl nad o'dd ei gyd-Gymry yn ei lawn werthfawrogi. Ni lwyddais i'w ddarbwyllo nad o'dd hyn yn wir a thros y blynyddo'dd a'th ei baranoia o ddrwg i wa'th. Ar yr un pryd, ni adewais i hyn effeithio ar gefnogaeth y Cyngor i'r Gymdeithas ac elwodd Alan, y bardd a'r swyddog, ar ei nawdd sawl tro. Ro'dd e dal yn conan nad o'dd ei gyd-Gymry yn ei werthfawrogi pan adawodd ei swydd ym mis Mehefin 2011. Dyraniad y Cyngor i lenyddiaeth ym 1983/4 o'dd £510,900 – y tro cyntaf i'r swm fynd yn uwch na hanner miliwn.

Cyflwynwyd papur ardderchog gan Ned Thomas ar gylchgrawn Saesneg newydd ym mis Tachwedd 1983 a rhoddws y Pwyllgor sêl ei fendith ar y fenter, gan nodi ei hyder yng ngallu Ned fel golygydd-gyhoeddwr ac yn gweld yn y cais ddawn, ymrwymiad ac arbenigrwydd technolegol a oedd yn argoeli'n dda ar gyfer llwyddiant y fenter. Gwelodd *Planet* ar ei newydd wedd olau dydd ym 1985. Sicrheais ei fod yn derbyn nawdd digonol o'r cychwyn cyntaf ac mae wedi mynd o nerth i nerth ers hynny, yn enwedig o dan olygyddiaeth alluog John Barnie a Helle Michelsen.

Ro'dd rhaid imi rannu dyletswydd athrist â Ned Thomas ym mis Gorffennaf 1983 pan gwympws ein cyfaill Paolo Pistoi, ysgolhaig ifanc o'r Eidal, oddi ar Graig Glais, sef y clogwyn uwchben y prom yn Aberystwyth. Ro'dd e wedi dod i Gymru i 'sgrifennu llyfr am ein gwlad, gan ei fod yn awdurdod ar genhedloedd bychain ac ieithoedd lleiafrifol Ewrop. Do'dd dim tystion i'r ddamwain erchyll hon, ond rhaid bod yr houl yn machlud dros Fae Ceredigion wedi dallu'r Eidalwr dawnus hwn a daethpwyd o hyd i'w gorff ar y traeth fore tranno'th. Cetho i'r gorchwyl o yrru ei rieni o Gaerdydd i Aberystwyth ac ro'dd Ned yn delio â'r heddlu a'r ysbyty. Sefydlodd Ned a finnau gronfa er cof am Paolo a chyda'r arian rydym wedi hala Cymry ifainc dramor ac wedi talu i bobol o wledydd eraill astudio yn ein gwlad ni.

Ymddeolodd Aneurin Thomas o'i swydd fel Cyfarwyddwr y Cyngor ym mis Mawrth 1984. Ro'n i wedi dod ymla'n yn dda gydag e nes ei fod yn dod yn agos at ei ymddeoliad, pan drodd yn bigog tuag at ei gyd-weithwrs a cholli diddordeb yn y gwaith, gan dreulio oriau ar eu hyd yn darllen yn ei swyddfa. Yr unig beth abythdu Aneurin a o'dd yn hala ysgryd arno i o'dd ei ffordd gwmpasog o drafod pethau. Ro'dd gydag e'r ddawn o weud pethau anffodus hefyd: codws wrychyn nifer o artistiaid siwrne pan wetws ar y teledu, 'Os cynhelir cynhadledd o forloi gallwch fod yn siŵr y byddant yn galw am ragor o bysgod.' Sylw bach anno'th i'w wneud gan brif swyddog Cyngor y Celfyddydau! Ar achlysur arall, tra o'dden ni'n derbyn Conswl Nigeria a'i fab yn swyddfeydd y Cyngor, gofynnodd beth o'dd y mab, bachan soffistigedig dros ben wedi'i wisgo i safon Savile Row, yn ei wneud yn Llundain. Ro'dd e yn ei bumed flwyddyn yn Ysbyty Guy's, o'dd yr ateb. 'Oh, very good,' meddai Aneurin, 'so you're a medicine man.' Llyncodd pawb jòch o sieri i gwato eu hembaras.

Ond dyn caredig ac agos-atoch-chi o'dd Aneurin i'w gymharu â'i olynydd, sef Thomas Arfon Owen, cyn-Gofrestrydd Coleg Prifysgol Cymru, Aberystwyth, a benodwyd i'r swydd ym mis Ebrill 1984. Un hunanol a hynod o oeraidd o'dd Tom Owen yn fy mhrofiad i. Ni allwn ei barchu na dod ymla'n ag e, gwaetha'r modd. Dymuniad Peter Jones, y Cyfarwyddwr Celf, a minnau o'dd y byddai'r Cyngor yn penodi Roy Bohana, y Cyfarwyddwr Cerddoriaeth a'r Dirprwy Gyfarwyddwr, ond nid felly y bu.

Pan ymddeolodd Walford Davies o gadeiryddiaeth y Pwyllgor ar ddiwedd 1985/6 diolchwyd iddo am ei waith dygn dros y Pwyllgor er 1976 ac fel Cadeirydd er 1983. Gyda chymeradwyaeth gynnes yr aelodau a'r swyddogion, cyflwynwyd iddo gopi o gerddi Dafydd ap Gwilym mewn argraffiad cain gan Wasg Gregynog.

Da'th 1986 i ben ar nodyn pleserus pan ddyfarnwyd Cymrodoriaeth imi yng Ngholeg Dewi Sant, Llanbedr Pont Steffan. Dyma'r tro cyntaf i rywun gydnabod fy nghyfraniad i fywyd llenyddol Cymru ers imi gael Gwisg Wen Gorsedd y Beirdd ym 1976 a derbyniais yr anrhydedd yn ddiolchgar. Yr unig beth a gofiaf am y seremoni o'dd imi eistedd gydag Euros Bowen, fy nghyd-Gymrawd, a gorfod gwrando arno'n anghymeradwyo mewn llais uchel yr hyn a wetwyd amdano o'r llwyfan. Un enwog am ei ebychiadau o'dd Euros. Gofynnodd rhywun siwrne beth o'dd ei farn am Kate Roberts, a o'dd wedi dod i gyfarfod yr Academi yn yr un car ag Euros, ac a o'dd nawr yn yr un ystafell, a gwetws heb flewyn ar ei dafod, 'Mae Dr Kate yn mynd ar fy mlydi tits i!'

Erbyn hyn ro'n i wedi casglu nifer o englynion amdano i, yr Academi a gwaith y Pwyllgor Llenyddiaeth, y rhan fwyaf ohonynt o dudalennau *Lol* a *Barddas*. Dyma rai ohonynt:

Noddwr ein crachlenyddiaeth – ie, arwr
   Yn arwr grantyddiaeth;
  Mawr ei ddawn ym marddoniaeth
  Ein tir, ein Mishtir a'n maeth.

I'w staff ac i Feic Steffan – mae 'niolch
   Am y newydd syfrdan;
  Gyda'i gŵr yn siŵr daw Siân
  I'r Oriel am yr arian.
                       Dic Jones, am dderbyn gwobr

Haelach yw dy gynhaliaeth – na rhoddion
   Rhydderch ein chwedloniaeth,
  Mordaf cu y canu coeth
  A llaw Nudd ein llenyddiaeth.

Hael nawdd i'r crachlenyddol – a cheidwad
   'Rychydig clicyddol;
  Ffei arno! Mae'n uffernol,
  Dim lysh, dim dime i *Lol*!

Wele, os oer ei chalon yw Cymru
   Mae Cymro twymgalon
  Yn ei dŷ ger Heol Don
  Yn noddi awenyddion.

Awdur yr olaf o'r englynion hyn o'dd T. Arfon Williams. Ro'dd Arfon yn gymydog inni yn yr Eglwys Newydd ac ro'n ni'n arfer cwrdd o leiaf unwaith yr wythnos i roi'r byd llenyddol yn ei le. Heini Gruffudd, brawd Robat, o'dd awdur rhai o'r englynion eraill, mae'n debyg.

1986–1990

Cadeirydd y Pwyllgor yn ystod y cyfnod hwn, ac am rai blynyddo'dd wedyn, o'dd M. Wynn Thomas, Darlithydd yn yr Adran Saesneg yng Ngholeg y Brifysgol, Abertawe ar y pryd ac Athro'n ddiweddarach. Cymro glân gloyw yw Wynn ac un unigryw ymhlith Cadeiryddion y Pwyllgor er 1967 yn ei ddiddordeb brwd a gwybodus yn nwy lenyddiaeth ein gwlad. Barn Wynn o'r dechrau o'dd na ddylid gadael i ddiffyg arian lesteirio gwaith y Pwyllgor ond, ar yr un pryd, ro'dd am iddo gatw pob agwedd o'i raglen o dan ystyriaeth. Dyraniad y Cyngor ym 1986/7 o'dd £566,500.

Dechreuws 1986 gyda chyhoeddi *Cydymaith i Lenyddiaeth Cymru/The Oxford Companion to the Literature of Wales*. Lansiwyd y ddwy gyfrol mewn derbyniadau yng Nghaernarfon, Aberystwyth a Chaerdydd. Gollyngdod mawr o'dd hyn imi. Ro'n i wedi treulio wyth mlynedd yn casglu a golygu'r cofnodion ac ro'n i wedi blino'n lân yn gweithio deg awr y dydd, saith diwrnod yr wythnos. Derbyniais englyn arall toc wedyn gan fy nghyfaill Arfon Williams:

O weld mor llawn y grawnwin, winllanwr
　Ein llên, buost ddiflin
　Iawn er rhoi dau fath ar win
　Yn hwylus wrth benelin.

Da'th Cadeirydd newydd y Cyngor, sef Mathew Prichard, i gyfarfod y Pwyllgor ym mis Tachwedd 1986 a siaradws Wynn Thomas a'r aelodau eraill yn bla'n unwaith yn rhagor am yr angen i ariannu llenyddiaeth yn fwy digonol. Ro'dd ysbryd y Pwyllgor yn bur isel, meddai Wynn, a phwysleisiodd aelod arall mai'r hyn y gofynnid amdano o'dd nace cymryd arian oddi ar y Pwyllgorau eraill ond cyfran helaethach o'r cynnydd a o'dd i ddod yn y flwyddyn ganlynol. Teimlai Mathew Prichard, a o'dd yn ddyn y celfyddydau gweledol yn y bôn er gwaethaf ei gysylltiadau ag ystâd lenyddol ei fodryb Agatha Christie a Gwobr Booker, na fyddai hynny'n dderbyniol gan y Cyngor. Eto i gyd, rhoddws y dyn cyfoethog hwn bron i £2,000 tuag at gostau'r *Cydymaith*, a hynny heb fod y Pwyllgor wedi gofyn amdano.

Y prif bwnc dan sylw'r Pwyllgor yn ystod 1986/7 o'dd nawdd y Cyngor i gylchgronau. Cafwyd adroddiad rhagarweiniol gan Rhodri Williams ym mis Tachwedd 1986. Hysbysodd y Pwyllgor mai siomedig fu ymateb y cyhoedd i'r gwahoddiad i gyflwyno sylwadau ar y cylchgronau a noddid a do'dd yr wybodaeth a ddarparwyd gan y golygyddion a'r cyhoeddwyr ddim yn ddigonol 'chwaith. Y cylchgronau a gyhoeddid gan grwpiau megis y Gymdeithas Gerdd Dafod o'dd yr unig rai a gyfrannodd fanylion buddiol. Do'dd gan rai golygyddion fawr o syniad faint o gopïau yr o'dd eu cylchgronau'n gwerthu. Yn wa'th byth, da'th yn amlwg fod rhai o'r cyhoeddwyr yn derbyn cymhorthdal y Cyngor fesul blwyddyn heb unrhyw fwriad o ddefnyddio'r arian i wella'r ansawdd na chynyddu'r cylchrediad. Yn sicr, ro'dd yr amser wedi dod i'w siglo o'u difrawder.

Da'th pethau i fwcwl ym mis Ebrill 1987. Cyn dod at drafodaeth ar femorandwm Rhodri Williams atgoffodd Wynn yr aelodau taw hwn o'dd canfed cyfarfod y Pwyllgor ac felly ei fod yn achlysur o foddhad tawel o ystyried y rhan a gymerodd dros gyfnod o ucen mlynedd yn trawsnewid y byd llenyddol yng Nghymru. Yr o'dd yn gyd-ddigwyddiad, meddai ymhellach, fod union gant o aelodau wedi gwasanaethu'r Pwyllgor ers ei sefydlu ym 1967, ac yr o'dd am gydnabod eu cyfraniad nhw yn ogystal. Awgrymodd hefyd fod y Cyfarwyddwr Llenyddiaeth, fel yr unig un a fu'n bresennol ym mhob un o'r cyfarfodydd, i'w longyfarch ar ei ran yng ngwaith y Pwyllgor. Ro'dd hynny'n garedig ar ran Wynn ond do'dd dim angen cyfeirio ato i gan taw fy swydd i o'dd gwasanaethu'r Cyngor yn y modd hwn. 'Ardd cŷd bych, ardd cŷd ni bych,' ys dywed John Davies yn ei *Dictionarium Duplex*, neu yng ngeiriau mwy dealladwy Joseph Jenkins, 'Dan ei faich mae dyn i fod.'

126

Dyma brif sylwadau Rhodri Williams ar gylchgronau Cymru a dderbyniai nawdd y Cyngor. Ro'dd y cyhoedd wedi beirniadu'r *Anglo-Welsh Review* ar gownt ei ddiwyg sych, hynafol a di-liw; ro'dd dyheadau'r golygydd ei hunan, sef Greg Hill, wedi eu llesteirio gan ddiffyg cydweithrediad a gweledigaeth y cyhoeddwr, Five Arches Press yn Arberth. Ro'dd ymateb y beirdd wedi bod yn ffafriol iawn i *Barddas*, a o'dd wedi cynyddu ei gylchrediad yn sylweddol. Wedi blynyddo'dd o ddirywio, yr o'dd *Barn* bellach yn dechrau dangos arwyddion o wellhad. Yr o'dd *Y Casglwr*, a o'dd wedi dwblu ei gylchrediad mewn pum mlynedd, yn fodel o shwt y dylid defnyddio nawdd y Cyngor. Cafwyd ymateb llawn gan *Planet*, ac ym mhob agwedd dangosodd y golygydd ymrwymiad i safonau proffesiynol. Amlygodd golygydd a chyhoeddwr *Poetry Wales* ddifrawder anhygoel tuag at yr arolwg: pan ymwelwyd ag e, conan wna'th y golygydd, Mike Jenkins, nad o'dd ganddo ddigon o amser i gwpla ei dasg, a bu bron i'r cylchgrawn golli ei nawdd o'i herwydd. Argymhellwyd y dylid diddymu'r grant i'r *Powys Review* yn ddiymdroi gan nad o'dd ei gynnwys yn ganolog i fywyd llenyddol Cymru. O dderbyn mai *Taliesin* o'dd prif gyfrwng 'sgrifennu creadigol yn y Gymraeg, fe'i cafwyd yn rhyfeddol o anniddorol, a gofynnwyd i aelodau'r Academi fuddsoddi mwy o'u hymdrechion hwy eu hunain i geisio gwella'r cylchgrawn. Er gwaethaf ei ddiwyg di-fflach a'i ddarllenwyr a o'dd yn prinhau o flwyddyn i flwyddyn, ro'dd cynnwys *Y Traethodydd* yn cynnal safon uchel iawn.

Yr argymhelliad mwyaf dadleuol o'dd yr un a wna'th Rhodri Williams parthed *Y Faner*. Dyma'r cylchgrawn anoddaf i'w asesu, meddai, oherwydd amharodrwydd y perchnogion, Gwasg y Sir, i gydweithredu ag e. Unig sylw y brodyr Evans o'dd nad o'dd y cylchgrawn yn derbyn digon o nawdd a'i fod yn colli dros £20,000 bob blwyddyn. Erbyn hyn ro'dd Emyr Price wedi ymddiswyddo o olygyddiaeth y papur ac ro'dd Hafina Clwyd wedi dod yn ei le. Beirniadodd Meg Dafydd, golygydd dros dro ar un adeg, arferion gweithio'r Wasg, yn arbennig y peiriannau argraffu hynafol, prinder adnoddau i'r staff, dulliau dosbarthu cwbl annigonol, diffyg cydweithrediad rhynt y perchnogion a'r golygydd ac ymyrraeth fynych yn ei gwaith beunyddiol. Mynegwyd cryn dicyn o gydymdeimlad â Hafina Clwyd druan, a o'dd yn gorfod gweithio o dan amodau mor ddiflas. Awgrymwyd mai'r unig ffordd i sicrhau dyfodol i'r *Faner* fyddai trosglwyddo'r berchnogaeth i ofal ymddiriedolaeth; cafwyd cefnogaeth i'r syniad hwn gan Robat Gruffudd o Wasg y Lolfa, ond ddigwyddws dim.

Da'th Rhodri Williams i'r casgliad fod y ffigyrau a gyflwynwyd gan Wasg y Sir yn gwbl annibynadwy ac fe argymhellodd y dylai'r Cyngor atal ei nawdd cyn gynted ag yr o'dd modd. Ar yr un pryd, ro'dd e o'r farn fod angen cylchgrawn wythnosol yn y Gymraeg. Ca's y Cyngor ei feirniadu am ei ddiffyg polisi ar gyfer y cylchgronau; er gwaethaf dau bapur polisi er 1979, a grantiau ar raddfa gynyddol, do'dd y Cyngor ddim wedi mabwysiadu unrhyw bolisi cynhwysfawr, meddai Rhodri. Er hynny, gwariwyd cyfanswm o £156,030 ar gylchgronau ym 1987/8.

O ganlyniad i femorandwm Rhodri Williams, ac ar ôl trafodaeth hir a thanbaid, cytunwyd y dylid hysbysu Gwasg y Sir y byddai'r grant i'r *Faner* yn dod i ben ar ddiwedd blwyddyn ariannol 1987/8. Do'dd y Pwyllgor bellach ddim yn gallu cynnal cylchgrawn nad o'dd yn ei hanfod yn un llenyddol ac yr o'dd o'r farn y byddai'n fwy addas i'r *Faner*, beth bynnag, gael ei noddi o ffynhonnell arall. Cymerws John Roberts Williams, newyddiadurwr profiadol, ran amlwg yn y drafodaeth hon ac ro'dd yn gryf o blaid diddymu'r grant. Ond y prif reswm dros beidio rhoi rhagor o arian i Wasg y Sir o'dd nad o'dd y cyhoeddwyr yn fodlon cyflwyno datganiad llawn a chredadwy o'r sefyllfa ariannol.

Cynhaliodd y Cyngor gyfarfod cyhoeddus i drafod *Y Faner* yng Ngholeg Llyfrgellwyr Cymru ar 27 Mehefin 1987, pan gafwyd cyfraniadau o'r llwyfan gan Mathew Prichard, Wynn Thomas, Ned Thomas a Rhodri Williams. Cynhyrchodd y ddadl fwy o wres nag o oleuni, gyda'r hynafgwr Ithel Davies a phenboethiaid fel Neil Jenkins a W. J. Edwards yn taranu'n

erbyn y penderfyniad i atal nawdd y Cyngor ond heb ronyn o
ddealltwriaeth o anawsterau'r Pwyllgor a diffygion Gwasg y Sir
a heb yr awgrym lleiaf o beth ddylai'r cam nesaf fod. Derbyniwyd
nifer o lythyrau oddi wrth y cyhoedd, bron pob un yn feirniadol
o benderfyniad y Cyngor, ond ni dda'th un oddi wrth Wasg y Sir.
Prynwyd y teitl gan fy mrawd yng nghyfraith, David Meredith,
a'i briod Luned, a o'dd wedi gweithio fel Dirprwy Olygydd y
papur. Cadwyd y newyddiadurwr galluog Hafina Clwyd ymla'n
fel golygydd ond da'th einio's yr hen *Faner* i ben ym 1992. Ro'dd
y cyhoeddwyr wedi catw'r papur i fynd am bum mlynedd heb
gymhorthdal, wedi'r cyfan, sy'n awgrymu, ym marn rhai, nad
o'dd angen cymorth ariannol mewn gwirionedd. Bo'd hynny
fel y bo, dysgodd y Pwyllgor beidio byth rhoi nawdd i unrhyw
gyfnodolyn a argreffid gan ei gyhoeddwr 'to oherwydd nad o'dd
modd dibynnu ar ei ddatganiadau am gostau a chylchrediad
yn y fath amgylchiadau.

Ymddeolodd Alun Creunant Davies o'i swydd fel Cyfarwyddwr
y Cyngor Llyfrau ym mis Medi 1987 a phenodwyd Gwerfyl
Pierce Jones yn ei le. Cytunodd y Pwyllgor y dylwn i 'sgrifennu
at Alun i ddiolch iddo am ei gyfraniad ac am gydweithrediad
ffrwythlon rhynt y Cyngor Llyfrau a Chyngor y Celfyddydau
dros gyfnod o ryw ucen mlynedd. Ro'dd Alun Creunant yn fwy
na chyd-weithiwr imi: ro'dd yn ffrind yr o'n i'n gallu ymddiried
ynddo. Deilliai hyn, 'fallai, o'r ffaith ei fod ef, fel J. E. Caerwyn
Williams yntau, yn gyfaill da i'm tad yng nghyfraith, J. E.
Meredith. Er hynny, ro'dd rhaid imi wenu weithiau ar gownt ei
fodd o weithredu ac ro'dd ef o'r farn nad o'n i'n rhannu ei allu
i oddef ffyliaid yn hawdd.

Dyn ei filltir sgwâr o'dd Alun. Ro'dd 'dag e ryw gysylltiad
â Llangeitho. Bob prynhawn dydd Gwener arferai hala un o
ferched y Cyngor Llyfrau sha thre yn gynnar i brynu stampiau
ar gyfer yr wythnos ganlynol er mwyn helpu i gatw'r swyddfa
bost ar agor. Stori arall amdano: pan o'n i yn Stockholm ym
1971 yn ymweld â'r Academi Swedeg gyda golwg ar baratoi'r tir
i gais yr Academi i gael y Wobr Nobel i Saunders Lewis, cetho
i fy synnu i glywed y ffôn yn canu ar ddesg yr Ysgrifennydd a

phwy o'dd ar y lein ond Alun Creunant, yn awyddus i wypod a o'n i'n rhydd ar ryw ddyddiad arbennig i fynychu cyfarfod un o Baneli'r Cyngor Llyfrau. Pan wetais fy mod i, rhoddws y ffôn i lawr heb air ymhellach, fel pe buaswn i'n rhywle cyfagos fel Aberteifi. A'th y Wobr Nobel y flwyddyn honno i Pablo Neruda. Yr esboniad o'dd na fu Saunders Lewis yn gymwys i'w derbyn gan nad o'dd gan Gymru ei gwladwriaeth ei hunan.

Un cais yn unig dda'th am nawdd ar gyfer wythnosolyn Cymraeg a hynny oddi wrth grŵp dan arweiniad Dylan Iorwerth. Amlygwyd rhagoriaeth y cais hwn pan gyfarfu aelodau'r Panel Cylchgronau ym mis Rhagfyr 1987. Ond unwaith yn rhagor ro'dd y rhai wrth y llyw yn or-optimistig cyn belled ag yr o'dd cylchrediad arfaethedig y cylchgrawn yn y cwestiwn: disgwylid gwerthiant o 5,000 o gopïau ymhen tair blynedd. Er hynny, croesawodd y Pwyllgor fwriad y grŵp i gynhyrchu cylchgrawn wythnosol a fyddai'n ymdrin ag ystod eang o bynciau mewn arddull fywiog a darllenadwy. Gwnaeth huodledd Dylan Iorwerth gryn argraff ar aelodau'r Panel. Teimlai'r Pwyllgor y gwnâi *Golwg* gyfraniad sylweddol i newyddiaduraeth Gymraeg yn gyffredinol ac i gyhoeddusrwydd i'r celfyddydau yn arbennig, ac felly, gyda chryn frwdfrydedd, argymhellodd osod y cais gerbron y Cyngor. Ar yr un pryd, penderfynwyd rhoi cymhorthdal i gylchgrawn newydd yn Saesneg, sef *The New Welsh Review*. Cynyddodd cyllid y Pwyllgor i £747,600 ym 1988/9.

Cymerws y Pwyllgor gamau tuag at sefydlu canolfan i awduron fel y ddwy yn Lloegr a weinyddid gan yr Arvon Foundation. Do'dd Emyr Humphreys, a o'dd yn aelod o'r Pwyllgor a'r Cyngor ar y pryd, ddim yn llwyr o blaid y syniad ac ro'dd Ann Ffrancon yn awyddus i beidio cydweithredu â chorff Seisnig. Serch hynny, yng ngwanwyn 1989, ar ôl ymweld â chanolfan Arvon yn Nyfnaint, dechreuais 'whilio am dŷ addas ar gyfer rhywpeth tebyg i Gymru, gan ymweld â Chae'r Saer, eiddo Ystâd Garthgwynion yng nghyffiniau Machynlleth, a hynny ar wahoddiad Ruth Lambert, sylfaenydd MOMA. Wedi dod o hyd iddo, dychwelais yng nghwmni Gillian Clarke, a o'dd ar dân dros y syniad o'r cychwyn cyntaf. Ar ôl rhai miso'dd penderfynws yr Ystâd nad o'dd yn fodlon gosod y tŷ ar les i Ymddiriedolaeth Taliesin, yr elusen o'dd yn mynd i fod yn gyfrifol am y ganolfan, a bu'n rhaid 'whilio drachefen.

Yna, er mawr syndod i mi, cetho i alwad ffôn gan rywun o'r enw Sally Baker a o'dd wedi clywed bod y Cyngor yn 'whilio am dŷ a fyddai'n addas i fod yn ganolfan awduron ac yn gofyn a fyddai Tŷ Newydd, hen gartref Lloyd George ger Llanystumdwy, yn gwneud y tro. Es i yno yn ddiymdroi a dychwelyd toc am gewc arall yng nghwmni Gillian. Ro'dd y ddau ohonom yn gytûn y byddai'r lle yn ddelfrydol i'n pwrpas. Erbyn mis Tachwedd 1989 ro'n i'n gallu adrodd i'r Pwyllgor Llenyddiaeth fy mod i wedi dod o hyd i dŷ a bod y perchnogion, Sally Baker ac Elis Gwyn Jones, yn awyddus iawn i gydweithredu â'r Ymddiriedolaeth.

Es i ati i geisio codi arian ar gyfer y fenter a llwyddais i ddod o hyd i £15,000 fel cronfa gychwynnol. Ymhlith yr unigolion cyntaf i gyfrannu ro'dd Sally Burton, gweddw'r actor, a'r awduron Elaine Morgan, Glyn Jones, Raymond Garlick a Gerard Casey, a chyfrannodd Cyngor Celfyddydau Prydain Fawr £3,000 i'w ychwanegu at y £25,000 yr o'dd Cyngor Celfyddydau Cymru wedi ei glustnodi eiso's. Treuliais amser yn paentio waliau a silffo'dd llyfrau yn un o brif ystafello'dd y tŷ hefyd. Wedi ymdrechu mor galed i sefydlu'r ganolfan, ac wrth ddishcwl yn ôl, rhyfedd meddwl na chetho i'r un gwahoddiad i arwain cwrs yn Nhŷ Newydd erio'd, nac i fod yn bresennol ar achlysur degfed pen-blwydd y ganolfan. Rhyfedd o fyd!

Es i'r Undeb Sofietaidd ym mis Rhagfyr 1989 yng nghwmni Wynn Thomas a Michael Parnell fel gwesteion yr Undeb Awduron. Ro'dd pethau'n weddol yn Talinn, prifddinas Estonia, ond yn Kiev, prifddinas yr Wcráin, ro'dd y gyfundrefn yn prysur dorri'n shib-ar-hals ar bob llaw. Do'dd dim bwyd i'w gael yn y gwesty, ro'dd y siopau'n wag ac ar gornel pob stryd ac yn y Metro, sef y rheilffordd danddaearol, gwelson ni dorfeydd enfawr yn 'whifio baneri ac yn gweiddi sloganau yn erbyn Comiwnyddiaeth. Do'dd pethau ddim yn llawer gwell

ym Mosco, er nad aethon ni mas rhyw lawer oherwydd ro'dd
y tymheredd wedi cwympo o dan minws ucen gradd. Dyna fy
seithfed ymweliad â'r Undeb Sofietaidd, a'r un olaf, a gwelais
ddirywiad yn y safon byw a mwy o anghytgord nag erio'd. Ro'dd
yr Ymerodraeth ar fin torri lan, fel mae pob ymerodraeth yn
torri lan yn hwyr neu'n hwyrach, ac ro'dden ni yng nghanol yr
helbul.

Ca's llenyddiaeth Saesneg Cymru dicyn bach o lwc annisgwyl
ym 1990. Derbyniais alwad ffôn gan Lewis Davies, brawd yr
awdur Rhys Davies, a o'dd yn awyddus i roi £100,000 i mi'n
bersonol fel cyfraniad tuag at y gost o hybu gwaith awduron
Saesneg Cymru. Gyrrais fel Jehu i Lewes, ger Brighton, i gwrdd
â'r gŵr bonheddig hwn. Llyfrgellydd ydo'dd o ran galwedigaeth,
hen lanc a o'dd wedi etifeddu ystâd lenyddol ei frawd hŷn yn
ogystal ag arian ei dair 'wha'r. Pan ofynnais i Lewis pam yr
o'dd am roi ei arian bant fel hyn, gwetws, 'I'd turn in my grave
to think that awful woman might get her hands on it'; cyfeirio
yr o'dd at Margaret Thatcher, wrth gwrs. Er bod Lewis am roi'r
arian i mi'n bersonol, esboniais y byddai'n well creu elusen
i fod yn gyfrifol amdano, a chytunodd ar hynny. Ar ôl dod
dros y sioc, es i ati, yn fy amser preifat ond gyda bendith y
Cyngor, i sefydlu Ymddiriedolaeth Rhys Davies. Yn y man fe'm
gwnaethpwyd yn Ysgrifennydd ac rwyf dal yn y swydd honno
heddi.

Gadewais Gyngor y Celfyddydau ym mis Gorffennaf 1990,
wedi treulio wythnos ym Mhrâg gyda Vlad'ka a Leoš Šatava,
darlithwyr ym Mhrifysgol Charles a hen gyfeillion. Ro'dd
y Cyngor wedi bod yn gyflogwr da ar hyd y blynyddo'dd ac
fe roddwyd telerau hael imi ymddeol yn gynnar. Derbyniais
ddymuniadau gorau'r Pwyllgor Llenyddiaeth ynghyd â rhodd
o arian a gedwais am ychydig cyn ei wario ar lun gan Ernest
Zobole, un o'm hoff baentwyr. Da'th llythyrau caredig oddi
wrth Glyn Tegai Hughes, Prys Morgan, Roland Mathias,
Walford Davies a Wynn Thomas, cyn-Gadeiryddion y Pwyllgor,
a Gwyn Jones, cyn-Gadeirydd y Cyngor a o'dd wedi fy mhenodi
yn ôl ym 1967. Ar ben hynny, 'sgrifennodd myrdd o awduron

a chynrychiolwyr cyrff cyhoeddus ata' i, ac ro'dd hynny'n hwb mawr i'm calon. Cyfeiriodd pob un at fy ngwaith gyda'r Cyngor a'm clodfori am y rhan yr o'n i wedi ei 'whara'n hyrwyddo llenyddiaeth ein gwlad.

Ond nid dyma'r amser i ddishcwl yn ôl. Ro'dd pennod newydd yn fy hanes ar fin agor.

6

Y ferch o Glasgwm

UN O'R PETHAU a orweddai'n drwm ar fy meddwl trwy gydol yr Wyth Degau, tra o'n i gyda Chyngor y Celfyddydau, o'dd yr hyn a ddysgais oddi wrth Monica Jones, merch Anti Gwen, yn ystod fy ymweliad â'i chartref yn Llundain ym mis Gorffennaf 1962: ro'dd fy nhad yn blentyn siawns. Treuliais gryn dicyn o'm hamser dros y blynyddo'dd nesaf yn ceisio dod o hyd i'w fam ac, yn y man, ei dad. Ro'dd yn weddol hawdd cael manylion am ei fam ond cymerais tan 2002 i wypod er sicrwydd pwy o'dd ei dad. Yn ffodus, mae hyd yn o'd y bywyd mwyaf di-nod yn gadael olion. Mater o holi a 'whilota o'dd 'whilio am ei fam ond ro'dd rhaid imi ddefnyddio dull mwy gwyddonol i sefydlu pwy o'dd ei dad, sef DNA.

O'dd, ro'dd fy nhad yn fastard. Do'dd e ddim mewn unrhyw fodd yn ddyn angharedig neu'n annymunol. Yn wir, gŵr mwyn a chymdeithasgar ydo'dd yng ngolwg pawb. Eto i gyd, ro'dd yn blentyn anghyfreithlon, plentyn gordderch, cyswynfab, plentyn llwyn a pherth, plentyn pen domen, cyw horddach, plentyn y cloddiau, cyw tin clawdd, plentyn trwy'r clawdd, plentyn anllad, plentyn golau leuad, plentyn y gwair, anhap ei fam, heb fraint clerigwyr, heb fantais ystâd sanctaidd priodas a'r holl enwau lliwgar eraill a roddwyd ers talwm ar blentyn i fam a thad nad o'dd yn briod. Rhyfedd shwt gymaint o enwau sydd yn y Gymraeg am blentyn siawns, a hynny, 'fallai, oherwydd bod shwt gymaint o blant felly. Ond eto, do'dd fy nhad ddim yn blentyn serch.

Ca's fy nhad ei gwnnu yn Hewlgerrig, pentre ar y tyla ar ochor

orllewinol Merthyr Tudful, gan William Stephens, plismon, a'i
wraig Elizabeth. Siaradai rywfaint o Gymraeg, iaith y pentre,
pan o'dd yn blentyn. Ro'dd gan William Stephens fab, Billy,
a dwy ferch, sef Anti Annie ac Anti Gwen, gan ei ail wraig,
Rebecca *née* Giles, un o'r teulu a o'dd piau'r crochendy yn
Rhymni, ger Caerdydd, ar un adeg. Enw ei wraig gyntaf o'dd
Esther Hancock *née* Parrott; aelod o'r un teulu yw Ian Parrott,
y cerddor. Cetho i ar ddeall gan fy rhieni taw hanner-'whiorydd
o'dd Annie a Gwen i Nhad, ond do'dd hynny ddim yn wir o ran
gwa'd. Ta wa'th, dechreuais 'whilio am y teulu yn Hewlgerrig,
neu Pen-rhewl, fel y'i gelwid yn lleol. Llwyddais i gael gafael
ar henwr a gofiai 'Bobby Stephens' ac ar ei olynydd, 'Dan the
Bobby', y ddau mewn gwth o oedran, ond ni chofiai neb fy
nhad. Do'dd ei dystysgrif geni ddim yn swyddfa Cofrestrydd
Merthyr 'chwaith.

Mewn sgwrs gyda Nhad ym mis Hydref 1979 dysgais
fod William Stephens, a alwai'n dad iddo, wedi ymddeol o'r
heddlu ym 1919 pan fyddai Nhad yn naw mlwydd o'd. Aethant
i fyw yn Lower Ruspidge, ger Cinderford yn Fforest Dena, lle
o'dd gwreiddiau Elizabeth Stephens. Ond rhyw bythefnos yn
ddiweddarach bu farw William o fadredd a genglo ar ôl torri
co'd tân yn yr ardd. Clywodd Nhad fod ei dad wedi marw
gan ddyn y lla'th tra o'dd ar ei ffordd sha thre o'r ysgol: 'You
better get on home, old butty, your father's dead.' Fe es i Lower
Ruspidge i 'whilio am rywun a gofiai Elizabeth Stephens, ac i
Devauden yn Sir Fynwy, cartref William Stephens, ond yn ofer.
Tua blwyddyn yn ddiweddarach symudws Elizabeth a Nhad
yn ôl i Gymru gan ymgartrefu yn Nantgarw yng Nghwm Taf a
phriodws hi William Christmas Llewellyn, hen gariad iddi. Yn
Nantgarw ca's Nhad ei fagu o hynny ymla'n. Bu farw Elizabeth
pan o'n i'n flwydd o'd a William Llewellyn yn ystod epidemig
ffliw yng ngaeaf 1950/1.

Ble arall i ddechrau 'whilio? Do'n i ddim am blagio fy nhad
am y mater rhag ofon y byddwn yn codi ei amheuon fy mod ar
drywydd amgylchiadau ei eni. Yna, cetho i syniad y dyliwn fod
wedi ei ga'l ynghynt. Ysgrifennais at y Cofrestrydd Cyffredinol

i ofyn am gopi o dystysgrif geni fy nhad. Pan dda'th y ddogfen o Dŷ Santes Catrin yn Llundain rhyw wythnos wedyn gwelais enw mam fy nhad am y tro cyntaf: Annie Sophia Lloyd. Ond yn y man lle ro'dd enw ei dad i fod, dim byd. Yr hen stori, wrth gwrs: *pater semper incertus, mater certissima est.* Er hynny, rhoddwyd cyfeiriad ei fam: 'Blanebeddoe, Glescombe, Rads.' Rhoddwyd man geni y plentyn hefyd: 'The Green, Walton, near Old Radnor, Rads.' Pentrefyn yn hytrach na phentre yw Walton, yn agos iawn at y ffin â Lloegr, a dysgais yn ddiweddarach fod ewythr Annie Sophia yn bostmon yno. Dyddiad geni fy nhad o'dd 25 Chwefror 1910. Trwy gyd-ddigwyddiad, ar yr un dyddiad ro'dd ei fam yn ucen mlwydd o'd.

Da'th y newydd hwn yn sioc fawr i Nhad pan glywodd amdano. Treuliodd wythnos gyfan yn ei lofft yn ffaelu siarad na bwyta. Digwyddws hyn ychydig cyn iddo fe briodi fy mam ym 1935. Ro'dd amgylchiadau ei eni wedi cael eu datgelu i'm mam-gu gan 'wha'r i William Llewellyn mewn ymgais sbeitlyd i frifo ei wraig Elizabeth a o'dd wedi cwympo mas â hi. A'th fy mam-gu'n syth at fy nhad a gweud wrtho fe. A'th Nhad yn ei dro i weld Annie a Gwen ym Merthyr i ofyn a o'dd hyn yn wir, a cha's gadarnhad ei fod e. Ro'dd y babi wedi cyrraedd Hewlgerrig ychydig cyn Nadolig 1910, ynghyd â rhodd o gan sofren aur. Arferai ei fam, menyw dal, gwallt melyn, meddai Anti Annie wrtho i flynyddo'dd wedyn, ymweld â chartref William ac Elizabeth Stephens am ddwy neu dair blynedd arall, gyda basged o fenyn ac wyau o'r wlad bob tro, ond wrth i'r plentyn ddechrau prifio peidiodd â dod ac ni welsant hi byth wedyn. Ni wyddwn hynny ym 1979, wrth gwrs, ac ni wetais air wrth fy nhad am yr hyn a welais ar ei dystysgrif geni.

Ni wyddwn, 'chwaith, a o'dd Annie Sophia Lloyd yn fyw o hyd ac, felly, rhaid o'dd troedio'n ofalus iawn. Y peth nesaf imi ei wneud o'dd mynd i Glasgwm, pentre bychan yn y bryniau yn hen gantref Elfael ychydig i'r gogledd o Lanfair-ym-Muallt. Cerddais lan o Hundred House a thros Dwmpath y Cawr i'r cwmig lle gorweddai adfeilion Blaen-bedw. Ro'dd y tŷ wedi mynd i lawr, ys dywed pobol Sir Faesyfed: ro'dd y llawr uchaf wedi diflannu ac ro'dd pob math o geriach ar y llawr isaf. Ond ro'dd y pentan yn dal yno ac ro'dd gwydr yn rhai o'r ffenestri. Tyfai 'Charlie trees' mewn rhes o fla'n y tŷ a rhedai llwybr y porthmyn a nant fach, sef Twrch, heibio'r tŷ ac i lawr i'r pentre. Cymerais lychwan o'r grât oddi yno fel swfenîr o'm hymweliad.

Yn y pentre porais trwy gofnodion y plwyf a siarad ag amryw o hen bobol a o'dd yn cofio Annie Lloyd, neu Nancy Lloyd fel y'i gelwid, gan gynnwys Mr a Mrs Stan Jones, a gadwai'r swyddfa bost ac a o'dd piau Blaen-bedw bellach. Dywedsant fod Annie wedi cael 'by-blow' pan o'dd tuag ucen mlwydd o'd ond ni wyddai neb yn y pentre pwy o'dd tad y plentyn. Ro'dd hi wedi byw ym Mlaen-bedw gyda'i brawd, Hugh Lloyd, a weithiai hefyd yn y felin flawd yn Hundred House tan 1945. Ro'dd Annie (rwy'n mynd i'w galw hi felly, ac nid Nancy, er mwyn symleiddio pethau) wedi symud o'r ardal yn syth ar ôl genedigaeth ei phlentyn ac ni wyddai'r pentrefwyr i ble'r a'th hi. Clywais hefyd gan Mr a Mrs Jones fod rhywun wedi bod yng Nglasgwm rai blynyddo'dd yn gynharach yn holi am ei fam ac yn 'whilio am lun ohoni, ond do'dd neb yn gallu ei helpu. Fy nhad o'dd y dyn diarth hwnnw, heb os.

Wrth fynd drwy gofrestri Eglwys Dewi Sant yng Nglasgwm, darganfyddais fod Annie Lloyd, yn ddwy ar bymtheg mlwydd o'd, wedi bod yn gweini yn 'The Court', neu 'The Yat', sef tŷ mawr y pentre. Meddyliais ar unwaith fod ei phlentyn, 'fallai, wedi ei genhedlu gan un o'r teulu Vaughan a drigai yn y tŷ, a threuliais fiso'dd yn dishcwl i mewn i hanes y lle, gan gyhoeddi rhestr o ddeuddeg plentyn y teulu yng nghylchlythyr Cymdeithas Kilvert. Ond trywydd ffug o'dd hyn, fel shwt gymaint yr o'n i'w dilyn dros y blynyddo'dd.

Y cam nesaf o'dd 'whilio am Hugh Lloyd, yn y gobaith o ddod o hyd i'w 'wha'r Annie, 'fallai, a chymerodd hyn bron i flwyddyn gron. Cymhlethwyd y dasg gan y ffaith bod Hugh wedi priodi dair gwaith ac ro'dd ganddo bedair merch gan ei ddwy wraig gyntaf. Ro'dd pob un wedi symud o'r ardal. Ond trwy lwc, a dyfal donc, a llawer o waith ditectif, dechreuais gymryd camrau ymla'n gyda fy ymholiadau. Ro'dd un o ferched Hugh Lloyd, sef Dolly Lloyd, wedi marw yn Llanfair Llythyfnwg ym 1944 ac yn yr adroddiad o'i hanglodd yn y *Brecon and Radnor Express* gwelais restr o alarwyr ac yn eu plith enw ei modryb, Mrs A. Parsons o Lanllieni.

Fe es i ar unwaith i 'whilio am fenyw o'r enw hwn yn ardal Llanllieni, ond yn ofer. Trodd y cyfenw Parsons mas i fod yn gamsillafiad o Passant. Dysgais hyn ym mis Mawrth 1981 mewn adroddiad o anglodd Hugh Lloyd yn yr *Hereford Times*, lle gwelais gyfeiriad at Mr Alfred Passant, yn cynrychioli Mrs Passant, 'wha'r yr ymadawedig. Ymhlith y torchau yr o'dd 'na un 'from Annie and Alf, Hanwood'. A dyma shwt y des o hyd i fam fy nhad: ro'dd Annie Sophia Lloyd wedi priodi Alfred Cornelius Passant ac roeddyn nhw wedi byw yn Great Hanwood, nepell o Amwythig, er 1936.

Rhaid o'dd gwypod nawr a oeddyn nhw ar dir y byw o hyd. Yn amlosgfa Amwythig dysgais taw 1 Vine Cottages, Great Hanwood o'dd cyfeiriad Annie ac Alfred ond hefyd ei bod hi wedi marw ar 15 Ebrill 1971 yn 81 mlwydd o'd. Os o'n i wedi bod yn gobeithio cwrdd â hi, ro'n i'n rhy hwyr. Penderfynais wedyn i gael help cyfreithiwr er mwyn holi Alf Passant am ei ddiweddar wraig. Do'dd dim amcan 'da fi am ei hamgylchiadau ac, felly, meddyliais y byddai'n gall i fynd ato trwy rywun arall a fyddai â phrofiad o weithredu yn y modd hwn. Wrth imi fynd i mewn i swyddfa'r cyfreithiwr yng nghanol Amwythig cetho i fy synnu i weld Delwyn Williams, y cyn-Aelod Seneddol Torïaidd dros Sir Drefaldwyn. Do'n i ddim wedi meddwl rhyw lawer ohono pan o'dd yn Aelod Seneddol ond, 'whara teg, ro'dd yn barod iawn i'm helpu (am ffi fach) a chytunodd i fynd i Great Hanwood i alw ar Alf Passant. Toc wedyn ffoniodd i weud bod Alf yn byw yn Vine Cottages o hyd ond na wyddai am unrhyw blentyn a ga's Annie.

Cymerais ysbaid i droi pethau drosodd yn fy meddwl. Ro'n i wedi ffaelu dod o hyd i fam fy nhad tra'i bod hi'n fyw, ond nawr fy mod i'n gwypod ei bod hi wedi marw ro'n i'n gallu hastu ymla'n i ddarganfod rhagor amdani. Ys gwn i beth fyddai wedi

digwydd pe bai hi wedi bod yn dal ar dir y byw? A fyddwn i
wedi bod yn ddigon dewr i gysylltu â hi, ac a fyddai Nhad wedi
bod yn awyddus i gwrdd â'i fam, ac a fyddai hi wedi bod yn
barod i gwrdd ag e? Yn ffodus, ro'n ni wedi cael ein harbed
rhag y fath ystyriaethau. Do'ddwn i ddim am geisio dychmygu
ei hamcanion na'i thwmladau wrth roi ei phlentyn bant, gan
na wyddwn am ei hamgylchiadau ar y pryd. Cymerais yn
ganiataol nad o'dd hi mewn cariad â thad y plentyn a'i bod
hi'n rhy dlawd i'w gatw, ond yn fwy na hynny nid o'dd modd
gwypod.

Hwyrach y dylswn fod wedi tynnu fy ymholiadau i ben
nawr fy mod i'n gwypod bod Annie Sophia wedi marw. Ond
erbyn hyn ro'n i'n benderfynol o ddod o hyd i ragor o fanylion
amdani hi a phwy o'dd tad ei phlentyn. Gwastraffais rai
miso'dd yn ystod 1981 yn cysylltu â phlant Hugh Lloyd, sef
Dilys Pickersgill, Maisie Harris a Kathleen Tait, yn y gobaith y
byddent yn gwypod rhywpeth am blentyn eu modryb, ond eto'n
ofer. Yr unig beth a ddysgais gan Mrs Tait o'dd bod y teulu wedi
bod yn dlawd, ffaith yr o'dd hi'n twmlo cywilydd amdani o hyd.
Ro'dd trydedd gwraig Hugh Lloyd, sef Maude Owen, brodores
o Landrindod a fu'n ysgolfeistres yng Nglasgwm, wedi marw a
do'dd dim plant i'r briodas honno.

Do'dd dim dewis ond mynd i weld Alf Passant, y dyn
a briodws Annie Sophia ym 1936 pan o'dd hi'n bedwar deg
'whech mlwydd o'd ac yntau'n dri deg 'whech. Profiad rhyfedd
o'dd ishta ar yr aelwyd eithaf llwm yn 1 Vine Cottages, Great
Hanwood, lle ro'dd fy mam-gu wedi trigo cyhyd. Do'n i ddim
yn gallu gweud wrth Alf beth o'dd gwir bwrpas fy ymweliad
a gelwais fy hunan yn Roberts, gan sgwrsio am Glasgwm yn
bennaf. Ro'dd yn amlwg na wyddai am y plentyn yr o'dd ei
wraig wedi esgor arno ym 1910 a do'n i ddim am ddatgelu ei
chyfrinach. Ro'dd y briodas wedi bod yn un hapus a buws Alf
yn eithaf parod i siarad am ei ddiweddar wraig. Ro'dd Annie
yn 'dangarous', meddai, yn yr ystyr iddi fedru troi ei llaw at
unrhyw waith, yn enwedig gydag anifeiliaid. Adeiladydd o'dd
Alf. Ro'dd e wedi canlyn Annie am ddwy flynedd ar bymtheg

cyn ei phriodi. Y rheswm nad oeddyn nhw wedi priodi cyn hynny o'dd ei bod hi'n fodlon ar ei bywyd fel 'lady's companion' ar fferm o'r enw Weston, ger Priestweston, heb fod ymhell o Lanffynhonwen, unwaith 'to yn agos iawn at y ffin â Lloegr.

Cadarnhaodd Alf bod ei wraig yn hanu o Glasgwm a bod ei rhieni wedi marw ychydig ar ôl ei geni. Ro'dd hyn yn wir: claddwyd Hugh a Martha Lloyd yn Llanfihangel Dyffryn Arwy. Un o Wern-y-bwch, ger Huntington, o'dd Martha a Powell o'dd ei henw hi cyn priodi; mae'n bosibl ei bod hi'n perthyn i'r un teulu ag Anthony Powell, y nofelydd a hanai o'r Traveley ger Brulhai yn yr un ardal. Es i Lanfihangel Dyffryn Arwy (ro'dd Griffith John Williams o'r farn taw dyma'r enw lle hyfrytaf yng Nghymru) a gweld eu bedd gyda'r geiriau (yn Saesneg), 'Dysg i ni gyfrif ein dyddiau, fel y dygom ein calon i ddoethineb'; mae 'da fi lun o Martha Lloyd, sy'n debyg iawn i'm merch Heledd. Ond yn bwysicach byth, gwetws Alf bod Annie wedi gweithio yn Sheep House, fferm fawr yn y dyffryn filltir neu ddwy tu fas i'r Gelli Gandryll, cyn symud i fyw i Amwythig. Perchennog y fferm, meddai, o'dd dyn o'r enw John Watkeys Jones, bridiwr gwartheg o fri. Ar ben hynny, rhoddws Alf ddau ffotograff o'i wraig lle gwelai Ruth a fi debygrwydd mawr i Nhad ac i'n merch Heledd. Dyma'r tro cyntaf imi weld llun o'm mam-gu.

Y peth nesaf o'dd rhaid imi ei wneud o'dd darganfod cymaint â phosibl am John Watkeys Jones a Sheep House. A'th 'whech neu saith mlynedd heibio tra o'n i'n ymweld â phobol yr ardal yn y gobaith y byddai rhywun yn cofio Annie Lloyd. Yn hyn o beth cetho i gymorth amhrisiadwy Sheila Leitch o'r Clas-ar-wy, aelod blaenllaw o Gymdeithas Hanes Teuluol Powys ac achydd ymroddedig. Rhaid ein bod ni wedi siarad â rhyw gant o bobol, neu fwy, yn yr ymgais i gael enwau dynion a gyflogid yn yr ardal ym 1909/10. Yfais lawer i ddishgled o de a bwyta dwsinau o bice-ar-y-ma'n wrth i bobol y Gororau estyn croeso i'r dyn diarth a holai am rywun o'r enw Annie Sophia Lloyd. Es i lan llawer i lôn gul a throedio dros lawer i fuarth mwdlyd, a chael llawer i gi yn cyfarth arno i, fel rhan o'm hymchwilio yn y maes. Dysgais i beidio â gwasgu gormod am atebion yn y lle cyntaf ond i sgwrsio am yr hyn a'r llall gyda gwerin groesawgar Sir Faesyfed cyn dod at y pwynt. Cetho i foddhad mawr wrth wrando arnynt; 'Him be a cousin for we,' meddai un; pan ofynnais wrth un arall, 'Are you Mr Powell?' cetho i'r ateb carcus, 'If not him, who then?' neu weithiau, 'Who's asking?' Dysgais hefyd gryn lawer am Sir Faesyfed, y sir na ŵyr y Cymry ryw lawer amdani, 'whedl Ffransis G. Payne, a bod y rhicwm sy'n cyfeirio ati fel 'hen Saesnes rhonc' ymhell o fod yn wir.

Yna, ym mis Chwefror 1984, es i weld menyw o'r enw Joan Whittaker yn Mounton, ger Cas-gwent. Ro'n i wedi gweld cyfeiriad ati mewn adroddiad am anglodd Annie Sophia Passant lle y'i disgrifiwyd fel 'a very close friend'. Trodd mas ei bod hi'n nith i'r Mrs Davies, gwraig Harry Davies a o'dd yn berchen ar Weston yn Priestweston. Ro'dd hi wedi 'whara llawer tro gyda Lloydie, fel y'i gelwid hi, ac wedi aros mewn cysylltiad â hi ar ôl iddi briodi Alf Passant. Gelwais ar Joan Whittaker ar yr esgus o holi am deulu Lloyd o Glasgwm, gan ddefnyddio'r enw Roberts eto – rhag ofon.

Ymddiheurais am y twyll hwn ar fy ail ymweliad rhyw wythnos yn ddiweddarach pan roddais fy enw iawn a dychwelyd y lluniau yr o'dd hi wedi eu benthyg imi. Ro'dd wedi gwawrio arni fy mod i'n perthyn i Annie oherwydd, meddai, y tebygrwydd yn fy mhryd a'm gwedd, ac ro'dd hi'n hapus iawn i gwrdd ag ŵyr 'my heroine', dynes a o'dd wedi cael cryn ddylanwad arni tra o'dd hi'n tyfu lan. Do'dd Joan Whittaker ddim wedi clywed am unrhyw blentyn ond gwyddai fod gan Lloydie sboner o'r enw Joe ar un adeg; cadwai lun ohono yn ei hystafell, meddai, ac ro'dd ganddi hoff gath o'r un enw. Yn y llun ro'dd Joe yn gwisgo cap Glengarry a chilt. Buws farw yn ystod y Rhyfel Byd Cyntaf, meddai Lloydie. Ro'dd y manylyn hwn yn cyd-daro â'r hyn yr o'dd merch Anti Gwen wedi gweud wrtho i yn ôl ym 1962. Ysgrifennodd Joan Whittaker nifer o lythyrau ato i dros y deuddeg mis canlynol, gan ddisgrifio popeth yr o'dd hi'n ei gofio am Lloydie. Ro'n i'n dechrau cael darlun llawnach o fywyd a chymeriad y ferch o Glasgwm.

Ro'dd Joan Whittaker yn llawn storïau am Lloydie. Ro'dd yn amlwg fod perthynas glòs rhynt y ddwy. Un o'r pethau yr o'dd hi'n eu cofio iddi weud o'dd, 'It's not always the bad girls who get caught.' Y gwir reswm nad o'dd Lloydie ac Alf wedi priodi ynghynt, meddai Joan, o'dd oherwydd ei bod hi mewn perthynas â Harry Davies, perchennog y fferm lle gweithiai; llysenw'r ffermwr yn yr ardal o'dd 'The Stallion'. Do'dd ei wraig ddim yn fodlon rhoi ysgariad iddo oherwydd ei bod hi'n Babyddes. Gadawodd Annie y fferm am ryw flwyddyn a'r si yn yr ardal o'dd ei bod hi wedi cael plentyn gan Harry Davies. Pan dderbyniodd Annie y cynnig i briodi Alf a'th Harry yn wyllt gacwn a bwgwth ei saethu fe. Toc wedyn, gwerthodd y fferm a mynd yn feili ar ystâd Syr William Fitzherbert yn Tissington, Swydd Derby. Cadarnhawyd hyn gan Bill Nicholas, un o bentrefwyr Priestweston.

Yn yr un flwyddyn fe es gyda'm brawd Lloyd i weld Roy Passant, brawd Alf, a'i wraig Mary yn Amwythig. Cawson ni groeso caredig ganddynt ond ni wyddai'r bobol hyfryd hyn fod Annie wedi cael plentyn. Fe drawyd y ddau gan y tebygrwydd rhynt Annie a'm merch Heledd. Er hynny, do'dden nhw ddim yn gallu rhoi llawer o wybodaeth inni. Un dawel iawn o'dd Annie, yn ôl Roy a Mary Passant, ac anaml y gadawai hi Great Hanwood. Dim ond ddwywaith neu dair yr o'dd hi wedi bod yn eu tŷ nhw, a o'dd lai na phedair milltir o Great Hanwood. Ro'dd yna ddyfnder i'w chymeriad nad o'dd Mary Passant yn gallu ei blymio, meddai. Ni wyddai ddim er sicrwydd am blentyn ond ro'dd yn gallu cadarnhau ei bod hi wedi gadael Weston am ryw flwyddyn yn ystod y Tri Degau, heb esboniad. Rhoddws Mary gopi Annie o *Mrs Beeton's Cookery Book* imi, gyda'i llofnod wedi ei dorri'n daclus y tu mewn: Annie S. Lloyd. Ro'n i ar fin curo ar ddrws Alf Passant yn Great Hanwood unwaith yn rhagor pan glywais ei fod wedi marw tra oedd yn clirio eira o lwybr un o'i gymdogion. Cyn gadael y pentre fe es i'r gladdfa wrth ymyl yr eglwys er mwyn dod o hyd i fedd Alf ac Annie a gadael torch o flodau arno.

Da'th yr amser i newid cyfeiriad fy ymholiadau a dychwelyd

i Glasgwm. Gelwais eto ar Mrs Jones yn y swyddfa bost. Ni wyddai pwy o'dd tad plentyn Annie Lloyd ond awgrymodd y byddai ei chymydog, Mrs Renée Harley-Davies, yn gwypod, 'fallai. Pan wetais wrth hon beth o'dd amcan fy ymweliad, gwetws ar unwaith, 'Oh, you must be Mr Stephens's son.' Ro'dd fy nhad wedi bod yn y pentre ddwywaith yn ystod y 'Whe Degau yn 'whilio am lun o'i fam oherwydd, meddai, ei fod yn meddwl ei bod hi'n debyg, 'fallai, i'n merch Heledd; ro'dd hwn yn gasgliad cwbl reddfol ond yn fanwl gywir. Ro'dd Mrs Davies wedi 'sgrifennu at Dilys Pickersgill, merch Hugh Lloyd, ac ro'dd hi wedi gofyn i'w 'wha'r, ond da'th yr ateb yn ôl, 'Why has he waited so long to look for his mother?' Ateb fy nhad o'dd nad o'dd am greu helynt iddi, yn enwedig os o'dd hi wedi priodi. 'I could have hugged him for saying that,' o'dd sylw Mrs Harley-Davies. Do'dd neb yn y pentre erbyn hyn yn medru cofio'n ôl mor bell â 1910. Ond, meddai hi, ro'dd hi wedi clywed oddi wrth dylwth ei gŵr cyntaf, a berthynai i Florence Harley, gwraig Hugh Lloyd, taw dyn y bydd rhaid imi ei alw'n 'X' o hyn ymla'n o'dd y tad. Ro'dd pawb yn holi pam na briodws Annie y dyn yr o'dd hi'n ei ganlyn ar y pryd, sef Billy Davies o'r felin yn Hundred House. Ni wyddai neb er sicrwydd oherwydd ro'dd Annie wedi bod yn ferch mor dawedog, a Hugh, ei brawd, yr un fath, meddai Mrs Harley-Davies.

Nawr fy mod i'n gwypod bod fy nhad wedi bod yn 'whilio am ei fam, teimlais fod yr amser wedi dod i weud wrtho fy mod i'n gwypod amdani. Ro'dd yr anesmwythder y teimlwn wrth drafod ei gefndir gydag ef o dro i dro yn deillio o'r ffaith ei fod wedi fy nghamarwain ar hyd y blynyddo'dd. Ro'dd yn hen bryd i glirio'r awyr ac i symud y ma'n tramgwydd hwn yn ein perthynas. Gwetais yn gyntaf wrth fy mam a chytunodd hi, ym mis Ebrill 1984, y dyliwn godi'r mater gyda fy nhad. Fe wnes i hynny yr un noson pan a'th Ruth a finnau lan i Drefforest. Ro'dd yn sioc fawr i Nhad i sylweddoli fy mod i'n gwypod. Daliodd ei wyneb yn ei ddwylo am lawn deg munud. Ond toc, da'th yn ôl at ei hunan, yn barod i siarad. Er iddo gael magwraeth dda yn Hewlgerrig, meddai, ro'dd yr wybodaeth ei fod yn blentyn siawns a bod ei fam wedi ei roi e bant i bobol ddiarth wedi pwyso ar ei feddwl am bum deg o flynyddo'dd. Ro'dd fy mam wedi gofyn am ei ganiatâd i weud wrthym, fy mrawd a finnau, ond ro'dd e wastad wedi ei pherswadio i beidio. Cywilydd o'dd wedi ei rwystro rhag sôn am ei gyfrinach. 'It's been like a cancer in my head all these years,' meddai.

Gwetws hefyd ei fod wedi newid ei enw ym 1958 o Herbert Arthur Lloyd, ei gyfenw cyfreithiol, i Herbert Arthur Lloyd-Stephens, ac ro'dd wedi arddel y ffurf hon ar gyfer pwrpasau swyddogol byth ers hynny. Rhyfedd meddwl bod gennyf innau hawl i ddefnyddio'r heiffen yn fy nghyfenw – yn gwmws fel pobol Sir Fôn! A'th fy nhad ymla'n, gan ddadlwytho nifer o bethau a o'dd wedi ei drwblu dros y blynyddo'dd. Ro'dd e wedi ymweld â Llanfair-ym-Muallt yn rheolaidd ar ôl prynu car yn y 'Whe Degau, gan gerdded ar hyd y Gro wrth yr afon yn y gobaith o weld rhywun o'dd yn dishcwl yn debyg iddo, ac â Phengraig lle o'dd wedi 'whilio'n ofer am fedd ei fam. Rhoddais iddo y lluniau o Annie yr o'n i wedi eu casglu ac wrth ddishcwl arnynt, gwenodd yn siriol a gwyddwn ar y foment honno fy mod i wedi gwneud y peth iawn. Gwetws ei fod yn llawer hapusach nawr bod y mater wedi dod mas yn agored. Da'th y sgwrs i ben ar ôl imi weud fy mod i'n ei garu'n fwy oherwydd yr ing yr o'dd wedi ei ddioddef yn sgil amgylchiadau ei eni. Teimlwn ei bod yn hen bryd imi weud hynny wrtho.

Rhyw bythefnos wedyn a'th Ruth a fi â'm rhieni i Lanfihangel Dyffryn Arwy i weld beddau Hugh a Martha Lloyd, rhieni Annie Sophia, a'r plac er cof am Hugh Lloyd y meddyg esgyrn, a'r geiriau:

A talent rare by him possessed
T'adjust the bones of the distressed;
When ever called he ne'er refused
But cheerfully his talent used.
But now he lies beneath this tomb
Till Jesus comes to adjust his own.

Ro'dd fy nhad wrth ei fodd i wypod ei fod yn disgyn o linach hir o feddygon esgyrn – yn eu plith yr enwog Silver John – oherwydd ei brif ddiléit (ar ôl y gêm o fowliau a'i gi Guto) o'dd Brigâd Ambiwlans Sant Ioan.

Adroddws stori hefyd am fynd gyda William ac Elizabeth Stephens i Faesycwmer yn Sir Fynwy pan o'dd tua deuddeg mlwydd o'd. Yno ro'dd menyw dal, gwallt golau wedi ei holi a'i stilo am beth o'dd e'n mynd i'w wneud ar ôl gadael yr ysgol. Hon o'dd Annie Sophia, yn ddiau, ar ymweliad â'i modryb a'i hewythr Sarah ac Arthur Powell, y postmon, a o'dd wedi cael ei symud yno o Walton. Yn eu cartref nhw y ganwyd fy nhad. Er hynny, y gwir o'dd nad o'dd diddordeb gan Nhad yn ei dad yntau a chetho i fy siarso i beidio ymholi amdano. Ufuddheais tra o'dd yn fyw ond bu farw yn sydyn yn Ysbyty Dwyrain Morgannwg ar 22 Mehefin 1984.

Ro'n i'n falch iawn fy mod i wedi gweud wrtho yr hyn a wyddwn am ei fam. Eto i gyd, buaswn wedi dymuno pe bai wedi byw am ychydig yn rhagor er mwyn inni drafod y mater yn fanylach. Teimlais yn llawer agosach ato yn ystod ei wythnosau olaf a chawson ni gyfle i siarad yn llawer mwy nag yn y gorffennol. Gwelais nawr fod y baich yr o'dd wedi ei ddwyn cyhyd wedi ei wneud yn ddyn mewnblyg, gochelgar, tafotrwm a dywedwst, a thua'r diwedd teimlais gydymdeimlad, na, cariad mawr tuag ato fe.

Treuliais bron i ddwy flynedd arall yn ceisio llunio coeden deulu'r Llwydiaid. Bu'r diweddar John Stratton o Landrindod yn help mawr imi yn hyn o beth; ro'dd ei wraig yn perthyn i'r un teulu. Barn John o'dd fy mod yn dishcwl yn debyg iawn i Tom Lloyd, brawd Mrs Stratton, a fu'n of yn yr Eglwys Newydd yn Sir Faesyfed, ond do'dd hyn ddim yn anarferol: ble bynnag yr awn i ro'dd pobol yn meddwl fy mod i'n debyg i rywun yn y teulu Lloyd. Hawdd iawn yw gweld tebygrwydd rhynt pobol rydych yn gwypod sy'n perthyn i'w gilydd, ond clywais hyn mor aml gan bobol ddiarth fel ei bod yn rhaid bod rhywpeth yn fy mhryd a'm gwedd a'u hatgoffai nhw o deulu'r Llwydiaid. Gyda llaw, roeddwn yn falch gweld y dydd o'r bla'n fod gwefan disgynyddion y 'Lloyds of Baynham Hall' wedi ei chyflwyno er cof am John Stratton.

Ro'dd yr amser wedi dod i 'whilio am dad plentyn Annie Sophia. Ym mis Mehefin 1986 des i o hyd i Mrs Gwladys Worts, 'wha'r Billy Davies o'r felin yn Hundred House, y dyn a fu'n sboner i Annie. Ro'dd Mrs Worts yn 88 mlwydd o'd ac yn byw ym Melin Disserth nepell o Lanfair-ym-Muallt. Ro'n i'n gobeithio cael gwybodaeth am Billy ganddi ond cetho i fy synnu i glywed Mrs Worts, a o'dd yn sionc iawn, yn adrodd hanesyn am Annie. Gweithiai Annie, meddai Mrs Worts, ar fferm o'r enw Sheep House yng nghyffiniau'r Gelli Gandryll. Yno, ar 17/18 Mai 1909, tra o'dd y ffermwr a'i wraig yn y Ffair Calan Mai a'r tŷ yn wag, 'a waggoner had his way with her – what nowadays is called rape'. Ni wyddai Mrs Worts enw'r dyn. Rhyw fis yn ddiweddarach, a'th Annie sha thre i Glasgwm a heb wypod ei bod hi'n erfyn, 'fallai, i weithio yn y felin yn Hundred House. Pan na dda'th i'r gwaith un diwrnod a'th Billy i 'whilio amdani a dod o hyd iddi yn Walton, yn y gwely gyda baban newydd-anedig. Pan gyhuddwyd Billy o fod yn dad i'r plentyn gan fodryb Annie, rhuthrodd o'r tŷ a da'th y berthynas i ben yn y man a'r lle.

H'mmm. A o'dd Mrs Worts yn gweud celwydd golau er mwyn amddiffyn ei brawd? Na, dw'i ddim yn cretu hynny. Ro'dd hi'n fenyw ffein iawn, egwyddorol a charedig, ac yn gwbl agored 'da fi. Ro'dd hi'n bendant o'r farn nad Billy o'dd tad y plentyn; pe bai hynny'n wir, meddai, byddai wedi ei phriodi, yn enwedig gan fod ei rhieni'n hoff o Annie ac yn awyddus i'r ddau briodi. Gwelais ffoto o Billy Davies a do'dd e ddim yn debyg i Nhad o gwbl. Ond erbyn hyn ro'n i'n agosach at ddatrys y dirgelwch.

Ysywaeth, ffoniodd Mrs Worts ym mis Ionawr 1987 i weud hwyrach ei bod yn anghywir i awgrymu taw certmon o'dd wedi cenhedlu plentyn Annie Lloyd. Efallai mai'r ffarmwr, John Watkeys Jones, o'dd y tad. Byddai hyn yn esbonio'r ffaith, meddai, fod y babi a'i fam wedi cyrraedd Hewlgerrig ym mis Rhagfyr 1910 gyda chan sofren – cyflog blwyddyn i gertmon yn y dyddiau hynny. Disgrifiodd Annie fel merch onest, sensitif, weithgar a hoff o anifeiliaid. Ro'dd yn bosibl, meddai, nad o'dd hi am achosi lo's i wraig John Watkeys Jones, menyw a o'dd wedi bod yn garedig wrthi hi. Ro'dd Mrs Worts yn gwypod bod y plentyn wedi'i roi i deulu plismon ym Merthyr. Pan dda'th William ac Elizabeth Stephens i Sheep House i ddangos y plentyn i'w fam, meddai, sylw cyntaf Annie o'dd, 'Oh, he looks just like a Lloyd.' Cyngor Mrs Worts imi o'dd, 'Don't go on worrying about it, let it rest now.' Buws hi farw rai miso'dd wedyn.

Ond rhaid o'dd archwilio John Watkeys Jones a'i deulu. Fe es i Sheep House, tŷ hardd sy'n sefyll ymhlith llifddolydd yn nyffryn Gwy. Ro'dd gydag e ddau fab, Elwyn ac Eustace (Stacey), ond plant oeddynt ym 1910 a hawdd iawn o'dd eu dileu o'r rhestr o ddynion drwgdybiedig. Yn Sheep House cetho i sgwrs ddymunol iawn â Sue Hudson, merch Stacey Jones, a ddangosodd luniau o'r teulu imi. Ond do'dd yr un o'r dynion yn y lluniau yn debyg i Nhad, a phenderfynais ar unwaith bod awgrym Mrs Worts yn ddi-sail. Pwy, felly, o'dd y certmyn a weithiai yn Sheep House ym 1909?

Cyn mynd ar eu hôl cetho i dicyn bach o lwc. Ro'dd Alf Passant wedi dangos imi ei dystysgrif priodas lle dangoswyd bod Annie Lloyd yn byw yn 1 Mortimer Street yn Llanllieni ar y pryd. Es i yno ym mis Mehefin 1986 a siarad gyda'r boi o'dd yn byw yn y tŷ, sef Edward Ralph Powell. Dyma fab Arthur a Sarah Jane Powell, ewythr a modryb Annie, gynt o'r Green yn Walton lle ganwyd fy nhad yn ôl ym 1910. Ro'dd tad Eddie yn fab i Margaret Powell o Huntington, sef y Grannie Powell o'dd wedi magu Annie a'i brawd Hugh wedi marwolaeth eu rhieni. Ro'dd 1 Mortimer Street yn rhyw fath ar gartref i Annie Lloyd, yr unig un a gâi cyn priodi, mewn gwirionedd.

Creadur bach rhyfedd, ond digon hoffus, o'dd Eddie. Ei unig ddiléit mewn bywyd o'dd potshan gyda setiau radio. Ro'dd yr ystafell fyw yn llawn ohonynt, ac felly hefyd y gegin a'r llofftydd a'r sied yn yr ardd. Cofiai Eddie Annie a'i phriodas ym 1936, pan o'dd yn bedair ar hucen o'd, ond do'dd dim gronyn o ddiddordeb 'dag e mewn sgwrsio amdani. Yn wir, dim ond am radios yr o'dd yn gallu siarad: ro'dd ei ddiddordeb wedi troi'n obsesiwn i'r pwynt y rhoddai'r argraff ei fod yn simpil, er nad o'dd hynny'n wir. Rhyfedd, efalle.

Ar ôl gwrando ar Eddie am ryw ddwy awr ro'n i ar fin codi a jengid o'r tŷ pan a'th i mewn i ddrâr a thynnu mas albwm mawr yn llawn o ffotograffau a chardiau post. A dyma fe'n dechrau pentyrru pethau ar fy arffed: cardiau yr o'dd Annie wedi eu hala at ei hewyrth a'i modryb, ambell i garden yr o'dd hi wedi ei derbyn gan bobol eraill, lluniau ohoni ac o Martha Lloyd, ei mam, ac yn sydyn, ar ben y cwbl, llun o fabi tua deng mis o'd – fy nhad! Yn well byth, dyma'n gwmws yr un llun yr o'n i wedi ei weld ym meddiant fy nhad, ond tros y gornel ro'dd rhywun wedi ychwanegu ei enw: Herbert Arthur Lloyd; a'r dyddiad, 'December 1910'. Dishcwyliais arno'n gegrwth. Yn amlwg, ro'dd ei fam wedi rhoi un copi o'r ffoto i William ac Elizabeth Stephens yn Hewlgerrig ac wedi catw'r llall iddi hi ei hunan.

Ar fy ail ymweliad ag Eddie ym mis Medi 1986 bu'n rhaid imi wrando arno'n parablu 'to am radios (ro'dd yn 'ham' o fri) cyn derbyn nifer o gardiau post, tua dwsin ohonynt y tro yma. Negeseuon eithaf cyffredin o'dd arnynt i gyd ond dyma'r un pwysicaf: 'Sunday evening (Feb. 7, 1910) the Mere Dear Nely just a line sorry I could not come up as I have been away when your letter come we were all disappointed you did not come as they all expected you can you find my brother on the front will mark him with x goodbye my dear one your Joe xxx'. Ro'dd y neges wedi ei chyfeirio at Annie ym Mlaen-bedw, Glasgwm. Ar ochor arall y garden ro'dd 'na grŵp o filwyr mewn gwersyll. Ai dyma'r Joe yr o'dd Joan Whittaker wedi sôn amdano fel sboner Annie? Debyg iawn. Ro'dd llun ohono yn ei gap Glengarry a'i gilt ymhlith y pethau eraill yn yr albwm. Ai dyma dad fy nhad? Efallai, ond do'dd e ddim yn dishcwl yn debyg i Nhad. Pam na wyddai Joe nad o'dd Nely (*sic*) yn gallu gadael Blaen-bedw ym mis Chwefror 1910, rhyw bythefnos cyn iddi gael plentyn? Anodd cretu y byddai wedi conan nad o'dd hi wedi dod i'w weld pe gwyddai am ei chyflwr.

Rhaid, felly, o'dd 'whilio am Joe er mwyn ei ddileu o'r rhestr. Cymerodd ddwy flynedd o holi a 'whilota cyn imi ddod o hyd iddo, ac mae diolch i Sheila Leitch am hynny. Ei enw llawn o'dd William Joseph Morgan a bu'n giper ar ystâd teulu Snead-Cox yn Eywood heb fod ymhell o Titley, rhynt Llanandras a Cheintwn ond yn Swydd Henffordd. Buws farw yn yr epidemig ffliw ym mis Tachwedd 1918, yn 32 mlwydd o'd, wedi bod yn y Machine Gun Corps yn ôl y gwaith dychrynllyd o gynhwysfawr, *Soldiers who Died in the Great War*. Ar ei fedd yn y fynwent Gatholig yn Broxwood (dim ond Catholigion ro'dd y teulu yn eu cyflogi) o'dd y geiriau: 'The dearly loved son of Thomas and Mary Morgan, The Mere. My Jesus, mercy. R.I.P.' Es i yno gyda Sheila Leitch ym mis Mehefin 1988 a sefyll yn dawel wrth y bedd am sbelan.

Ro'dd y trywydd yn arwain nawr i mewn i siro'dd gorllewin Lloegr. Fe es i Archifdy'r Fyddin yn ninas Henffordd a siaredais ag ugeiniau o bobol a o'dd yn perthyn i deulu Morgan, yn agos ac yn bell. Yn y diwedd tarais ar Mrs Molly Bowden yn Lyonshall, nith i Joe. Ar adeg ei farwolaeth, meddai, ro'dd Joe yn ddyweddïedig a dangosodd fodrwy imi ac arni y geiriau 'From Willie to Ethel'. Felly, er bod Joe yn canlyn Annie Lloyd ym 1910, erbyn 1918 ro'dd wedi dyweddïo â menyw arall. Go brin fod William Joseph Morgan yn dad i Nhad.

Ond mae gydag e ran yn y stori, serch hynny. Flynyddo'dd wedyn, yn 2006 i fod yn fanwl gywir, cetho i alwad ffôn gan fenyw o'r enw Margaret Scandrett o Landysul yn Sir Drefaldwyn a gwetws ei bod hi wedi darllen fy llyfr *A Semester in Zion*, lle ro'n i wedi manylu am hanes Annie Lloyd, a bod ei diweddar ŵr, Alan, yn ŵyr iddi. Fe'm syfrdanwyd i glywed hyn ac yn y dechrau ro'n i'n meddwl ei bod hi wedi ffwndro. Ond na, ro'dd hi'n eitha' reit. Ca's Annie blentyn arall, meddai, merch o'r enw Muriel Gladys Lloyd (Laurie) a hynny ym mis Hydref 1911, er nad o'dd Margaret yn gwypod pwy o'dd y tad.

Es i weld Margaret Scandrett yn Llandysul a dangos iddi bopeth yr o'n i wedi ei gasglu am hanes Annie Lloyd. Nid af ar ôl yr hanes yn y fan hyn, rhag ofon fod y darllenydd yn cael ei ddrysu gan stori sy'n eithaf cymhleth fel y mae, ond digon yw gweud na synnwn pe bai Joe Morgan yn dad i ail blentyn Annie, er nad o's prawf o hynny ar hyn o bryd. Byddai hyn yn gyson â'r fersiwn a glywais gan ferch Anti Gwen, sef fod y tad wedi marw yn y Rhyfel Mawr, a'r hyn a wetws Joan Whittaker am Annie yn catw llun o soldiwr a wisgai gap Glengarry a chilt ac yn rhoi'r enw Joe ar ei hoff gath. Dw'i ddim wedi ymchwilio'r stori hon na'r un am Annie yn gadael y fferm yn Priestweston am gyfnod yn ystod y Tri Degau. Prosiectau i rywun arall yw rheiny!

Ymwelais â Sheep House drachefen a siarad â Sue Hudson, merch Stacey Jones, a roddws fanylyn pwysig imi: ro'dd Margaret Jones, gwraig John Watkeys Jones, yn adnabyddus yn yr ardal am ei haelioni a'i gweithredoedd da yn y gymuned. Bu farw mewn damwain ffordd wrth giât y fferm ym 1929. Ond dyma'r peth: wedi darllen am ei hanglodd yn y *Brecon and Radnor Express*, dysgais ei bod hi'n hanu o Ferthyr, yn ferch i'r Parchedig Rees Evans ac yn 'wha'r i J. R. Evans a fu'n athro Hanes yn Ysgol Cyfarthfa. Ymhlith y rhai a o'dd wedi hala torchau ar gyfer yr anglodd o'dd Annie Lloyd. Deallais, o'r diwedd, shwt ro'dd Nhad wedi dod i Ferthyr a shwt ro'dd y baban wedi cyrraedd gyda chan sofren aur: ro'dd John Watkeys Jones, a o'dd yn ŵr cyfoethog, a'i wraig, wedi twmlo rhywfaint o gyfrifoldeb am yr hyn o'dd wedi digwydd yn eu cartref ar 17/18 Mai 1909 ac wedi ceisio cynorthwyo Annie yn ei stryffîg. Do's dim sicrwydd bod hyn yn wir ond mae'n fwy na thebyg.

Wnes i gwrso rhagor o 'sgwarnogod yn ystod 1987. Ond erbyn y flwyddyn honno ro'n i'n twmlo'n ddigon hyderus i roi'r enw Blaen-bedw ar ein tŷ yn yr Eglwys Newydd; dyma un ffordd o gatw'r stori am Annie a'i phlentyn yn fyw. Eto i gyd, do'n i ddim yn gallu gadael y mater yno. Wedi cael hoe am rai misoedd, penderfynais y buaswn yn ailddechrau fy ymholiadau yn fwy trwyadl, gan leihau nifer y dynion yr o'dd 'da fi ddiddordeb ynddynt. Ro'n i am droi pob carreg, fel pob ditectif da. Erbyn hyn ro'n i wedi casglu wmbreth o wybodaeth a nodiadau ac fe'u cedwais mewn ffeil a elwais yn Llyfr Du

Blaen-bedw. Ro'dd 'da fi ddeg dyn mewn golwg ac ro'n i'n bwriadu ymchwilio i bob un ohonynt.

Cychwynnais gyda'r dyn a enwyd gan Mrs Harley-Davies. Ro'dd X wedi bod yn gertmon yn ardal y Gelli tua 1910 ac ro'dd ef o'r oedran iawn. Dysgais gryn dicyn amdano mewn byr o amser oherwydd ro'dd ei deulu'n adnabyddus yn yr ardal fel Bedyddwyr. Ro'dd rhai o'i blant yn fyw o hyd, felly fe es i ymweld â nhw. Yn y diwedd, ym mis Gorffennaf 2002, des i ar draws un o feibion X, hen ffermwr, yn widwer ac yn ddi-blant, a o'dd yn barod iawn i sgwrsio am ei dad. Cetho i fy nharo ar unwaith gan debygrwydd di-os y gŵr hwn i'm tad innau, ac yn y lluniau a ddangosodd imi ro'dd y tebygrwydd hyd yn o'd yn fwy amlwg, felly megais y plwc i godi'r mater yn y fan a'r lle. Ni wyddai am unrhyw blentyn a ga's ei dad cyn priodi ond gwrandawodd ar fy stori'n astud. Cytunodd fy mod i'n debyg i'w dad ac iddo yntau.

Yn bwysicach byth, ar fy ail ymweliad â'i gartref yn ystod haf 2002, ac wedi imi ei sicrhau nad o'n i ar ôl ei arian, cytunodd i roi sampl o'i bo'r ar gyfer prawf DNA. Ymhen pythefnos da'th y canlyniad yn ôl o'r labordai ym Mhrifysgol Glasgow: cadarnhaol. Do'dd dim angen mynd ar ôl y naw dyn arall, diolch byth. Ro'n i wedi profi pwy o'dd tad fy nhad o'r diwedd. Rwyf wedi penderfynu peidio â'i enwi yn y fan hyn mas o barch tuag at ei fab, a o'dd wedi bod shwt gymaint o gymorth imi, a chan nad yw ei frodyr a'i 'whiorydd yn gwypod am y plentyn. Rwy'n dal mewn cysylltiad â mab X ac o dro i dro rwy'n mynd i gael sgwrs a dishgled o de wrth ei bentan.

Rhoddwyd boddhad mawr imi gan ddiwedd y stori. Ro'n i wedi dod o hyd i fam fy nhad a nawr ei dad. Ro'dd dwy flynedd ar hucen wedi mynd heibio ers imi ddechrau ymholi ond ro'dd fy ymdrechion wedi dwyn ffrwyth o'r hir ddiwedd. Cedwais rhag meddwl gormod am y rheswm paham nad o'dd Annie Sophia wedi catw ei phlentyn. Wedi'r cyfan, mae 'na draddodiad yng nghefen gwlad, yn enwedig yn Sir Faesyfed, o fagu plant llwyn a pherth fel rhan o'r teulu. Ond do'dd dim teulu gyda hi, ar wahân i Hugh Lloyd, a do'dd e ddim wedi dangos llawer o ddiddordeb yn ei stryffîg. Dw'i ddim wedi meddwl, 'chwaith, am ei bywyd yn Priestweston fel meistres Harry Davies ac fel gwraig i Alf Passant yn Great Hanwood. Ond ys gwn i a wna'th hi edifarhau erio'd ei bod hi wedi rhoi ei phlentyn bant ac a feddyliai weithiau amdano fe? Gobeithio yn wir. Tuag at y fam-gu nad adwaenwn do's ond cydymdeimlad 'da fi, a thwmlad o golled, er mwyn fy nhad yn bennaf, ond buaswn wedi dymuno'n well iddynt ill dau.

Gweithiodd fy nhad am bum deg o flynyddo'dd yn y pwerdy yng Nglan-bad. Gweithiwr diwyd a chydwybodol ydo'dd, ac ni chollws yr un tyrn mewn gwaith a o'dd yn frwnt, undonog a pheryglus. Fe'i gwelaf nawr yn mynd ar ei hen feic trwy houl a drycin i lawr trwy dwyni tywod Cilhoul ar hyd yr afon ac yn dychwelyd wedi blino'n shwts, ond yn ddi-gŵyn, ar ôl pob tyrn o wyth awr. Tua'r diwedd dioddefai o luwch asbestos ar ei 'sgyfaint, o'r adeg yn ystod Streic Fawr 1926 pan ga's y llanc un ar bymtheg mlwydd o'd y dasg o lanhau'r pibellau enfawr yn y pwerdy. Ro'dd e wedi bod yn ceisio cael iawndal oddi wrth y Bwrdd Trydan ers cetyn a chyrhaeddws y swm pitw rhyw dridiau ar ôl ei anglodd. Teimlais edmygedd ohono ond hefyd ddiolchgarwch am iddo fe roi cyfle imi gael addysg uwch ac i brofi byd na wyddai ddim amdano. Ond ni chetho i gyfle i weud hynny wrtho tra o'dd yn fyw, felly rwyf am ddatgan hynny yn y fan hyn ar ffurf ticyn mwy parhaol.

Erys y cwestiwn: pam es i i'r fath gymbolach i ddod o hyd i fam a thad fy nhad? Wel, ro'n i wedi dechrau gan feddwl y byddai fy nhad yn hoffi clywed, rhyw ddydd, pwy o'dd ei rieni a chael rhywfaint o wybodaeth amdanynt, ond ar ôl ei farwolaeth ro'n i'n awchus am yr wybodaeth hon er fy mwyn i fy hunan. Yng ngeiriau Alun Llywelyn-Williams, 'doeth yw'r sawl a ŵyr ei ddoe dyrys ei hun'.

Ar ben hynny, cetho i fy sbarduno gan hanes fy nhad i ddechrau barddoni yn y Gymraeg, ac am hynny rwy'n arbennig o ddiolchgar.

7

Tymor yn Seion

WEDI GADAEL CYNGOR y Celfyddydau yn ystod haf 1990, bwriadwn ennill fy nhocyn fel newyddiadurwr ar fy liwt fy hunan ac fel golygydd, cyfieithydd ac asiant llenyddol. Sefydlais gwmni o'r enw Combrógos (ffurf gynnar ar y gair Cymry) a darganfod bod digonedd o waith i'm catw'n brysur. Erbyn mis Medi ro'n i'n cyfrannu erthyglau a storïau newyddion i'r *Western Mail* yn weddol gyson.

Yna, yn sydyn iawn, cetho i gynnig gwaith tymor fel athro Ffrangeg yn Ysgol Gyfun Tonypandy, ac er nad o'n i wedi bwriadu cael sialc yn fy mhocedi byth eto, oni bai bod rhaid, derbyniais y cynnig yn llawen. Fel gwetws Gwyn Jones, fy hen Athro yn Aberystwyth, a fu'n gefnogol iawn imi ar hyd y blynyddo'dd, mae swydd athro yn un anrhydeddus a gwerth 'wheil. Dechreuais yn Nhonypandy ar 12 Medi 1990. Jeff Powell, cyn-ddisgybl o Ysgol Ramadeg y Bechgyn ym Mhontypridd, o'dd Pennaeth yr Adran Ieithoedd Modern.

Yr unig gwmwl ar y gorwel ar y pryd o'dd y newyddion, a dda'th ym mis Hydref 1990, bod arwyddion cyntaf clefyd siwgwr arna i.

What, still alive at fifty-two
And weighing more than eighteen stone?
Lose some weight, lad, if I were you,
And leave the chocolate cake alone...

But there's life beyond the gravy,
Don't complain and never grouse, man,
Try to live a life that's savoury –
And give up reading A. E. Housman.

Mae'r rhigwm yn fy nyddiadur yn awgrymu fy mod i wedi cymryd y newyddion yn ysgafn, ond nid jôc yw'r clefyd melys: gwaethygu wna'th y cyflwr ac erbyn hyn rwy'n llwyr ddibynnu ar 'whistrylliad o insiwlin ddwywaith y dydd yn ogystal â dyrnaid o dabledi – fy enw i arnynt yw *Insulin Allsorts*. Rhaid 'wherthin yng ngwyneb y Tynghedau.

Mwynheais fy nhymor yn Nhonypandy yn fawr, er bod dysgu Ffrangeg i blant nad o'dd yn gweld y pwynt o siarad ail iaith yn dalcen caled ar adegau. Er hynny, da'th y berfau a'r priodddulliau'n ôl i'm cof yn hawdd, diolch i Jack Reynolds, fy athro Ffrangeg. Darllenais bennod neu ddwy o *La Peste*, nofel Albert Camus, gyda dwy ferch yn y 'wheched dosbarth, rhywpeth nad o'n i wedi gallu ei wneud yng Nglynebwy. Un o'r problemau ieithyddol y des ar ei thraws yn weddol gyson o'dd arfer pobol y Rhondda i weud pethau fel 'I do go' ac 'I do sing'. Ro'n i wedi hen arfer â'r nodwedd hon ar eu Saesneg – yn wir, siaradai rhai o'r athrawon felly hefyd. Ond ro'dd yn anodd derbyn 'Je fais aller' a 'Je fais chanter' a 'Je fais faire mes devoirs' yn Ffrangeg fel y'i siaredir yn Ffrainc. Pan soniais am hyn wrth un o'm cyd-weithwrs, gwetws, 'Yeah, I know, mun, these old French verbs do do their 'ead in'; fe o'dd yr athro Saesneg. Ar yr un pryd, dysgodd mwy nag un dosbarth shwt i forio canu 'La Marseillaise', 'Chagrin d'amour', 'Au clair de la lune', 'Ma Normandie' a 'Dites-moi, pourquoi, chère Mademoiselle'.

Chetho i ddim trwbl 'da'r plant ond ar un achlysur pan o'dd bachgen gor-hyderus wedi fy herio i a gwrthod dod at fla'n yr ystafell ddosbarth. Felly, es i ato fe, gan ei ddal wrth ei garnsi i'w helpu i godi o'i ddesg. Sais bach o Lundain o'dd y crwt hwn a o'dd yn cretu ei fod yn gallu ymddwyn fel y mynnai yn yr ysgol. Un amhoblogaidd iawn ydo'dd ymhlith y plant eraill ac yn y mwstwr clywais rai yn gweiddi, "It 'im, Sir, 'e do talk funny, 'e's English!' Yn y diwedd bu'n rhaid imi hala'r gwalchyn i weld y Prifathro, a thoc wedyn cafwyd cwyn gan ei dad fy mod i wedi achosi GBH iddo.

Yn ffodus, ro'dd y Prifathro yn gwypod yn iawn am y bachgen afreolus hwn ac ni wna'th ddim byd abythdu'r gŵyn.

Malcolm Jones o'dd y Prifathro, cyn-athro addysg gorfforol ac un o'r dynion mwynaf yn yr ysgol. Yn frodor o Donypandy ac yn aelod o'r Blaid Lafur, fel y rhan fwyaf o'r staff, ro'dd yn adnabod pob disgybl wrth ei enw, a hanes ei deulu i'r nawfed ach. Ro'dd yn uchel iawn ei barch gan weddill yr athrawon ac ro'n i'n ei hoffi hefyd, yn enwedig ei falapropiaethau gwych. Er enghraifft, pan dda'th Jeff Powell sha thre o Sbaen gyda tharian ro'dd y bechgyn wedi ei hennill, fe'i llongyfarchwyd gan Malcolm am lwyddo dod â hi heibio swyddogion yr 'off licence' ym mhorthladd Dover. Ond ro'dd yn gwypod pryd i smalio peidio â gweld mistimaners ei staff hefyd. Pan a'th mintai ohonom i'r Maerdy yn y Rhondda Fach ar ddiwrnod olaf y tymor, sef 21 Rhagfyr, i gymryd rhan yn yr orymdaith i ddynodi diwedd y pwll glo olaf yn y Rhondda, daethon ni'n ôl i'r ysgol yn hwyr y prynhawn, ond ddywedwyd dim byd gan Malcolm, 'whara teg iddo. Profiad 'wherw-felys o'dd cerdded tu ôl i fand pres gyda phobol 'Mosco bach' ar yr achlysur hanesyddol hwnnw.

Cetho i amrywiaeth o waith yn ystod hanner cyntaf 1991, a hynny trwy garedigrwydd cyfeillion gan amlaf. Fe'm comisiynwyd i wneud ymchwil rhaglenni gan Euryn Ogwen o S4C. Wedi marwolaeth Dorothy Eagle, y golygydd gwreiddiol, paratoais argraffiad newydd o'r gyfrol hardd *The Oxford Illustrated Literary Guide to Great Britain and Ireland* i Wasg Prifysgol Rhydychen, gan sicrhau ei fod yn cynnwys digon o gofnodion ar lefydd â chysylltiadau ag awduron o Gymru. Ym mis Mawrth, diolch i Ned Thomas, fe es i Frwsel, Barcelona, Paris, Amsterdam, Leeuwarden ac Aberystwyth i gwrdd â swyddogion y cynllun Mercator, cyn 'sgrifennu memorandwm hir a manwl ar gyfer y Comisiwn Ewropeaidd. Treuliais dair wythnos brysur fel arholwr Ffrangeg llafar Safon A yn ysgolion uwchradd godreon Sir Fynwy ac wedyn, diolch i Geraint Talfan Davies, dri mis yn 'sgrifennu memorandwm i'r BBC ar syniadau a o'dd yn addas ar gyfer rhaglenni teledu newydd. Ar ben y cwbl, fe'm gwnaethpwyd yn Aelod am O's o'r Academi Gymreig – yr unig un i gael yr anrhydedd hwn erio'd.

Ond y gymwynas fwyaf o'dd y gwahoddiad i fynd i America i ddysgu ym Mhrifysgol Brigham Young yn Provo, Utah. Fy nghyfaill Leslie Norris o'dd yn gyfrifol am hyn ac fe es yno tua diwedd mis Awst 1991, gan adael Ruth a Huw gartref; erbyn hyn ro'dd Lowri, Heledd a Brengain wedi cychwyn ar eu gyrfaoedd eu hunain. Fel y gwyddys, sefydliad Eglwys Saint y Dyddiau Diwethaf yw BYU a Leslie a fi o'dd yr unig bobol ar y campws nad o'dd yn Formoniaid. Derbyniais y cynnig yn ddiolchgar, yn enwedig ar gownt y cyflog sylweddol a'r teitl *Visiting Professor*. Gwn fod pob darlithydd yn *Professor* yn yr Unol Daleithiau ond Athro go iawn o'n i, gyda statws a chyfrifoldebau cyfatebol. Dim ond ar ddau ddiwrnod yr wythnos y bu'n rhaid imi gymryd dosbarthiadau, hynny yw, wyth awr o ddysgu yr wythnos.

Y noson ar ôl imi symud i'm fflat yn Wymount Terrace cetho i alwad ffôn gan fam Tiffany H. Joab, a o'dd wedi bod yn denant yno cyn imi gyrraedd; gwyddwn hyn oherwydd ro'dd ei henw yn dal ar y drws. Ro'dd Mrs Joab yn awyddus iawn i wypod ble o'dd ei merch: 'How come she ain't called her mom?' Cetho i'r argraff ei bod hi'n meddwl fy mod i wedi ei herwgipio neu hyd yn o'd rhywpeth gwa'th. Do'n i ddim yn gallu ei helpu ac er gwaethaf ei chyfenw, collws ei limpin 'da fi, gan weiddi drosodd a throsodd, 'Who are you and whadya doin' there?' Cwestiwn da, meddyliais i: pwy ydw i a beth rwy'n gwneud yma? Rhaid o'dd ceisio ateb. Felly, dechreuais gatw'r dyddiadur a dda'th yn sail i'm llyfr *A Semester in Zion* yn y man.

Pan ddeffrais tranno'th gwelais awyr las uwch fy mhen a byd newydd o'm cwmpas ym mhob man. Ro'dd aderyn y si yn bwydo ar bigau cletsh y binwydden a dyfai tu fas i'm ffenestr. Gorweddai'r campws ar safle o dros fil o aceri gyda mynyddo'dd uchel, gan gynnwys Timpanogos (11,750 o droedfeddi), o'i gwmpas ar bob llaw. Ro'dd tua 27,000 o fyfyrwyr yn y Brifysgol, wedi dod o fwy na saith deg o wledydd, ond ni welais yr un wyneb du na Sbaenaidd. Wrth imi gerdded i'r campws ar fy niwrnod cyntaf a'th merch dlos heibio ar feic gan ganu 'Oh, what a bootiful mornin'!' Gelwais ar ei hôl, 'That's a lovely song!' a chael yr ateb, 'You bet!' Ro'n i'n mynd i fwynhau fy nhymor yn Seion – efallai.

Ro'dd y campws y bore hwnnw yn llawn o lasfyfyrwyr, y dynion mewn trwseri llwyd, crysau gwyn a thei, y menywod mewn ffrogiau haf a rhai mewn sanau gwynion megis mewn ffilm o'r Pum Degau. Ro'dd Leslie wedi fy rhybuddio am y *dress code* ond cetho i fy syfrdanu gan olygfa mor hyfryd o hen ffasiwn. Ni welais yr 'olwg luddedig' sy'n gyffredin ymhlith myfyrwyr gwledydd Prydain. Do'dd dim graffiti ar y waliau a dim 'sbwriel yn unman, ac ro'dd y lawntiau a'r blodau yn daclus dros ben; dim coffi, te, alcohol na thybaco yn y siopau, a dim papurau o unrhyw safon, 'chwaith. Sefydliad sy'n hala llawer o'i raddedigion asgell-dde i weithio i rengoedd y CIA yw BYU. Arwyddair y Brifysgol yw 'The glory of God is intelligence' a'i symbol yw cwch gwenyn i ddynodi diwydrwydd. Ro'dd hi'n gynnes iawn yn yr houl ac eisteddais am sbelan o dan goeden ewcalyptws i wrando ar fand pres yn ymarfer ei fiwsig a'i fartsio. Pan dda'th un o'r *majorettes* draw i ofyn imi awgrymu darn o fiwsig, gwetais 'Shenandoah', a chanodd y band un o'm hoff ganeuon. Rwy'n cael blas mawr ar fandiau pres, yn enwedig pan fo'r cerddorion yn ifanc, tlws a sionc.

Yng nghoridorau'r Adran Saesneg, lle o'dd swyddfa 'da fi gyda fy enw ar y drws, ro'dd hi wastad yn twmlo fel ysgol fonedd ar brynhawn dydd Sul a'r prifathro yn catw llygad carcus ar ymddygiad pawb. Clywais wedyn bod nifer o'r darlithwyr ar brawf ac ro'dd pawb ar eu gorau. Eto i gyd, ro'dd 'na ambell i gymeriad lliwgar ac ambell aderyn y drycin fel Eugene England, boi clên a galluog o'dd wastad mewn trwbl gyda'r Sanhedrin am 'sgrifennu pethau anuniongred. Ond ar y cyfan, ro'dd pawb a phopeth yn hynod o dawel.

Cwrddais y bore cyntaf hwnnw â darlithydd o'r enw William Shakespeare, a o'dd yn honni ei fod yn ddisgynnydd i frawd y dramodydd, a John Harris, dyn tal a golygus a âi o gwmpas ar faglau ar ôl cael damwain mewn awyren yr o'dd wedi ei hadeiladu ei hunan. Ro'dd ei gyndadau wedi dod i Utah o Gymru, meddai, ond do'dd e ddim yn dangos gronyn o ddiddordeb yn y ffaith fy mod i'n Gymro. Ar yr amod fy mod i'n gwrando arno'n adrodd storïau di-rif ac yn brolio am ei anturiaethau yn y fyddin, daethon ni ymla'n yn dda trwy gydol y tymor. Un o'r pethau a'n difyrrai o'dd tryco Tom Swifties: 'Send him down,' said the judge condescendingly; 'I am very partial to sweet pancakes,' he said surreptitiously; 'I shall go to Moab alone,' said Martha ruthlessly; 'whalu 'whaldod felly. Hwn o'dd un o'r beirdd gorau ymhlith y Mormoniaid.

Cetho i fy sioc gyntaf mewn sgwrs â John toc wedyn. Un o'i gyfrifoldebau fel Mormon da, meddai, o'dd bedyddio meirwon y genedl Hwngaraidd, ac ro'dd yn gwneud hyn bob bore Mercher yn y Deml, er mwyn iddynt gael y cyfle i fynd i'r nefo'dd Formonaidd. Hanfod y seremoni, cyn belled ag y deallwn, o'dd sefyll mewn pwll o ddŵr gydag enw a dyddiadau'r ymadawedig ar gerdyn plastig, ond do'dd John ddim yn fodlon rhoi rhagor o fanylion imi na hynny. *Omertà*. Cetho i fy syfrdanu gan yr wybodaeth yma ond derbyniai John y cyfrifoldeb yn ddigwestiwn. Pan ofynnais, nid yn gwbl o ddifrif, a o'dd yn gobeithio cwblhau'r gwaith cyn diwedd ei ddyddiau – mae 'na, wedi'r cyfan, gryn dicyn o Magyars sydd wedi marw – gwetws fod ei dad a'i dad-cu wedi gwneud yr un peth o'i fla'n ac ro'dd 'dag e feibion ac wyrion a o'dd yn mynd i'w ddilyn. Rhyw fath ar ddiwydiant teuluol, felly, o'dd achub y genedl Magyar.

Ychydig wedyn cetho i fy nghyflwyno i Ron Dennis, Athro Cymraeg a Phortiwgaleg, a wetws ar unwaith ei fod yn perthyn i'r Capten Dan Jones, brodor o Sir y Fflint a Mormon cynnar. Siaradai Ron wrtho i yn Gymraeg am y Mormoniaid – ro'dd wedi dysgu cwta ddigon o'r iaith i ddarllen papurau newydd y cyfnod megis *Prophwyd y Jubili* – ond trodd i'r Saesneg i drafod pynciau eraill. A o's yn y byd academaidd, dybiais i, unrhyw brifysgol arall sydd ag Athro Cymraeg a Phortiwgaleg ar ei staff?

Bo'd hynny fel y bo, dyna shwt cetho i fy nghyflwyno i ffydd anhygoel y Mormoniaid. Gelwais ar Leslie yn ei swyddfa toc wedyn. Gwetws fod ganddo anawsterau gyda'r hyn a gredai'r Mormoniaid ond bod Llyfr Mormon, sail eu credo, yn 'good read' o'dd yn llawn o ddigwyddiadau cyffrous a chymeriadau lliwgar – fel *Gone with the Wind* neu *How Green Was My Valley*, ychwanegws yn ysmala. Ar y llaw arall, parchai Leslie y Mormoniaid yn enfawr, am eu parodrwydd i helpu eu cymdogion a'r tlodion, ac am eu gwasanaeth iechyd. Ro'dd e wedi byw yn Utah am fwy nag ucen mlynedd ac ro'dd y Brifysgol wedi bod yn odiaeth o garedig wrtho fe, gan roi cadair bersonol iddo a'i garlantu gydag anrhydeddau academaidd o bob math. Ond fel bardd ro'dd yn fwyaf adnabyddus yn Provo ac ar hyd Dyffryn y Llyn Heli. Clywais e'n darllen ar sawl achlysur a rhaid cyfaddef, ro'dd yn gallu swyno cynulleidfa i'r eithaf. Siaradai byth a hefyd am ddychwelyd i Gymru a phrynu tŷ yn y Gelli Gandryll neu Fro Morgannwg, ond gwelais yn glir na fyddai'n gwneud hynny byth. Ro'dd ef a Kitty, ei wraig, wedi rhoi gwreiddiau i lawr yn Utah, am y tro cyntaf yn eu bywydau, 'fallai.

Ro'dd pawb yn y siopau a'r swyddfeydd ar y campws yn gofyn imi o ble ro'n i wedi dod. Ro'dd y rhelyw wedi clywed am Gymru, 'fallai oherwydd bod Cymry ymhlith aelodau cyntaf yr Eglwys ac yn flaenllaw yng Nghôr y Deml yn Ninas y Llyn Heli. Merch o Hewlgerrig o'dd arweinyddes y côr tra o'n i yn Provo. Gwetais wrth fenyw mewn banc fy mod i'n dod o Bontypridd a phan ofynnodd ble o'dd hynny, gwetais yn ysmala ei fod rhynt Tonypandy a Merthyr Tudful a heb fod ymhell o Lanfihangel Genau'r Glyn. Ei hunig sylw o'dd bod yr enwau yn ei tharo yn 'typically English', felly do'dd yr ymwybyddiaeth o Gymru ddim mor drwyadl â hynny yn y parthau hyn, mae'n amlwg.

Os nad o'dd y Mormoniaid yn gwypod rhyw lawer am Gymru, ro'n i'n benderfynol o ddysgu am y ffydd a o'dd wedi eu harwain i anialwch Utah ym 1847. Dechreuais, felly, ddarllen *The Book of Mormon*, sy'n cael ei ystyried, ynghyd â mwy na chant o 'Ddatguddiadau' a 'Chyfamodau', fel Gair Duw. Darllenais y Beibl o glawr i glawr tra o'n i'n fyfyriwr, felly rhaid o'dd ceisio darllen Llyfr Mormon – neu, o leiaf, rannau ohono. Cyfeiriodd Mark Twain at y Llyfr fel 'clorofform mewn print' a bues i'n pendympian uwch ei ben fwy nag unwaith yn fy fflat yn Wymount Terrace.

Darganfyddwyd testun y Llyfr, meddir, gan Joseph Smith (1805–44) a ga's 'weledigaeth' ym 1823 a dda'th yn sail i'w ffydd. Pan ofynnodd y llabwst (twyllwr ydo'dd wrth ei alwedigaeth) i'r ddau ffigwr a welws yn sefyll yn ei lofft – sef Duw ac Iesu, meddai – pa un o'r eglwysi yn America o'dd y Wir Eglwys, ca's yr ateb gan Dduw eu bod i gyd yn anghywir a bod gweithredo'dd pob un yn 'ffieiddbeth' yn ei olwg Ef.

Rai blynyddo'dd yn ddiweddarach, pan o'dd Smith yn 22, ca's 'weledigaeth' arall. Y tro hwn gwetws angel o'r enw Moroni wrtho am fynd i'r bryn a elwid yn Cumorah ger Palmyra wrth Lyn Ontario, lle o'dd Smith yn byw ar y pryd. Yno da'th o hyd i nifer o blatiau aur ac arnynt eiriau mewn sgript estron. Ro'dd salamandr yn gorwedd arnynt. Dim ond ef, meddai, o'dd yn gallu darllen y platiau, a hynny gyda help dwy garreg, yr Urim a'r Thummim (gweler Llyfr Exodus). Digwyddws hyn ym 1827, cyfnod pan o'dd amryw o sectau newydd yn ysgubo trwy America. Cyfieithwyd y platiau gan Smith – a o'dd yn nesaf peth at fod yn anllythrennog, gyda llaw – ac wedyn da'th Moroni yn ôl i'w casglu nhw. Cyhoeddwyd y testun fel *The Book of Mormon* ym 1830. Gwetws yr angel wrth Smith, gan fod pob eglwys arall yn anghywir, ei fod e'n bennaeth ar yr eglwys newydd, a o'dd yn ddigon teg, dybiais i, gan taw fe o'dd awdur ei lyfr. Rhoddwyd offeiriadaeth Melchizedek i Joseph Smith ac Oliver Cowdery gan y Seintiau Pedr, Iago ac Ioan, a cha's y ddau yr awdurdod i fod yn drefnyddion yr Eglwys. Mae'r deuddeg 'apostol' sy'n llywodraethu ar yr Eglwys heddi yn ddisgynyddion i Smith a Cowdery.

Dyma'r tro cyntaf imi ddod wyneb yn wyneb â ffwndamentaliaeth grefyddol, ar wahân i'r hyn a geir mewn gwisg Efengyliaeth a Phabyddiaeth yng Nghymru, a phenderfynais y dylwn ddeall daliadau'r Mormoniaid hyd fy ngallu er mwyn deall y gymdeithas lle ro'n i i fyw am gyfnod. Dyna paham rwy'n sôn shwt gymaint amdanynt yn y bennod hon.

Mae'r Saint yn cretu bod dysgeidiaethau Crist, rai canrifoedd ar ôl Ei farwolaeth, wedi cael eu llygru a'u colli, a bod Llyfr

Mormon (gyda'r is-deitl 'Testament Arall Iesu Grist'), pob un o'i 588 o ddudalennau, yn adfer Ei neges. Mae 'na debygrwydd rhynt testunau'r ddau lyfr ond mae'r hanes a adroddir yn Llyfr Mormon yn unigryw. Mae'n olrhain stori hynod o gymhleth am shwt, yn y flwyddyn 600 Cyn Crist, y dihangodd criw bychan o Hebreaid rhag eu gormeswyr Babylonaidd cyn teithio i Gefnfor yr India, lle adeiladodd rhai ohonynt long a chychwyn dros Fôr yr Iwerydd. Yno, sefydlasant wareiddiad mawr gyda llawer i deml a dinas. Ond rhwystrwyd eu hymdrechion mewn rhyfel rhynt y Nephitiaid cro'n golau, daionus a'r Lamaniaid cro'n tywyll, drygionus a dinistriwyd eu dinaso'dd. Ar ôl yr Atgyfodi ymddangosodd Crist yn eu plith. Dyma ran bwysig o apêl y ffiloreg, dybiais i: bod Iesu wedi troedio tir America.

Am ddau gant o flynyddo'dd ar ôl ymddangosiad Crist, bu'r ddau lwyth yn byw mewn cytgord a ffyniant. Ond o ganlyniad i sgism a gwrthdaro, da'th pechod yn ôl i'w plith a holltwyd y bobol i ddwy garfan elyniaethus unwaith yn rhagor. Yna, tua'r flwyddyn 421 O'd Crist, ymosododd un grŵp ar y llall. Lladdwyd Mormon mewn brwydr yn erbyn y Lamaniaid ond nid cyn achub y platiau a'u claddu ym mryn Cumorah fel tyst i ddwyfoldeb Crist 'yn y dyddiau diwethaf'. Dyma'r testun y bu i Joseph Smith ei ddarganfod ym mryn Cumorah ym 1827, medden nhw. Ca's y Nephitiaid eu cymathu gan grwpiau eraill o Ewrop ac Asia a nhw o'dd cyndadau y llwythau Indiaidd yng Ngogledd a De America. Dyw absenoldeb llwyr unrhyw dystiolaeth archaeolegol neu baleograffig am y baloni hyn ddim yn rhwystro'r Mormoniaid rhag cretu'r fath lol a lap. Clywais ddynion deallus yn adrodd y stori gydag argyhoeddiad.

Nid syndod o'dd darllen fod y Mormoniaid cynnar wedi codi gwrychyn eu cymdogion, a o'dd yn elyniaethus i'w diwinyddiaeth a'u hymarfer o amlwreiciaeth fel ei gilydd. Dywedwyd bod gan Joseph Smith hanner cant o wragedd a bod gan ei olynydd, Brigham Young, eu harweinydd ar ôl i Smith gael ei ladd gan dorf yn Carthage yn Illinois, nifer cyffelyb. Ar ôl marwolaeth eu harweinydd, dihangodd dros fil o Formoniaid tua'r gorllewin, yn llusgo eu heiddo mewn ceirt dros y tiro'dd mwyaf anodd yn

America. Pan gyrhaeddodd y ffoaduriaid Ddyffryn y Llyn Heli ar 24 Gorffennaf 1847, daethant o hyd i anialwch diffrwyth a dibobol (ac eithrio llwyth yr Utes druain). Yn ôl y stori, gwetws Young, 'This is the place', ac felly adeiladwyd Dinas y Llyn Heli yn y man a'r lle. Da'th 60,000 o Formoniaid i ymuno â nhw dros yr ucen mlynedd nesaf. Ro'dd eu disgynyddion o'm cwmpas ar bob llaw tra o'n i'n 'sgrifennu fy nyddiadur yn y llyfrgell. Gyda llaw, 'whiliais yn ofer yn Llyfrgell y Brifysgol am nifer o lyfrau enwog megis *Ulysses*, *The Grapes of Wrath*, cerddi T. S. Eliot a Baudelaire, ac yn y bla'n. Do'dd yr un llyfr am Gymru yno, 'chwaith, ac eithrio rhai Leslie. Eto i gyd, mae gan BYU enw academaidd da ymhlith prifysgolion yr Unol Daleithiau.

Beth bynnag yw eich barn am grefydd y Mormoniaid, rhaid derbyn bod hanes eu taith sha'r gorllewin yn eithaf cyffrous ac arwrol. Yn wir, wrth ddarllen *The Mormon Experience*, hanes safonol a dadlennol gan Leonard J. Arrington a Davis Bitton, cetho i fy atgoffa am y Cymry a'u Gwladfa ym Mhatagonia: ymgartrefodd y gwladfawyr yn Nyffryn Chubut oherwydd nad o'dd neb arall ei moyn, a blodeuodd yr anialwch yno oherwydd eu gwytnwch, eu gwaith caled a'u dyfalbarhad.

Yn amlwg, dyn egnïol iawn o'dd Joseph Smith. Ystyriai rhai ef yn hocedwr gwarthus a rhai eraill ef fel rhyw fath o dduw. Yn ddiau, ro'dd yn ferchetwr anniwall a thicyn o fwli-boi. Mae awduron gwrth-Formonaidd fel ei gofiannydd Fawn McKay Brodie wedi ei bortreadu fel celwyddgi a'r Saint fel pobol hynod o hygoelus a ga's eu defnyddio gan eu harweinwyr diegwyddor. Mae'n amlwg bod llawer o bobol dlawd wedi ymaelodi nid ar gownt diwinyddiaeth yr Eglwys ond oherwydd eu hangen emosiynol a seicolegol am sicrwydd, awdurdod a threfen – ddim yn annhebyg, felly, i aelodau o eglwysi eraill y gellir eu henwi yn nes at adref. Ar ben popeth, cynigiws Mormoniaeth obaith am gychwyn newydd ar gyfandir newydd a'r twmlad o berthyn i'w gilydd mewn gwlad ddierth.

Mae'r Mormoniaid yn cretu y bydd eu Seion yn cael ei hadeiladu ar gyfandir America ac, ar ôl yr Ail Ddyfodiad, bydd pencadlys Crist yn cael ei sefydlu yn Utah. Eu bwriad, yn y cyfamser, yw creu'r amodau moesol, cymdeithasol a gwleidyddol fel sail i ailymddangosiad Crist. Amcan y Mormon da, meddai fy myfyrwyr wrtho i, yw 'bod fel Crist'. Do'dden nhw ddim yn deall pan wetais fod rhaid wrth bechod er mwyn cael llenyddiaeth fawr, ac un o'm hanawsterau yn fy nosbarthiadau o'dd eu perswadio i weud unrhyw beth beirniadol am eu cymeriadau neu ddangos shwt mae pobol ddrwg yn ymddwyn weithiau. Gan fod yr Eglwys yn gwrthod caniatáu'r agwedd hon do's gan y Mormoniaid ddim llenyddiaeth wironeddol fawr. Eu bardd mwyaf yw May Swenson a chefnodd hi ar yr Eglwys cyn diwedd ei ho's. Yn sicr, do'dd Clinton F. Larson, 'bardd llawryfog BYU', ddim yn fardd o bwys. Cofiwch, do'dd y Mormoniaid ddim wedi clywed am unrhyw fardd o Gymru 'chwaith, ac eithrio Dylan Thomas, er bod un o'm cyd-weithwrs yn gwypod am waith 'Horace Thomas', y bardd o Ben Llŷn. Yn y rhaglenni ar y teledu yn fy fflat ni welais unrhyw drais na rhyw na rhegi; yn wir, y ffilm fwyaf cyffrous a welais o'dd *Brideshead Revisited*. Hei leiff.

Gwyliais wasanaeth Mormonaidd o dro i dro, tair awr ar ei hyd, ac es hefyd i wasanaeth yn y Deml mas o 'whilfrydedd llwyr. Yn ystod y gwasanaeth, er syndod imi, ni chlywais gyfeiriad o gwbl at Joseph Smith na Llyfr Mormon ac, yn wir, ro'dd popeth yn anhynod ac eithrio dagrau mawr y fam o'dd yn ffarwelio ag un o'i chywion o'dd yn mynd tramor fel cenhadwr. Wrth imi wrando arnynt, a'th geiriau Byron trwy fy mhen: 'I stood among them but not of them in a shroud of thoughts which were not their thoughts'. Ond taw o'dd piau hi, dros dro o leiaf.

Dyw'r Gro's ddim i'w gweld yn nhemlau'r Mormoniaid nac ar eu beddau. Ni welant ddim dioddefaint nac aberth ym marwolaeth Iesu. Maen nhw'n cretu taw proffwyd dwyfol fel Joseph Smith o'dd Ef ac mae'r ddau yn cael yr un statws yn eu credo. Cetho i hyn yn anodd iawn ei dderbyn, gan fy mod i'n edmygydd mawr o Iesu y dyn hanesyddol tra bod Smith yn flagard. Dim ond yn y darnau sydd wedi eu cyfieithu'n gywir y mae'r Beibl yn 'wir', yn eu barn nhw, tra bod Llyfr Mormon yn 'wir' yn ei grynswth. Clywais i hyn gan un o'm cyd-weithwrs o'r enw Cynthia Hallen dros swper yn y ffreutur. Ro'dd hi wedi cael ei thowlu mas gan ei theulu ar gownt ei thröedigaeth i Formoniaeth, druan.

Ym 1991 yr o'dd tua 'whe miliwn o Formoniaid, y rhan fwyaf yn yr Unol Daleithiau, ond mae eu nifer yn tyfu'n aruthrol bob blwyddyn. Ro'dd yr Eglwys yn werth tua 30 biliwn o ddoleri bryd hynny. Mae'r sawl sydd am fod yn aelod 'mewn cyflawn aelodaeth' yn gorfod cyfrannu tua pymtheg y cant o'u hincwm i'r Eglwys a gweithio'n wirfoddol drosti hefyd. Do's gan y Mormoniaid mo'u hiaith eu hunain ond mae'n bosibl sôn am 'y bobol Formonaidd' os nad am 'y genedl Formonaidd'. Fel yn achos yr Iddewon, crefydd yw Mormoniaeth sydd wedi creu pobol. Maen nhw'n ffurfio dros 'whe deg y cant o boblogaeth Utah ac mae llawer ohonynt yn byw yn Wyoming a Nevada hefyd. Mae pob aelod sy'n cynrychioli Utah yn y Gyngres yn Washington D.C. yn Formon. Maen nhw'n goruchafu yng nghylcho'dd cyfreithiol y dalaith, ar fyrddau'r ysgolion, ar y cynghorau trefol ac yn neuaddau'r trefi. Mewn gair, ro'dd llaw yr Eglwys yn gadarn ar bob agwedd o fywyd cyhoeddus y dalaith. Ro'dd y gymhariaeth â'r Undeb Sofietaidd, lle ro'dd y Blaid Gomiwnyddol â bys ym mhob brwes cyn ei dymchwel, yn fy nharo i fel un agos at y gwir. Mae Moslemiaeth yn debyg, fel pob credo arall sy'n gwahardd yr anghytuno lleiaf fel heresi.

Heb fod ymhell o Wymount Terrace, ro'dd 'na Ganolfan Hyfforddi Cenhadon. Mae'n rhaid i bob Mormon gwrywaidd dreulio dwy flynedd yn lledaenu neges yr Eglwys dramor, yn llawn amser a heb gyflog. Maen nhw'n derbyn cwta dair wythnos o hyfforddiant yn y Ganolfan ac yn cael y gorchymyn i ddibynnu ar yr Ysbryd Glân i'w cynnal. Dyma'r bois sy'n curo ar eich drws o dro i dro. Dyw offeiriadaeth Melchizedek ddim yn agored i fenywod, sy'n 'whara rhan israddol iawn ym mywyd yr Eglwys.

Gwelais yn fynych grwpiau o ddynion ifainc mewn siwtiau trwsiadus a chrysau gwyn o gwmpas y campws a hawdd iawn o'dd cychwyn sgwrs â nhw gan eu bod wastad yn gobeithio fy achub. Pan dynnais sylw dau ohonynt at y ffaith nad o's gronyn o dystiolaeth i'w cred fod y Lamaniaid a'r Nephitiaid wedi creu gwareiddiad mawr yn America, a bod Crist wedi ymddangos yn yr hyn sy'n dalaith Efrog Newydd heddi, cetho i'r ateb, 'Sir, it ain't been discovered yet.' Anodd o'dd dadlau â'r fath feddylfryd ond trwy gofio geiriau Benjamin Franklin: 'The sleep of reason produces monsters.' Ar yr un pryd, pan getho i sgwrs gyda rhai o'm myfyrwyr, a minnau'n mynegi fy amheuon, gwetws un ohonynt, 'What you believe depends to a large extent on what you've been taught. We've been brought up to believe the Book of Mormon to be true and so we believe it is.' Digon teg, 'fallai, a rhywpeth i fyfyrio drosto, ond ar y llaw arall, os yw'r deall yn rhodd gan Dduw, rhaid ei ddefnyddio.

Do'dd Noël Owen a'i wraig Pat ddim wedi eu magu yn y ffydd Formonaidd. Cymro Cymraeg o Ben-y-bont-fawr yn Sir Drefaldwyn ydo'dd ef. Pan gerddais i mewn i'w swyddfa, lle ro'dd yn Athro Cemeg, gwyddwn ar unwaith fod Noël yn frawd i Ifor Owen, a drigai yng Ngwesty'r Sun yn Aberystwyth ers talwm. Gwetws Noël, o'dd wedi bod yn ddarlithydd ym Mangor ar un adeg, ei fod wedi cael ei droi at Formoniaeth ar y stepen drws pan alwodd cenhadon arno yn ei gartref ym Mhorthaethwy.

Pobol ddigon clên o'dd Noël a'i wraig ond ceidwadol ac uniongred dros ben. Dim ond trwy 'ddatguddiad' ymhlith Deuddeg Apostol y Sanhedrin, sy'n rheoli popeth, y gallai'r Eglwys newid, meddai fe. Mae pob Mormon da yn derbyn awdurdod yr hynafgwyr hyn (maent i gyd yn eu nawdegau) yn ddigwestiwn. Ro'dd Noël a'i wraig yn feirniadol o'r Eglwys Anglicanaidd ar gownt ei methiant, 'whedl hwythau, i gymryd safiad yn erbyn ordeinio offeiriaid benywaidd. Pan ofynnais, yn dringar iawn, beth o'dd eu hagwedd tuag at wrywgydiaeth dywedsant y byddent yn gadael yr Eglwys pe bai'n cael ei dderbyn, ond do'dd dim ateb pan ofynnais i ble byddent yn mynd. Ro'dd merch hynaf Noël a Pat yn gallu canu caneuon Cymraeg yr o'dd hi wedi eu dysgu yn Sir Fôn ond do'dd dim gair o'r iaith gan y lleill, a o'dd wedi cael eu cwnnu yn Utah.

Un o'r digwyddiadau mwyaf tywyll yn hanes y Mormoniaid yw'r gyflafan a fu yn Mountain Meadows yn ne-orllewin Utah ym 1857. Lladdwyd mintai o wladfawyr nad o'dd yn Formoniaid tra oeddynt ar y ffordd i Galiffornia. Llwyth y Paiute a ga's y bai yn y lle cyntaf ond grŵp o filisia Mormonaidd o'dd yn gyfrifol mewn gwirionedd a cha's John D. Lee, mab mabwysiedig Brigham Young, ei saethu am ei ran yn y lladdfa. Do'dd y cenhadon ifainc yn Provo ddim wedi clywed am y digwyddiad, meddent, nac am y llyfr *Salamander* gan Linda Sillitoe ac Allen Roberts sy'n olrhain hanes y llofruddiaethau yn Ninas y Llyn Heli yn yr Wyth Degau gan Mark Hofmann, o'dd wedi ffugio cannoedd o ddogfennau Mormonaidd a'u gwerthu nhw am grocbrisiau. Anodd cretu nad o'dd y cenhadon wedi clywed am bethau felly, ond dyna fe.

Y gwir yw bod y fath beth â 'chymod y gwa'd' yn niwylliant y Saint sy'n golygu bod gan y Mormon yr hawl, pan fo Duw yn caniatáu, wrth gwrs, i ddial ar y rhai sy'n achosi lo's iddynt. Ar y ffordd i Ddinas y Llyn Heli am y tro cyntaf gwelais Benydfa'r Dalaith, adeilad gerwin hyd yn o'd â'i holl oleuadau ymla'n trwy'r dydd a'r nos. Dyma'r llecyn lle dienyddiwyd Gary Gilmore am saethu dau Formon ym 1976. A'th i'w farwolaeth o'i wirfodd, yn llawn ymwybodol o 'gymod y gwa'd', fel y disgrifiwyd gan Norman Mailer yn ei lyfr *The Executioner's Song*. Ar ôl blwyddyn o ddadlau gan y cyfreithwyr, gwaeddodd Gilmore wrth y sgwad saethu, 'Let's do it!' Cofiais hefyd am Joe Hillstrom, arweinydd y Wobblies, y ffederasiwn o undebau a gweithwrs diwydiannol a wrthodws wmladd yn y Rhyfel Byd Cyntaf. Fe saethwyd Joe yn y Benydfa ar ôl ei gael yn euog ar gyhuddiad di-sail o ladd rhywun yn Ninas y Llyn Heli. Mae'r gân 'The Ballad of Joe Hill' yn ei goffáu ac wrth fynd heibio'r carchar cenais fel a ganlyn:

I dreamt I saw Joe Hill last night, alive as you and me,
Says I, But Joe you're ten years dead,
I never died, says he, I never died says he.

Er gwaethaf hyn i gyd, ro'dd pump neu 'whech o bobol yn yr Adran Saesneg a fu'n garedig wrtho i. Yn eu plith rwy'n cofio Sally Taylor, a o'dd yn dicyn o fardd, a'm gwahoddodd i'w chartref, a Brian a Lorna Best a a'th â mi lan mynyddo'dd Uinta (tua 7,500 o droedfeddi) i ymweld â mynwentydd eu tylwth. Fe es i ginio i gartref Ron Dennis ac i swper gyda John a Susan Tanner, cwpl hyfryd dros ben, a'u teulu o bump o blant. Ro'dd John, a o'dd yn hyddysg iawn yng ngwaith Milton, wedi mynd â'i deulu i Gymru, lle ymwelsant â'r Eisteddfod Genedlaethol, ddwy flynedd ynghynt.

Tra o'n i yn eu tŷ dangosodd John saith sach deithio, bob un yn llawn o fwyd a phethau fel rhaffau, lampau, bwyeill a chydau cysgu. Gorweddai Provo, meddai, ar ffawt daearegol a chafwyd daeargrynfeydd o dro i dro. Cyn y pryd diolchodd John i Dduw am fy mhresenoldeb yn eu cartref. Caeais fy llygaid yn dynn oherwydd ro'dd y plant lleiaf yn fy ngwylio trwy eu bysedd. Eglurws John fod yr Eglwys yn dishcwl i bob teulu gynnal noson gartref unwaith yr wythnos ac rwy'n meddwl taw dyna ro'n nhw'n ei wneud y noson honno. Cyn gynted ag y des yn ôl i Wymount Terrace yfais ddishgled o goffi o'r jar yr o'n i wedi ei phacio yn fy mag, ac wedyn un arall, fel gweithred wrthryfelgar yn erbyn yr uniongrededd a lywodraethai yn Provo. Sentar ydw i wrth reddf.

Ymhen ychydig ddyddiau cetho i ymweliad gan fenyw ifanc a dda'th i'm swyddfa i drafod ei hanfodlonrwydd â'r Eglwys yr o'dd hi wedi tyfu lan ynddi. Do'dd hi ddim yn barod i roi ei henw imi. Gwyddwn fod y myfyrwyr yn meddwl amdano i fel rhyddfrydwr, hynny yw, rhywun nad o'dd yn rhan o'u byd ceidwadol nhw ac un a o'dd yn barod i drafod eu problemau, felly. Ro'dd hi'n feirniadol o'r Eglwys ar gownt y ffordd yr o'dd yn trin menywod, yn enwedig ei phwyslais ar gael plant yn eu hugeiniau cynnar. Ro'n i wedi clywed bod gan nifer o'm cyd-weithwrs gymaint â 'whech neu saith o blant ac ro'dd un â deuddeg. Pan ofynnais i'm hymwelydd y rheswm am hyn esboniws fod gan y fenyw Formonaidd ddyletswydd i ddarparu dysglau corfforol ar gyfer plant ysbrydol Duw a fyddai'n dod i lawr o'r blaned Kolob lle o'dd Duw a'i wraig, ie, ei wraig, yn byw. Arswydais at hynny ac awgrymu esboniad llai ffantastig: ro'dd yn bwysig i bobol a drigai yn yr anialwch yn y dyddiau cynnar blanta i'r eithaf er mwyn sicrhau digonedd o bobol i weithio'r tir. Awgrymais hefyd y gellir esbonio agwedd yr Eglwys tuag at amlwreiciaeth yn yr un modd. Ond na, dim o gwbl, meddai'r fyfyrwraig hynaws, merch eithaf soffistigedig, yn bendant do'dd hynny ddim yn wir. Dyma'r hyn a gred Mitt Romney, cofiwch.

Yn rhyfedd iawn, cwta ddwy awr wedyn gwyliais raglen deledu am amlwreiciaeth. Er bod yr Eglwys wedi gwahardd amlwreiciaeth ym 1890, er mwyn cael bod yn rhan o'r Undeb Americanaidd, ro'dd yna eglwys hyd yn o'd fwy ffwndamentalaidd a o'dd yn dal i'w harfer. Yn ystod bywyd Joseph Smith, dysgeidiaeth swyddogol yr Eglwys o'dd unwreiciaeth. Pan ofynnodd ei frawd Hyrum am gyngor dwyfol ar y mater ca's 'ddatguddiad' i'r perwyl nad o'dd godineb yn bechod yn llygaid Duw. A'th Brigham Young ymhellach: 'Yr unig ddynion sydd â'r hawl i fod yn dduwiau yw'r sawl sy'n ymarfer amlwreiciaeth.' Pethau handi yw 'datguddiadau' weithiau. Er bod yr Eglwys wedi gwahardd amlwreiciaeth, amcangyfrifir bod rhynt 40,000 a 100,000 o bobol yn Utah, Idaho, Nevada, Arizona a Chaliffornia sy'n ei ymarfer o hyd.

Cyn pen ychydig ddyddiau cetho i ymweliad arall, y tro hwn gan ddyn ifanc o'dd am drafod gwrywgydiaeth. Do'dd e ddim yn hoyw, cofiwch, ond ro'dd ganddo gyfaill a o'dd – yr hen stori yr o'n i wedi ei chlywed o'r bla'n ar y campws. Gwyddwn fod y Mormoniaid yn gwahardd gwrywgydiaeth a lesbiaeth ymhlith eu haelodau a do'dd dim lle i bobol felly yn yr Eglwys. Trafodais rywioldeb gyda'r myfyriwr am rhyw ddwy awr, gan geisio esbonio beth o'dd y gyfraith yng ngwledydd Prydain, a gwrandawodd yn astud.

Ai cyd-ddigwyddiad o'dd y ddau ymweliad hyn o fewn cwta wythnos? Pan soniais am y peth wrth Leslie a Kitty, cetho i fy nghynghori i fod yn wyliadwrus: ro'dd yn bosibl fod y ddau fyfyriwr yn *agents provocateurs* a o'dd yn ceisio cael gwypod beth o'dd fy marn ar bethau o natur rywiol er mwyn fy riportio i awdurdodau'r Brifysgol. Cetho i fy siarso i beidio â thrafod pethau rhywiol, politicaidd, crefyddol na moesol yn fy nosbarthiadau 'chwaith, am yr un rheswm. Dyna ichi waharddiad mewn prifysgol! Dechreuais dwmlo'n anghyfforddus iawn yn y fath amgylchedd.

Y peth arall a o'dd, i mi, yn arfer tra hynod ymhlith y Saint o'dd bedyddio'r meirwon. Mae'r Eglwys yn dysgu bod perthynas deuluol yn parhau y tu hwnt i'r bedd a bod pob dyn yn mynd i gwrdd â'i wraig/wragedd yn y byd a ddaw. Mae'n ddyletswydd ar bob Mormon da i olrhain ei gyndadau hyd o leiaf bedair cenhedlaeth. Fel yr o'dd John Harris wedi esbonio, maen nhw'n bedyddio'r meirwon er mwyn sicrhau lle iddynt yn nefo'dd y Mormoniaid. Un o'r pethau tristaf a glywais yn Utah o'dd bod y gweddwon ymhlith yr arloeswyr cyntaf wedi dod â dillad parch eu gwŷr drosodd o Gymru yn y gred sicr o'u cyfarfod yn y byd nesaf. Nace nefo'dd y Cristion o'dd hwn, cofiwch, ond lle wedi'i neilltuo i'r Saint yn unig, wrth gwrs.

Dyma un o'r rhesymau pam maent mor selog am achyddiaeth. Maen nhw'n casglu gwybodaeth o bob math o ffynonellau, gan gynnwys beddau yng Nghymru a'r Llyfrgell Genedlaethol, er mwyn bedyddio'r meirwon. Yn wir, mae 'na rhywpeth afiach yn eu sêl a'u trylwyredd yn hyn o beth. Serch hynny, penderfynais gymryd mantais o'u hobsesiwn trwy ymweld â'r archifau enfawr sydd gan BYU a holi beth o'dd ganddynt am fy nhylwth i. Er mawr syndod imi, ro'dd pob un o'r Llwydiaid wedi eu rhestru: Annie Sophia Lloyd, ei brawd Hugh a'u rhieni Hugh a Martha Lloyd o Lanfihangel Dyffryn Arwy, a'r holl deulu'n mynd yn ôl i 1760. Ro'dd pob un wedi'i fedyddio yn null y Mormoniaid a'u priodasau 'wedi'u selio am dragwyddoldeb'. Pan ofynnais i'r gofalwr beth o'dd hyn yn ei olygu'n gwmws, gwetws fod ganddynt bellach y cyfle i fynd i'r nefo'dd Formonaidd. Chymerodd e ddim sylw pan wetais fod y Llwydiaid o Sir Faesyfed wedi treulio eu bywydau ar y ddaear hon fel aelodau o'r Eglwys Anglicanaidd, rhai ohonynt fel wardeniaid. A'th ymla'n i honni bod tua 200 miliwn o bobl wedi cael eu 'hachub' yn y modd hwn, gan gynnwys Buddha, y Pabau, Shakespeare, Walt Whitman, Einstein, Freud, Anne Frank ac Elvis Presley; 'so your folks sure are in good company,' meddai gyda gwên.

Dyma'r foment pan drodd fy agwedd tuag at yr Eglwys o 'whilfrydedd a goddefgarwch i ddirmyg llwyr tuag at bobol mor hygoelus. Yn hyn o beth, rhaid cyfaddef fy mod i wedi dod o dan ddylanwad Ruth. Er ei bod hi wedi cael ei magu'n Fethodist Calfinaidd, mae hi, fel ei rhieni, yn eciwmenaidd yn ei hagwedd tuag at grefyddau eraill megis Moslemiaeth, Hindŵaeth a Phabyddiaeth – er bod ganddi resymau da dros fod yn ddrwgdybus iawn o'r Efengylwyr. Dydw'i ddim yn arddel unrhyw ffydd grefyddol, o leiaf dim un rwy'n barod i'w mynegi'n gyhoeddus, ac yn bendant dw'i ddim yn cretu mewn unrhyw fyd a ddaw. Eto i gyd, mae 'da fi ddiddordeb mewn crefyddau ac rwy'n awyddus i ddeall shwt mae pobol yn gallu bod yn siŵr am yr hyn maent yn ei gretu. Dyw Ruth, ar y llaw arall, ddim yn gallu goddef y ffydd Formonaidd, gan ei hystyried yn barodi cableddus o Gristionogaeth. Ac yn hynny o beth mae hi'n iawn, wrth gwrs. Digon yw gweud ar fy rhan bersonol i, po fwyaf a ddysgwn am y Saint, mwyaf gwrthun y daethant yn fy ngolwg i. Do's dim rhyfedd, pob tro mae'r Eglwys yn ceisio ymuno â'r gymuned Gristionogol, bod eglwysi eraill America yn cytuno nad yw'n gymwys.

Yn y cyfamser, ro'n i'n cael newyddion o Gymru o dro i dro. Cetho i fy llorio un prynhawn pan ffoniodd Ruth i weud bod fy nghyfaill Michael Parnell wedi marw, yn 57 mlwydd o'd, tra o'dd ar ei wyliau yn Ffrainc gyda'i wraig Mary y diwrnod cynt. Ar brynhawn ei anglodd cerddais lan Ceunant Provo er mwyn bod ar fy mhen fy hunan a meddwl am Mike. Pan nad o'n i'n gallu mynd ymhellach gwelais banorama gwych o'm bla'n – y Rockies gydag eira ar eu copaon a fforestydd enfawr yn ymestyn i bob cyfeiriad, eu dail yn dechrau troi'n goch a melyn a saffrwn. Cofiais yr amsero'dd da ro'dd Mike a finnau wedi eu cael yng nghwmni ein gilydd, yn fwyaf diweddar ym Mosco ym 1989, a'n cyfeillgarwch dros y blynyddo'dd. Do'n i ddim yn

gallu mynegi fy ngalar ar y pryd. Ond gwaeddais ei enw mor
uchel ag y gallwn – 'Mi-chael Par-nell!' – cyn troi ac ymlwybro'n
ôl i Ddyffryn y Llyn Heli. Gwyddwn na fyddwn yn gweld fy
ffrind byth eto, a dyna shwt y ffarweliais ag e.

Ymhlith cyfeillion eraill y clywais oddi wrthynt ro'dd Sam
Adams, Don Dale-Jones a Bryan Martin Davies. Oddi wrth
John Pikoulis clywais fy mod i'n cael fy ystyried o ddifrif i
fod yn olygydd ar y *New Welsh Review*, i olynu Mike Parnell,
ac yn debyg o gael y swydd. Ond bythefnos yn ddiweddarach
'sgrifennodd eto i weud bod yr Academi wedi penodi Robin
Reeves i'r olygyddiaeth. Cetho i fy synnu clywed hynny
oherwydd nad o'n i wedi meddwl am Robin Reeves fel llenor o
unrhyw fath a buasai wedi bod yn well 'da fi pe bai ymgeisydd
arall, sef Herbert Williams, newyddiadurwr profiadol ac awdur
nifer o lyfrau, wedi cael ei benodi. Dw'i ddim wedi cretu gair o
eiddo Pikoulis ers hynny.

Diolch i'r drefen, ro'n i'n cael digon o gyfleoedd i jengid rhag
y Mormoniaid am ysbeidiau a gyrru ymhell o Utah. Es i ar fy
mhen fy hunan yn y Chevrolet yr o'n i wedi ei rentu mor bell
â Wyoming, Colorado, New Mexico, Nevada, Idaho, Oregon
ac Arizona. Da'th Ruth a Huw i ymuno â mi yn Provo am
bythefnos ym mis Medi a da'th Brengain ata' i ym mis Hydref.
Ro'dd cwmni 'da fi, felly, i fynd i weld Dead Horse Point,
Monument Valley, Four Corners a'r Hafn Fawr. Yn eu cwmni
nhw gwelais fy ngêm gyntaf o bêl-dro'd Americanaidd a mynd
i Sundance, y ganolfan ddiwylliannol, lle o'dd Robert Redford
yn byw gyda'i wraig Formonaidd. Pe buaswn wedi cwrdd â
Butch Cassidy buaswn wedi gofyn am y gwir am lofruddiaeth
Llwyd ap Iwan yn y Wladfa ym 1909, ond ni chetho i gyfle.
Gwelson ni amrywiaeth o anifeiliaid dierth megis byffalo,
ceffylau gwyllt, canddo aur, boncathod, ceirw, eryrod, fulturod,
elciaid, nadredd a drewgwn enfawr.

Ro'dd rhywpeth cofiadwy i'w weld ym mhob man. Yn
Four Corners, lle mae ffiniau Utah, Colorado, New Mexico ac
Arizona'n cwrdd â'i gilydd, siaredais am yr iaith frodorol gyda
dyn ifanc o'dd yn perthyn i lwyth y Navajos. Gwetws fod gan

Navajo sain sydd ddim i'w gael mewn unrhyw iaith arall yn y byd, sef *ll*, fel sydd yn *lli*, y gair am geffyl. Pan heriodd fi i ynganu'r un sain, gwetais 'Llanelli a Llangollen', ond cymerws hyn fel arwydd fy mod yn gwneud sbort am ei iaith, a da'th y sgwrs i ben. Sylwais mai'r faner o'dd yn cwhwfan yn y gwynt o bob stondin ar y safle o'dd y *Stars and Stripes*, gyda phen gwron mewn plu a phaent rhyfel wedi ei stampio arni. Aethon ni trwy nifer o bentrefi bychain ble trigai'r Navajos mewn tai tlawd iawn eu golwg. Mewn siop groser syllodd tua deucan ohonynt arnom gyda 'whilfrydedd llai na chwrtais. Ro'n i'n awyddus i weud wrthynt fy mod i wastad wedi cymryd eu hochor nhw yn erbyn yr *US Cavalry* tra oeddwn yn 'whara ar y Bute yn Nhrefforest ers talwm, ond ni chetho i'r cyfle rywsut. Do'dd dim Americanwyr Brodorol i'w gweld ar gampws BYU.

Ar un o'r teithiau hyn des i ar draws lle bach cysglyd o'r enw Wales. Sefydlwyd y pentre tua 1854 gan lowyr o Gymru o'dd wedi darganfod glo yno. Yn y fynwent gwelais ugeiniau o feddau gydag enwau fel Jones, Davies, Price, Rees, Thomas a Williams arnynt; arweinwyr y fintai gyntaf o arloeswyr o'dd dau ŵr o Ferthyr o'r enw John E. Rees a John Price. Ro'dd englynion ac arysgrifau Cymraeg ar y rhan fwyaf o'r beddau cynharaf.

Prynais ddau gopi o lyfryn gyda'r teitl *Coalbed* (enw gwreiddiol y lle), un i'w gatw a'r llall i'w roi i'r Llyfrgell Genedlaethol. Uchafbwynt yr ymweliad â Provo i Huw o'dd cwrdd â chonsuriwr a berthynai i gwmni o'dd yn perfformio drama am Phineas T. Barnum, yr impresario syrcas, a chael tocyn i weld 'the greatest show on earth' a mynd lan ar y llwyfan i helpu llifio merch yn ei hanner.

Yn Las Vegas, lle es ym mis Tachwedd, ymwelais â'r holl lefydd enwog fel Caesar's Palace, The Mirage ac Excalibur. Gwelais arwydd enfawr gydag enw Tom Jones arno mewn goleuadau llachar a meddwl, 'Eitha da i fachan o Drefforest.' Dyma'r lle mwyaf di-'wha'th rwyf wedi bod ynddo erio'd, ond fel y gwetws rhywun, rhaid trio popeth unwaith, ac eithrio llosgach a dawnsio gwerin. Rhaid cofio, hefyd, fod y Maffia a'r Eglwys Formonaidd wedi ariannu Las Vegas fel canolfan puteindra a 'whara hap. Do'n i ddim am brofi'r naill o'r rhain ond, am y tro cyntaf yn fy mywyd, penderfynais fentro ar y llall. Wrth imi sefyll ger un o'r bordydd rwlét yn gynnar yn y bore gwetws y boi a ofalai amdano ei fod yn dod o Dredegar yn Sir Fynwy. 'So what are Neil Kinnock's chances this time?' gofynnws. 'Pretty good,' atebais innau. Cymerais ei wên fel arwydd ei fod yn fodlon trefnu pethau o'm plaid. Felly, rhoddais bum doler ar y rhif 10 coch. Gwelais yr olwyn yn troi ac yn troi ac yn troi – a chollais. Clywais lais fy mam-gu yn fy mhen yn gweud, 'Serve you right, you daft ha'porth!'

Ond fy ymgais fwyaf penderfynol i ffoi o Utah o'dd fy ngwibdaith i Cupertino yng Nghaliffornia. Ro'dd Robert a Marilyn Bratman wedi gweld rhywpeth yr o'n i wedi ei gyhoeddi yn *Planet* a thrwy John Barnie, y golygydd, daethant o hyd imi yn Provo. Llyfrgellydd o Aberdâr o'dd Marilyn ac ro'dd eu tŷ'n llawn o bethau i'w hatgoffa o Gymru; obstetrydd o Americanwr o'dd Robert. Treuliais wythnos fwyaf dymunol gyda nhw. Ar Ddiwrnod Diolchgarwch da'th criw o Gymdeithas Cymry De Califfornia i helpu i fwyta'r twrci. Ymhlith y gwesteion ro'dd David Vernon Thomas, brodor arall o Drefforest, a o'dd yn nai i E. R. Thomas, fy hen brifathro, Piggy, ac yn debyg iawn iddo o ran pryd a gwedd. Ro'dd pawb o gwmpas y ford yn mynegi cydymdeimlad â mi oherwydd nad oeddwn, yn eu tyb nhw, yn gweld yn Utah 'yr America go iawn'.

Cof byw arall sydd 'da fi yw cwrdd â Lawrence Ferlinghetti, un o'r *beat poets* a ddarllenais pan o'n i'n fyfyriwr yn Aberystwyth. Cawson ni sgwrs eithaf hir dros swper mewn tŷ bwyta, Chez Moustache, yn San Francisco, heb fod ymhell o'r siop lyfrau a'r tŷ cyhoeddi enwog City Lights. Ymhlith y pynciau a drafodwyd ro'dd barddoniaeth Jacques Prévert ac Émile Verhaeren. Ferlinghetti o'dd y cyntaf i gyfieithu Prévert i'r Saesneg ac fe 'sgrifennws thesis ar Verhaeren, fel finnau, tra o'dd yn fyfyriwr yn y Sorbonne, felly ro'dd gyda ni ddigon i'w drafod. Wedi imi ddychwelyd i Provo halodd gopi o'i gyfieithiad o *Paroles*, casgliad enwocaf Prévert, gydag ei lofnod arno. Yn y llyfr ro'dd e wedi tanlinellu y geiriau 'Il ne faut pas laisser les intellectuels jouer avec les allumettes', fel ymateb, mae'n debyg, i'r ffaith imi adrodd hanes Penyberth wrtho dros y ford swper. Yn ystod fy ymweliad â San Francisco nofiais yn y Môr Tawel.

Dim ond rhyw ddeng niwrnod o'dd ar ôl o'm tymor yn Seion. Ro'n i wedi cael y cyfle i aros yn BYU am flwyddyn academaidd gron ond bu un tymor yn hen ddigon imi. Oni bai fod Ruth, Huw a Brengain wedi dod i'm gweld byddai'r hiraeth am gartref wedi bod yn drech na fi. Ond nawr ro'dd y diwedd mewn golwg. Da'th dros gant o bobol, gan gynnwys rhai o'm cyd-weithwrs yn yr Adran Saesneg a nifer o'm myfyrwyr, i wrando arno i'n darllen darnau o'm gwaith. Wedyn es i draw i swyddfa'r Adran gyda'r marciau ar gyfer y myfyrwyr yn fy nosbarthiadau: rho's radd A i ddeg ohonynt ond B i'r gweddill, ac C i ambell un, gan gynnwys dyn ifanc dymunol o'r enw Clint Graviet a o'dd wedi 'sgrifennu nifer o faledi cowboi yn ystod y tymor. Ond ar y cyfan ro'dd 'na ormod o gerddi am bynciau arallfydol fel Yr Enaid a Thragwyddoldeb a'r Gwirionedd – pynciau yr o'n i wedi eu rhybuddio rhag 'sgrifennu amdanynt. Ar un o'r sgriptiau ro'dd y myfyriwr wedi 'sgrifennu, 'For this forrin guy, old, crazie but inteligant, who nows his stuf.' Cymerais i hyn fel rhyw fath ar gompliment.

Ar ôl fy nosbarth olaf un cafwyd curo dwylo gan y myfyrwyr ac wedyn aethon ni mas i gael tynnu ffoto. Siglwyd fy llaw gan lawer a gofynnais iddynt roi gwypod imi pan ddôi eu llyfrau cyntaf o'r wasg; dw'i ddim wedi clywed oddi wrth yr un ohonynt ers hynny. Ar fy ffordd ar hyd y coridor am y tro olaf gelwais ar John Harris yn ei swyddfa. Gwenodd pan wetais, 'John, it's time to light out for the territory.' Pan ofynnodd imi am ba argraff yr o'n i wedi ei chael o BYU, rho's fy marn heb flewyn ar fy nhafod: ro'dd y Saint wedi creu cymdeithas gaeëdig, atebais. Do'n i ddim yn hoff iawn o'r cymeriad Mormonaidd ar gownt ei wacter meddwl a'i hygoeledd a hunangyfiawnder eu cred eu bod nhw yn iawn a phawb arall yn anghywir. Ro'dd gwell 'da fi garu dynolryw yn ei holl amherffeithrwydd. Do'n i ddim am fyw mewn cymuned lle mae pobol ddeallus yn gorfod ufuddhau i awdurdod heb ofyn cwestiynau nac anghytuno o bryd i'w gilydd. Gwenodd eto'n enigmatig a siglo llaw â mi'n gynnes ddigon, ond heb air arall.

Ar fy noson olaf yn Provo fe es am dro gyda Leslie a'i gi ar hyd glan yr afon sy'n rhedeg trwy Orem ac wedyn, dros ford swper, gwetws Leslie nifer o storïau am yr Eglwys a adlewyrchai'n wael ar y Saint. Mae'n rhaid i un ohonynt fod yn ddigon yn y fan hyn. Ychydig cyn imi gyrraedd BYU ro'dd Taft Benson, un o'r Sanhedrin, wedi cael 'datguddiad' i'r perwyl ei bod yn olreit i yfed Coca Cola, y math heb gaffein, wedi'r cwbl. Toc wedyn cafwyd sgandal fawr ar ôl i bapur newydd yn Ninas y Llyn Heli ddarganfod bod yr Eglwys wedi buddsoddi yn y cwmni sy'n cynhyrchu'r ddiod. Felly, ro'dd rhywrai yn catw llygad ar y Mormoniaid wedi'r cyfan, ac ro'n i'n falch iawn taw newyddiadurwyr o'dd y rhain. Mae'n ddyletswydd ar bapurau gatw llygad ar bobol sy'n cretu taw nhw, a dim ond nhw, sy'n iawn.

Ac ar y nodyn yna, cenais yn iach â Seion.

Cyrhaeddais Gatwick am wyth o'r gloch y bore ar 12 Rhagfyr, ar ôl hedfan am wyth awr. Yn ystod y daith cetho i gyfle i feddwl am yr hyn yr o'n i wedi ei fwynhau yn America a'r hyn nad o'dd wrth fy modd. Ar y cyfan, teimlais yn falch fy mod i wedi derbyn y gwahoddiad. Ro'n i wedi gweld llefydd a phobol na welais eu tebyg erio'd o'r bla'n ac wedi dysgu peth am shwt o'dd Americanwyr (wel, Mormoniaid) yn meddwl ac yn byw. Mae ehangu gorwelion wastad yn beth da, dybiwn i.

Ond y peth cyntaf a wnes yn Reading o'dd ffonio Ruth ac, ar ôl gweud wrthi fy mod i wedi croesi'r Iwerydd, 'sgrifennais bennill Eifion Wyn yn fy nyddiadur:

Mae'n werth troi'n alltud ambell dro
A mynd o Gymru fach ymhell,
Er mwyn cael dod i Gymru'n ôl
A medru caru Cymru'n well.

A chyn pen dim, ro'n i 'nôl ar fy mharth fy hunan yn yr Eglwys Newydd.

175

8

Canmol gwŷr enwog

WEDI UTAH, BWRIADWN barhau i ennill fy nhocyn yn gweithio fel newyddiadurwr, golygydd, ymchwilydd ac athro llanw. Cetho i gyfweliad i fod yn Gyfarwyddwr y Biwro dros Ieithoedd Llai ym Mrwsel ym mis Ionawr 1992 ac un arall ar gyfer swydd Prif Weithredwr Plaid Cymru ym mis Medi 1993 pan benodwyd Karl Davies. Ond do'n i ddim yn 'whilio am waith parhaol mewn gwirionedd, gan fy mod i'n gwneud yn eithaf da'n ariannol.

Braidd o'm hanfodd, ond er mwyn catw fy addewid i Leslie Norris, 'sgrifennais *Culturegram*, sef llyfryn ffeithiol am Gymru, i'r Ganolfan Hyfforddi Cenhadon yn Provo. Cetho i fy nghysylltiad olaf â BYU pan dda'th Sally Taylor ac Eugene England i dreulio noson neu ddwy gyda ni yn ystod haf 1992 a phan feirniadais gystadleuaeth farddoniaeth Adran Saesneg y Brifysgol a enillwyd (o dan ffugenw) gan John S. Harris.

Cyhoeddwyd *A Most Peculiar People*, fy nghasgliad o ddyfyniadau am Gymru a'i phobol, gan Wasg Prifysgol Cymru. Golygais *Changing Wales* i Wasg Gomer, sef cyfres o ysgrifau polemig, yn eu plith *The Aesthetics of Relevance* gan Peter Lord, *Cymru or Wales?* gan R. S. Thomas, *Cardiff: Half-and-half a Capital* gan Rhodri Morgan, *Language Regained* gan Bobi Jones, *The Political Conundrum* gan Clive Betts, *The Princeship of Wales* gan Jan Morris a *The Democratic Challenge* gan John Osmond. Amcan y gyfres o'dd sbarduno'r Cymry i feddwl am ddyfodol eu gwlad unwaith yn rhagor wedi methiant refferendwm 1979, ond ni chafwyd llawer o ymateb iddi.

Gweithiais hefyd ar argraffiad newydd o'r *Cydymaith* i Wasg Prifysgol Cymru, rhoddais *A Rhondda Anthology* at ei gilydd i Seren i fynd gyda'i chymar *A Cardiff Anthology* a lluniais lyfryddiaeth o lenyddiaeth Gymraeg a Chymreig i'r Cyngor Prydeinig. Dechreuais gyfrannu colofn wythnosol i'r *Western Mail* ym mis Mawrth 1992 a redws am ddeuddeg o flynyddo'dd. Golygais dair cyfrol swmpus o storïau byrion Rhys Davies a chyfrennais 162 o gofnodion ar gyfer yr *Oxford Chronology of English Literature*. Ym mis Mawrth 1992 hefyd gwna'th Vaughan Hughes o Ffilmiau'r Bont raglen deledu amdanaf i, a o'dd yn brofiad newydd imi. Cyfieithais nifer o gerddi hirion, gan gynnwys 'Ffynhonnau' Rhydwen Williams ac 'Y Llen' gan Dyfnallt Morgan, ar gyfer *The Bloodaxe Book of Modern Welsh Poetry*, a olygwyd gan Menna Elfyn a John Rowlands.

Yr unig waith a barodd fwy na mis o'dd sbelan o ffereta yn archifau BBC Cymru o dan oruchwyliad Iris Cobbe, menyw radlon a Chymraes lân. Llwyddais i ddod o hyd i nifer o raglenni yr o'dd y Gorfforaeth yn gallu eu hailddefnyddio, gan gynnwys peth wmbreth o dapiau o feirdd Cymreig a Chymraeg. Dychwelais i fyd addysg yn ysbeidiol hefyd fel athro llanw. Ymhlith yr ysgolion lle dysgais Ffrangeg a Saesneg ro'dd Ysgol Gyfun Llanisien ac Ysgol Gyfun Coed-y-lan, sef fy hen ysgol ym Mhontypridd; profiad digon diflas o'dd bod yn y ddwy ond pleser digymysg o'dd cael siec ar ddiwedd pob mis ac felly ymdrechais i'w fwynhau.

Fe es i Torino ym mis Hydref 1994 gyda Tony a Margaret Curtis i draddodi darlith ar lên Saesneg Cymru yn y Brifysgol yno. Yn ystod y mis canlynol es gyda Mererid Hopwood, Peter Stead, Heini Gruffudd a Rhys Williams i gynhadledd yn Kiel yn yr Almaen. Pleser pur o'dd gwrando ar Mererid yn trafod Cerdd Dafod trwy gyfrwng yr Almaeneg ar yr achlysur hwnnw. Ro'dd yr ymweliad yn gofiadwy am reswm arall hefyd. Gan fod digon o oriau rhydd 'da ni, aethon ni mewn llong ar hyd y gamlas yn y niwl a rhoi'r byd yn ei le wrth yfed cryn dicyn o shnaps. Cofiaf un noson yn arbennig. Tra oeddem yn cerddetan trwy hewlydd cefen y dref, daethon ni ar draws cofgolofn i Max

Planck gyda'i hafaliad enwog arno, E=hv. Arhoson ni o fla'n y gofeb am ysbaid er mwyn gwrando ar yr hanesydd gwybodus Peter Stead yn esbonio dicyn am gefndir y ffisegydd blaenllaw. Er ei fod yn athrylith ac yn adnabyddus am ddamcaniaeth y cwantwm, meddai Peter, ni wyddai llawer o bobol fod gydag e ddau frawd a o'dd yn gorachod â nam ar eu meddwl. 'Really?' meddwn i. 'Oh, yes,' meddai Peter yn ysmala. 'That's where the expression "Thick as two short planks" comes from.' Bwm bwm!

Ond digwyddiad mwyaf 1994 yn fy hanes i o'dd marwolaeth fy annwyl fam. Ro'dd hi wedi dod atom yn yr Eglwys Newydd rai miso'dd ynghynt, tra o'dd yn cael cemotherapi yn Ysbyty Felindre gerllaw, ond ro'dd y lymffoma yn drech na hi yn y diwedd. Ca's ei symud i Ysbyty Dewi Sant ym Mhontypridd. Yno, yn ei bro ei hunan, ro'dd yn hapusach ac ro'dd Ruth a finnau, yn ein tro, yn gallu ymweld â hi bob dydd, a'i chael mewn hwyliau da ar y cychwyn, yn ffoli ar ddefodau'r ysbyty a gofal y nyrsys, profiad newydd iddi hi. Edrychai ymla'n at ddod sha thre: ro'dd hi wedi dechrau torri rysáits mas o gylchgronau ar gyfer y dyfodol. Ond sylwais ei bod yn dirywio y diwrnod nad o'dd am gwblhau ei chroesair, ac wedi hynny ca's ei diwedd yn drugarog o glou. Ffoniais yr ysbyty ar y bore Sul hwnnw i holi amdani, a chael y gorchymyn i fynd yno ar unwaith a bod yn barod am y gwaethaf. Bu farw ar 4 Medi 1994, cyn i'm brawd a'i wraig allu cyrraedd Pontypridd o Stratford-upon-Avon. Dyma'r unig dro imi weld rhywun yn marw.

Ro'dd cryn dicyn i'w wneud dros y dyddiau nesaf. Do'dd dim rhaid gweud wrth ei chymdogion, gan fod y gair wedi mynd trwy Drefforest fel tân gwyllt cyn imi allu rhoi'r manylion yn y *Pontypridd Observer*. Bu'n rhaid imi ymweld â'r meddyg, y cofrestrydd, yr ysbyty, y capel a'r trefnydd angladdau, gan lenwi ffurflenni a chasglu tystysgrifau oddi wrth bob un ohonynt, cyn y cydnabuwyd marwolaeth fy mam yn swyddogol. I'r swyddfa bost wedyn, a'r gymdeithas adeiladu, i'w hysbysu y dylid cau ei phensiwn a'i chyfrif, ac yn ôl at y cyfreithiwr eto i drafod ei

hewyllys. Byddai fy mam, menyw ddirodres, wedi rhyfeddu at
yr holl ffwdan.

Cynhaliwyd yr anglodd ar y dydd Mercher canlynol yng
Nglyn-taf, 'dros yr afon', ys dywed trigolion Trefforest fel pe
bai Taf yn Stycs. Fe'i trefnwyd gan ddyn o'dd yn nodweddiadol
o'i alwedigaeth: ni chlywais shwt gymaint o eiriau cwmpasog
yn fy myw. Ro'dd y capel dan ei sang a chanwyd dau emyn,
un yn Gymraeg a'r llall yn Saesneg: teulu ydym lle rhed y ffin
ieithyddol rhyngom megis ceunant. Un o feibion y Rhondda
o'dd y gweinidog, a berthynai i'r hen ysgol o bregethwyr, ac
ro'dd yn hoff iawn gan fy mam, ei 'Amen!' yn aml ac yn fyddarol.
Pe bawn i ond wedi gallu cretu hanner yr hyn yr o'dd gan y gŵr
da hwnnw i'w weud am y bywyd tragwyddol!

Eto i gyd, rhaid cyfaddef nad o'n i'n gwrando'n astud. Wrth
ddishcwl ar drefen y gwasanaeth, lle disgrifiwyd fy mam fel
gwraig, mam, mam yng nghyfraith, mam-gu a hen fam-gu
gariadus, ca's y darllenydd proflenni ynof fraw i weld enw fy
niweddar dad wedi ei gamsillafu. Ar y llaw arall, ro'dd y gwall
yn gymorth rywsut i gatw fy meddyliau yn ddigon pell o Lyn-taf.
Cofiais hefyd y rhigwm 'smala sy'n dechrau, 'Death for me will
hold no terrors / for I have suffered from printer's errors', ac yn
rhyfedd iawn, er bod dagrau yn fy llygaid, gwenais. Ni wingais,
'chwaith, wrth i'r gweinidog wasgu'r botwm cudd ac imi weld
arch fy mam, wedi ei choroni gyda'n blodau, yn diflannu o'r
golwg, er fy mod i'n gwypod yn iawn, wedi gweithio yn yr
amlosgfa dros sawl haf, beth fyddai'n digwydd nesaf. Dim ots:
ro'n i eiso's wedi ffarwelio â'm mam mewn modd llawer mwy
preifat.

Wedyn, dros ddishcled o de yn festri'r capel ar Castle
Square lle priodwyd fy rhieni a lle ro'dd fy mam yn aelod
selog, da'th y foment yn eithaf cynnar pan mae pobol yn
dechrau gwenu eto a siarad am bethau eraill, pan mae bywyd
yn ailafael yn ei gyfantoledd ac mae'r meirwon, er cymaint
y cariad amdanynt, yn cychwyn ar y broses o hunanddilead
sydd yn caniatáu i'w hanwyliaid ffrwyno eu galar a pharhau i
fyw yn y byd hwn. Anodd o'dd peidio â mwynhau gweld hen

ffrindiau a chymdogion 'to, hyd yn o'd mewn amgylchiadau mor drist. Pleser o'dd cyfarch aelodau'r capel hefyd, menywod twymgalon, deche, llai eu nifer gyda phob blwyddyn sy'n mynd heibio. Ro'dd rhai yn awyddus i rannu eu hatgofion am fy mam, gan gofio'n bennaf ei chymeriad addfwyn a chymwynasgar. A'th un ymla'n, yn ddagreuol, am wallt hir melyn fy mam a'i llwyddiant ysgubol mewn cynhyrchiad o *Pearl the Fisher Maid* rywbryd yn ystod y Tri Degau. Ro'dd yr amser wedi dod inni wneud ein hesgusodion a gadael.

Lle cwbl oeraidd a llwydaidd o'dd Trefforest dranno'th. Gyda marwolaeth ail riant, dyw'r ymwybyddiaeth o fod yn amddifad ddim yn llai o ergyd oherwydd iddo ddod yn ystod cyfnod canol o'd. Wedi'r cyfan, cledd â min yw claddu mam. Serch hynny, rhaid cofnodi nad o'n i wedi cynhyrfu gormod, yn gyhoeddus o leiaf. Ni theimlais ofid llethol nes imi ddechrau ar y gorchwyl pruddglwyfus o fynd trwy drugareddau fy mam. Hawdd o'dd delio â'r blwch bach lle cadwai ddogfennau megis biliau nwy a thrydan, ei llyfr pensiwn a'r drwydded deledu, oblegid ro'dd hi wedi eu ffeilio'n daclus yn eu hamlenni wrth eu talu fesul un. Hawdd hefyd o'dd didoli ei dillad, gyda chymorth Ruth: gwagiais y cypyrddau'n eithaf clou a ffonio Tenovus. Es ati i glirio'r seld, gan symud pentwr o bapur brown, patrymau gwau a hen gardiau cyfarch – petheuach yr o'dd hi'n tueddu i'w catw ar y dybiaeth y byddent yn handi ryw ddydd. Mae pobol sydd wedi colli anwyliaid yn profi rhywfaint o gysur, debygais i, yn y fath ymwacâd.

Ond cetho i anhawster mawr gyda'r pethau bach: y llestri, y cyllyll a'r ffyrc, ac ati, yn enwedig y stwff henach ro'n i'n ei gofio o'm plentyndod. Y baswn siwgwr, er enghraifft: arferai fy mam-gu adael imi roi fy mara menyn ynddo pan o'n i'n grwt; yr efel gnau a ddeuai mas sha'r Nadolig yn unig; y gyllell fawr, ei llafn wedi mynd yn denau erbyn hyn, yr o'dd fy nhad-cu yn ei defnyddio i dorri'r cig bob dydd Sul; y ddyshcyl fach las-a-gwyn gyda'r tri Tsieinî yn croesi'r bont a ddaliai frecwast fy nhad; y canwyllbrennau a fu yn ein tŷ ers cyn cof ac o'dd wedi goroesi rywsut y tu hwnt i o's fy mam-gu a'm tad-cu a nawr y tu hwnt i o's fy rhieni. Beth bynnag arall a deflais mas dros y dyddiau nesaf – ac ro'dd twryn o stwff yr o'n i'n falch o gael gwared arno – bu'n rhaid imi gatw'r rhain. Maent yn sefyll ar silff bentan yn ein tŷ yn yr Eglwys Newydd hyd heddi. Ni chofiaf ar y funud pwy a wetws nad o's realiti oddieithr mewn pethau, ond gwir y gair, yn fy nhyb i. Os barnwch fy mod i'n rhy faterol neu'n ordeimladol, mae'n flin 'da fi. Gwn hefyd fy mod i'n wirion: 'does gan y pethau hyn ddim arwyddocâd i neb ond fi, a byddant yn cael eu towlu, 'fallai, gan fy mhlant a'm hwyrion yn y man. Ond tra fy mod i ar dir y byw, doed a ddelo, byddaf yn glynu wrth y pethau hyn gyda gafael na all neb na dim byd ei dorri.

Ond rhaid o'dd dychwelyd i fyd y byw. Treuliais gryn dicyn o amser gyda'm ffrind Brian Morris (Yr Arglwydd Morris o Gastell Morris yn Sir Benfro, i roi ei deitl mawreddog iddo). Cetho i wahoddiad i ymweld ag e yn Nhŷ'r Arglwyddi, lle cwrddais â Quentin Hogg, y boi a gyfeiriai at aelodau o Gymdeithas yr Iaith fel 'baboons', a digon oeraidd o'dd fy nghyfarchiad hefyd. Yn annisgwyl braidd, ro'dd gan Brian dicyn o ddiddordeb yng ngwaith Harri Webb ac ro'n i wedi addo bod o gymorth iddo tra o'dd yn 'sgrifennu am fy nghyfaill ar gyfer y gyfres *Writers of Wales*.

Fe es â Brian i weld Harri yn ei fflat yng Nghwm-bach. Ond methiant o'dd yr ymweliad, yn anffodus. Ro'dd Harri, o'dd yn meddwl bod Brian yn 'fachan trwy'r tanad', yn gallu bod yn swta ac yn anhydrin ar adegau ac ar yr achlysur hwn bu'n gyndyn i sôn am ei waith wrth Brian, er ei fod wedi cytuno i wneud hynny. Yr unig beth yr o'dd yn fodlon ei drafod o'dd ystyr yr ymadrodd 'mosed in the chine', a geir yn un o ddramâu Shakespeare, prif faes academaidd Brian. Pan gyhoeddwyd y llyfr yn y man fe es â chopi ato, ond cymerodd un cewc arno a'i dowlu ar draws y 'stafell. Rhan o gellwair Harri fu'r cwbl: ro'dd yn cymryd arno ei fod wedi cefnu ar 'sgrifennu'n Saesneg, a o'dd, meddai, yn 'iaith farwaidd'. Y gwir o'dd ei fod wedi peidio 'sgrifennu'n gyfan gwbl erbyn hynny gan fod ei iechyd mor wa'l.

Erbyn hynny ro'dd Harri wedi troi'n feudwy. Ni welai ef neb, bron, ond fi a Glyn Owen, y boi o'dd yn dishcwl ar ôl ei gyfrif banc a'i gardiau credyd, a'r ddynes o'dd yn glanhau'r fflat ac yn paratoi ei brydau. Erbyn mis Gorffennaf 1994 ro'dd yn amlwg na fyddai byth yn gadael yr ysbyty a chetho i gais gan ei hanner-brawd, Michael Webb, i symud unrhyw beth o werth o'i fflat, er diogelwch. Do'dd dim llawer o werth ariannol yno, fel mater o ffaith, ar wahân i rai o'i lyfrau, ond dyna a wnes, gan restru popeth ro'n i wedi ei gymryd oddi yno. Do'dd dim lle yn fy nghar i lun olew enfawr gan Kyffin Williams a bu'n rhaid imi ei adael ar y wal dros dro. Pan ofynnais i Harri beth o'dd e am imi wneud gydag e gwetws ei fod am imi ei gael. Ond pan ddychwelais i'w fflat ryw wythnos yn ddiweddarach do'dd y llun ddim yno. Fe'i gwelwyd ar wal meddygfa yn y pentre rai wythnosau wedyn, meddai cymydog wrtho i. Holais Glyn Owen am hyn ond ni wyddai ddim byd abythdu ef, meddai fe.

Ym mis Awst 1994 fe'm gwnaethpwyd gan Harri yn ysgutor llenyddol i'w ewyllys a rhoddws yr hawliau ar ei holl weithiau imi. Dyna ei weithred olaf mewn cyfeillgarwch a o'dd wedi parhau ers mis Medi 1962 pan gwrddais ag e am y tro cyntaf yng Nghaerdydd. Cetho i felly yr hawlfraint ar 'Colli Iaith', sef y gân y mae Heather Jones wedi ei phoblogeiddio gyda'i chanu gwych. Golygais *Collected Poems* Harri, yn ogystal â detholiadau o'i newyddiaduraeth lenyddol a pholiticaidd, er mwyn catw ei neges genedlaetholgar yng ngolwg ei gyd-Gymry. Erbyn hyn dydyn nhw ddim yn gwerthu mwy na rhyw hanner dwsin o gopïau y flwyddyn.

Wedi gofyn i gael ei symud i Abertawe, gan ei fod yn 'Swansea Jack', buws Harri farw yno yng nghartref nyrsio Dewi Sant ar ddiwrnod olaf y flwyddyn 1994. Cynhaliwyd ei anglodd yn Eglwys Santes Mair, Pennard, ym Mro Gŵyr, ar 6 Ionawr 1995 ac fe'i claddwyd yn yr un bedd â'i rieni. Ro'dd Gwilym Prys Davies, gynt o Fudiad Gweriniaethwyr Cymru, yno yn ogystal â chynrychiolwyr o Blaid Cymru, gan gynnwys Gwynfor Evans, a nifer o awduron amlycaf Cymru. Agorwyd cronfa er cof am y bardd gan Nigel Jenkins, Sally Jones a finnau a chynhaliwyd rhaglen o ddarlleniadau i'w goffáu. O fewn byr amser trefnais i Ymddiriedolaeth Rhys Davies godi plac yng nghyntedd y Llyfrgell Gyhoeddus yn Aberpennar lle gweithiai Harri ar ôl symud o Ddowlais. Fel teyrnged olaf i'm cyfaill rho's i linell o'r *Gododdin* fel epigraff i'w *Collected Poems*: 'Beirdd byd barnant wŷr o galon.'

Ro'dd Harri wedi rhoi'r rhan fwyaf o'i archif imi ym 1989 ac ar ôl ei farwolaeth cetho i'r gweddill fel ysgutor llenyddol i'w ewyllys. Cynhwysai'r casgliad nid yn unig gerddi mewn llawysgrif a theipysgrif ond amrywiaeth mawr o bethau eraill yr o'dd wedi eu casglu ers ei blentyndod: cardiau pen-blwydd, adroddiadau ysgol, memorabilia o'i ddyddiau yn Rhydychen, ei fedalau o'r Llynges, cardiau aelodaeth y Blaid Lafur, Plaid Cymru a Chymdeithas yr Iaith, ffeiliau o ohebiaeth, ffotograffau, lloffion papurau newydd, memoranda, darlitho'dd, erthyglau ac adolygiadau, sgriptiau radio a theledu, yn ogystal â nifer fawr o ddyddiaduron a gadwai, yn ysbeidiol, er 1931. Ro'dd yr archif mewn anhrefn lwyr pan getho i afael arni ond tros y 'whe mlynedd nesaf llwyddais ei rhoi mewn rhywpeth tebyg i drefen gronolegol neu thematig. Ro'dd darllen ei ddyddiaduron yn arbennig o anodd gan fod ysgrifen Harri mor fach a blêr. Erbyn hyn mae'r cwbl yn y Llyfrgell Genedlaethol.

Penderfynodd Gomer beidio â chynnwys tair cerdd yn ei *Collected Poems*, er mwyn osgoi'r perygl o enllib, ond rwy'n barod i gyhoeddi un yma, sef 'Christmas 1966':

Hooray for the festive season,
Peace and goodwill to man,
And a Merry Christmas, Lord Robens,
From the kids of Aberfan.

Wedi marw Harri cetho i ddim rhagor o gerddi dychanol trwy'r post oddi wrth rywun a alwai ei hunan yn John S. Billington. Wedi eu hysgrifennu yn null E. J. Thribb yn *Private Eye*, cymerai'r cerddi hyn rai o'r prif gymeriadau ym mywyd diwylliannol Cymru yn destunau sbort, gan gynnwys Peter

Finch, Gillian Clarke, Dai Smith, Tony Curtis a John Pikoulis. Ro'dd y rhan fwyaf yn eithaf deifiol ac yn ddoniol ar dro. Dyma un o'r rhai llai enllibus:

> So. Its farewell then Ms Dora Mouley.
> You didnt last very long
> As Artistic Director of Swanseas Year of Litriture.
> My friend Dave says
> It was all the City Counsels fault
> Because basically their a bunch of illiterates.
> But I take the veiw that praps
> The whole caboodle was a nonstarter right from the start.
> After all,
> I ask you,
> Whoever heard of a litriture festival lasting a whole year?
> Anyway, Dora, the best of British,
> I hope this wont effect
> Your career as an arts administrator.
> (P.S. This poem would have been a sonet but I coulnt get it to ryme.)

Mae'n dda gwypod bod Harri, hyd yn o'd o'r tu hwnt i'r bedd, yn gallu creu stŵr a chodi gwrychyn pobol. Ar ei orau, ro'dd 'dag e lais unigryw fel bardd a mawr yw'r angen am ei awen fachog ar y Gymru sydd ohoni.

Ysgrifennais deyrnged i Harri a ymddangosodd yn yr *Independent* rai dyddiau ar ôl ei farwolaeth, a dyna shwt y dechreuais gyfrannu erthyglau coffa am Gymry adnabyddus i'r wasg Saesneg. Ro'n i eiso's wedi 'sgrifennu am John Ormond a Gwyn Williams, Trefenter, yn y *Guardian,* ond ro'dd well 'da fi arddull yr *Indie* ac rwyf wedi aros yn un o'i ohebwyr mwyaf cynhyrchiol. Dyma shwt 'sgrifennais am Harri:

> A convivial man, noted for his iconoclastic wit and wide
> erudition, especially among the young and less abstemious of his
> compatriots, he earned and enjoyed the status of People's Poet,
> thinking of himself as belonging to the ancient tradition of the
> Welsh Bard, whose function it was to rally his people against
> the foe, whether the English invader or the servile, collaborating
> Welsh.

Erbyn diwedd 1995 ro'dd fy erthyglau am Glyn Jones, Lynette Roberts a Gwyn A. Williams wedi ymddangos yn yr un papur. Buws farw Glyn ar 10 Ebrill 1995. Ro'dd wedi bod yn gyfaill triw iawn imi ac ro'n i wedi ei helpu gymaint ag y gallwn. Cyn iddo ymadael â'r fuchedd hon gofynnodd imi olygu ei *Collected Poems* a chetho i sgyrsiau niferus 'dag ef am ei gerddi. Yn fy erthygl goffa iddo 'sgrifennais fel a ganlyn:

Glyn's last years were marred by the amputation of his right arm, for a writer the ultimate indignity, but his interest in the republic of letters remained vital to the last. Among those who gathered at his bedside during his final illness none was untouched by the serenity of his temperament and his undiminished delight in the world he was about to leave.

Ysgrifennodd Mercer Simpson ragymadrodd i'r *Collected Poems* a gyhoeddwyd gan Wasg Prifysgol Cymru ym 1996. Gofynnodd Glyn imi fod yn ysgutor llenyddol iddo hefyd a fi o'dd piau ei ystâd nes iddi gael ei throsglwyddo i'r Academi (Llenyddiaeth Cymru erbyn hyn) yn 2006. Fe gladdwyd ei lwch yn Llansteffan, pentre ei gyndadau a'i hoff le yn y byd crwn, a rhoddws Ymddiriedolaeth Rhys Davies blac ar ei dŷ yn yr Eglwys Newydd, y cyntaf o gyfres o blaciau y mae'r Ymddiriedolaeth wedi eu cwnnu ar y cyd â'r Academi ers hynny. Yr ail blac o'dd yr un ar wal y tŷ ym Mlaenclydach lle ganwyd Rhys Davies ei hunan.

Do'n i ddim yn adnabod Lynette Roberts yn dda, dim ond trwy ohebu â hi o dro i dro. Ro'n i'n fwy cyfarwydd â Gwyn A. Williams, ers dyddiau coleg a thrwy Blaid Cymru, lle ro'dd yn aelod o'r 'Whith Genedlaethol ers rhai blynyddo'dd. Ar ben hynny ro'dd Gwyn yn gymar i ffrind Ruth, sef Siân Lloyd (gynt o Abertridwr) ac ro'n ni wedi gweld ticyn o'n gilydd dros y blynyddo'dd. Yn fy erthygl goffa 'sgrifennais:

The image of Gwyn Williams which remains in the memory contains his pugnacious but engaging manner and the impish wit with which he expounded his theses about Wales and the Welsh. A small man, with a shock of white hair and the Iberian features that seem so typical of the valleys of south-east Wales, he developed a quirky but compulsive television style that had all the immediacy and eloquence of his writing, using the medium unapologetically to put over what he thought the Welsh people needed to know about their own past. But I am pretty sure that it is for his books he will be remembered. For many of my generation, who were undergradutes in the late 'fifties and early 'sixties, and who participated with him in the political campaigns of the 'seventies and 'eighties, he shares a place with that other great Welsh Socialist, Raymond Williams, as an important influence on the way we now think about our country and people.

Yn anglodd Gwyn yn amlosgfa Arberth ar 22 Tachwedd 1995 canwyd yr 'Internationale' yn frwdfrydig a gwelwyd nifer o bobol yn codi dwrn fel cyfarchiad olaf i'w cymrawd annwyl. Er hynny, meddyliais fod y wa'dd o 'Viva Gwyn!' gan rai o'i ffrindiau selocaf yn ormodol braidd. Ro'n i wedi gweld gormod o'r Undeb Sofietaidd i dwmlo'n frwd dros y gyfundrefn Gomiwnyddol erbyn hynny.

Mae'n arwyddocaol, 'fallai, fy mod i wedi dechrau 'sgrifennu erthyglau coffa yn fuan ar ôl marwolaeth fy mam a'm cyfeillion Harri, Glyn a Gwyn. Ond nace am farwolaeth mae erthygl goffa, cofiwch. Mae'n dathlu, yn hytrach, gymeriad a gorchestion dyn neu ddynes yn eu holl amrywiaeth. Swyddogaeth y coffäwr yw canmol y meirwon a chysuro'r rhai byw, ac i gyfleu gwybodaeth i'r cyhoedd am eu buchedd. Do's dim byd morbid abythdu eu 'sgrifennu na'u darllen. Yr unig beth sy'n bwysig i'w gofio yw *de mortuis nil nisi bonum*: ni siaredir yn ddrwg am y rhai sydd wedi marw – oni bai, wrth gwrs, fod yr ymadawedig yn bennaeth gwersyll Natsïaidd neu'n gwlag Sofietaidd, a do's dim llawer o'r rhain wedi bod yng Nghymru, diolch byth. Dylai synnwyr cyffredin deyrnasu bob tro ac ni ddylai'r coffäwr dynnu sylw ato'i hunan ar unrhyw gyfrif. Darllener erthyglau myfïol y Sgotyn Tam Dalyell yn yr *Independent* i weld beth sydd 'da fi mewn golwg.

Rhaid osgoi, mewn erthygl goffa dda, unrhyw beth sy'n mynd i achosi rhagor o lo's i bobol yn eu galar. Serch hynny, ar gyfer y bywyd eithaf di-nod hyd yn o'd, mae'n bosibl defnyddio ymadroddion cwmpasog a mwyseiriau sy'n taflu llygedyn o olau ar gymeriad ac ymddygiad y person dan sylw heb weud gormod. Mae 'roedd e'n gwmni da yn hwyr y nos' yn gallu golygu ei fod yn glochgar yn ei ddiod; mae 'roedd hi'n fenyw ddeniadol a drodd lawer i ben' yn gallu cyfleu bod 'da hi ugeiniau o gariadon; gall 'ni phriododd erio'd' fod yn ddigon cywir ond eto godi 'whilfrydedd a dyfalu. Ni ddatgelir cathod yn y cwpwrdd, neu hoffter rhywiol, neu sgandal briodasol, heblaw eu bod yn berthnasol i fywyd yr ymadawedig, a hyd yn o'd wedyn dim ond gyda chaniatâd y teulu. Eto i gyd, gall y fath gyfeiriadau ychwanegu pinsiad o halen i'r deyrnged a'i hachub rhag bod yn debyg i'r hyn a glywir weithiau gan weinidogion uwchben eirch pobol a fu'n gwbl ddieithr iddynt, felly rhaid bod yn ofalus. Rydych yn gwypod eich bod wedi llwyddo i grynhoi ffeithiau bywyd person yn gywir pan fo perthnasau, cyfeillion neu gyd-weithwrs yn ffonio neu'n 'sgrifennu i fynegi eu gwerthfawrogiad – sy'n ddigon o ddiolch am eich llafur.

Mae gan yr erthygl goffa swyddogaeth arall, llai personol. Mae darllen 'y pedwar mawr' – *The Times, The Daily Telegraph, The Guardian* a *The Independent* – yn gyfystyr â bod yn wybodus am ystod eang o bynciau ac am amrywiaeth o bobol sydd wedi cyfrannu i wareiddiad dynolryw. Gresyn nad yw'r *Western Mail*, ein 'papur cenedlaethol' ni, yn cyflawni'r un swyddogaeth. Rhan allweddol o'm hamcan wrth gyfrannu erthyglau coffa i'r wasg Saesneg yw ceisio cyfleu rhywfaint o wybodaeth am Gymru a'i chymdeithas i'r byd mawr y tu hwnt i'n ffiniau.

Mae rhai o'm ffrindiau yn gofyn o dro i dro beth yw'r canllawiau ar gyfer pwy o Gymru sy'n mynd i gael erthygl goffa gen i yn yr *Independent*. Yn y lle cyntaf, mae'n rhaid imi adnabod y person, os nad yn dda iawn yna o leiaf yn ddigon da i allu 'sgrifennu amdano'n ystyrlon. Dim ond unwaith neu ddwy rwyf wedi 'sgrifennu am rywun nad adwaenwn, a hynny ar gais eu perthnasau. Yn ail, rhaid bod y person wedi gwneud cyfraniad o bwys i fywyd cyhoeddus yng Nghymru ac, yn drydydd, rhaid gofyn y cwestiwn pwysig, 'A fydd y person hwn yn cael ei gofio?' Neu, mewn geiriau eraill, 'Paham mae'r person hwn yn haeddu cael ei gofio?' Yn bennaf oll, rhaid i'r person fod yn ddiddorol i bobol eraill nad o'dd yn ei adnabod o gwbl. Mae casglu ffeithiau bywgraffyddol am y person yn llawer haws nag ateb y fath gwestiynau. Yn ffodus, mae'r *Indie* wastad yn barod i gyhoeddi erthyglau coffa o'm heiddo i ac erbyn hyn mae dros gant a hanner o'm cyfraniadau wedi ymddangos ar ei dudalennau. Mae'r papur hyd yn o'd yn fodlon imi 'sgrifennu am bobol sydd dal ar dir y byw, ar gyfer ei ffeiliau, ond peidied neb â holi am bwy sydd ar ffeil. A chyda llaw, dw'i byth yn dangos yr hyn rwyf wedi ei 'sgrifennu i'r gwrthrych o fla'n llaw!

Yn 2005 cynigiwyd gwobr gan yr Eisteddfod Genedlaethol am erthygl goffa 'yn null papur newydd safonol' a chynigiais i, o dan y ffugenw Taphos (sef y Groeg am 'fedd'), un arna i fy hunan. Menna Baines o'dd y beirniad a gwetws hi taw cynnig Taphos, ynghyd â dau arall, o'dd y tri gorau yn y gystadleuaeth ond nad o'dd hi'n fodlon arno oherwydd 'byddai wedi bod yn ddymunol cael gwybod ychydig mwy am gymeriad y gwrthrych ochr yn ochr â'r wybodaeth ffeithiol'. A finnau wedi ymatal rhag gweud gormod amdana i fy hunan! Ni welws ddim o'i le yn y ffaith bod y gwrthrych yn dal ar dir y byw, o gofio arfer papurau newydd o gomisiynu ysgrifau coffa ymla'n llaw, 'whara teg. Ychwanegodd, yn garedig ddigon, fy mod i'n 'ŵr a chanddo flynyddoedd eto o'i flaen, ond odid, i barhau i gyfrannu at lên a diwylliant Cymru'. Bo'd hynny fel y bo, ataliwyd y wobr. Ro'dd hyn yn glatshen ar draws fy mysedd i. Da yw nodi bod y cylchgrawn *Barn*, o dan olygyddiaeth Menna Baines a Vaughan Hughes, wedi cychwyn polisi o gyhoeddi erthyglau coffa yn rheolaidd ers hynny. Hwyrach y byddaf yn ailwampio'r erthygl a'i hala, *mutatis mutandis*, i'r *Indie* erbyn yr amser y bydd ei hangen. Rhaid ychwanegu fy mod i wedi cael siom fel beirniad cystadleuaeth yr erthygl goffa yn Eisteddfod Genedlaethol 2009 gan safon cyffredinol y cynigion.

Ro'n i'n dal mewn galar ar ôl fy mam pan getho i wahoddiad annisgwyl gan Tony Curtis i ddysgu ym Mhrifysgol Morgannwg, a dechreuais i yno ar 6 Hydref 1994. Rhan-amser o'dd y swydd i fod yn y lle cyntaf ond cyn bo hir ro'n i'n dysgu llawer mwy na neb arall yng Nghyfadran y Dyniaethau: ucen awr yr wythnos, gan gynnwys peth o Ffuglen Modern, Newyddiaduraeth a Llenyddiaeth a Gwleidyddiaeth yng Nghymru'r Ugeinfed Ganrif, ac ro'dd pob un o'r rhain i'm dant i. Ro'dd 'da fi ddosbarthiadau nos ym Mhen-y-bont ar Ogwr, Blaenllechau a Bedwas a dysgais am flwyddyn yn y Ganolfan Newyddiaduraeth ac ar y cwrs Cymraeg i Oedolion ym Mhrifysgol Caerdydd hefyd.

Cerddais i mewn i un dosbarth ar fy more cyntaf ym Morgannwg ac er mawr syndod imi, dyma Marilyn Bratman, gynt o Cupertino, yn ishta'n braf yn y rhes gyntaf gyda gwên lydan ar ei hwyneb. Ro'dd y Bratmans wedi rhoi lan eu swyddi yng Nghaliffornia ac wedi symud yn ôl i ymgartrefu yn Aberdâr. Marilyn o'dd un o'm myfyrwyr gorau ac yn y man ca's radd dda. Mae hi a Robert yn byw yn Llwydcoed ac rydyn ni'n gweld ein gilydd o dro i dro.

Profiad digon rhyfedd o'dd dysgu ym Mhrifysgol Morgannwg yn Nhrefforest. Ro'n i wedi dychwelyd i'r man cychwyn, fel petai. Er fy mod i'n falch iawn fod Prifysgol Morgannwg yn fy mhentre genedigol, nace'r lle a gofiwn o'dd lleoliad y Brifysgol erbyn hynny. Prin fod y pentre bach ôl-ddiwydiannol wedi derbyn ei swyddogaeth newydd fel ardal lle trigai shwt gymaint o fyfyrwyr heb anhawster. Gwelais ar unwaith y gellid priodoli ei gyflwr blêr i bresenoldeb milo'dd o bobol ifainc na pharchai'r lle. Ro'dd 'sbwriel yn yr hewlydd, graffiti ar y waliau, miwsig a gweiddi yn hwyr y nos, meddwdod, lladrata, tyfu canabis a hyd yn o'd ambell i achos o drais yn erbyn menwod. Ro'dd nifer fawr o deuluo'dd wedi symud mas i lefydd fel Pentre'r Eglwys, gan farnu nace lle i fagu plant o'dd Trefforest bellach. Ro'dd llawer o'r tai wedi eu prynu gan landlordiaid o bant fel buddsoddiad ariannol. O ganlyniad, safai canno'dd o dai'n wag trwy fiso'dd yr haf. Dim ond hen bobol o'dd ar ôl ac ro'dd y cysyniad o gymuned wedi mynd bron yn gyfan gwbl. O'r tai yn Meadow Street ro'dd y rhan fwyaf wedi eu gosod i fyfyrwyr. Mae'r sefyllfa wedi gwaethygu eto ers agor yr Atrium yng Nghaerdydd, gan fod milo'dd o fyfyrwyr yn dewis byw ac astudio yn y brifddinas, ac mae hynny'n ychwanegu at gyflwr truenus Trefforest gyda hyd yn o'd rhagor o dai'n wag.

Wrth gerdded o gwmpas y campws am y tro cyntaf teimlais bigiad i'm cydwybod wrth gofio shwt lanast yr achosai fy ngherrig bach i ffenestri Tŷ Fforest ers talwm. Ond mewn byr amser, ac i wneud yn iawn am hwliganiaeth fy ieuenctid, perswadiais fy nghyfaill Dai Smith, y Dirprwy Is-Ganghellor, i ailenwi'r hen adeilad yn Dŷ Crawshay ar ôl y rapscaliwn Francis Crawshay, a gosod llun ohono ar y wal tu fewn, a theimlais dicyn yn well wedyn.

Bu'r flwyddyn 2000 yn *annus mirabilis* yn fy hanes i. Derbyniais MA er anrhydedd ac wedyn radd uwch DLitt gan Brifysgol Cymru. Cofiaf gwrdd â Seamus Heaney a Bryn Terfel ar y cyntaf o'r ddau achlysur hyn ac es lan ar y llwyfan yn Aberystwyth i siglo llaw ag Elystan Morgan, Derec Llwyd Morgan a Gruffydd Aled Williams ar yr ail. Pan gynigiwyd cadair bersonol imi fel Athro Llên Saesneg Cymru gan Brifysgol Morgannwg yn 2001, bûm yn hoff iawn o fragaldian i'm cyd-weithwrs taw fi o'dd yr unig Athro ym mhrifysgolion gwledydd Prydain, hyd y gwyddwn, o'dd yn gallu gweld, o'r campws, y tŷ lle ganwyd ef.

Ar ben hynny, pan ddes i draddodi fy Narlith Agoriadol dewisais fel pwnc, yn naturiol ddigon, hanes diwydiannol fy mro, gan ganolbwyntio ar ran allweddol y Crawshays a'u tebyg yn natblygiad Trefforest. Teitl fy narlith o'dd 'Pontypridd, a town with no history but one hell of a past'. Digon i gynhesu'r galon, y noswaith honno, o'dd gweld shwt gymaint o bobol leol yn y gynulleidfa, y mwyaf erio'd, mae'n debyg, ar achlysur o'r fath. I ddangos fy ngwerthfawrogiad o haelioni Prifysgol Morgannwg golygais, ar y cyd â Dai Smith, gasgliad o ysgrifau o dan y teitl *A University and its Community* a gyhoeddwyd gan Wasg Prifysgol Cymru i ddathlu degfed pen-blwydd Prifysgol Morgannwg.

Erbyn hynny ro'n i wedi cyhoeddi rhagor o lyfrau, a edrychai'n dda yng nghais Prifysgol Morgannwg am adnoddau ariannol. Yn eu plith ro'dd cyfieithiadau o weithiau Saunders

Lewis, Gwynfor Evans ac Islwyn Ffowc Elis, ynghyd â chyfrol ar y Basgiaid wedi ei throsi o'r Ffrangeg. Ond methiant o'dd pob un cyn belled ag y mae gwerthiant yn y cwestiwn. Cymerwch *Shadow of the Sickle*, fy nghyfieithiad o *Cysgod y Cryman*. Dyma un o'r llyfrau Cymraeg sydd wedi gwerthu a gwerthu dros y blynyddo'dd, efallai cystal ag unrhyw lyfr a gyhoeddwyd gan Wasg Gomer erio'd. Eto i gyd, llai na mil o gopïau o'r fersiwn Saesneg sydd wedi eu gwerthu hyd yn hyn, a nifer llai o *Return to Lleifior*. Anodd dirnad pam mae unrhyw un yn mynd i'r drafferth o drosi clasuron Cymraeg i'r Saesneg os nad yw'r cyhoeddwyr yn gallu eu gwerthu. Mae'r llesgedd ar ran cyhoeddwyr Cymru yr o'n i wedi ceisio ei wella tra o'n i gyda Chyngor y Celfyddydau, ac y taranais yn ei erbyn mewn erthygl gyda'r teitl 'A Ridiculous Mouse' yn *Planet* (134, Ebrill/ Mai 1999), yn bodoli o hyd. Siarad o brofiad ydw i: rwyf wedi cyhoeddi llyfrau gyda dwsin o gyhoeddwyr i gyd a do's dim llawer o wahaniaeth rhyngddynt yn hyn o beth. Wrth ystyried y canno'dd o filoedd o bunno'dd sy'n mynd i'r cyhoeddwyr a'r Cyngor Llyfrau bob blwyddyn, mae hyn yn siomedig iawn.

Cofion melys sydd 'da fi am nifer o'm cyd-weithwrs yng Nghyfadran y Dyniaethau ym Mhrifysgol Morgannwg. Jane Aaron o'dd yn gyfrifol am ddysgu cyrsiau am hanes diwylliannol Cymru, Cymraes lân, menyw gall a galluog ar y naw a wna'th fwy nag un cymwynas â mi. Tony Curtis o'dd un o sêr yr Adran Saesneg, bardd da a boi prysur tu hwnt, yn enwedig pan o'dd yn prynu a gwerthu lluniau gan artistiaid Cymreig, ei brif ddiléit. Ro'dd storïau di-rif am ei anawsterau gyda'i fyfyrwyr ond, rywsut neu'i gilydd, ro'dd yn gallu siarad ei ffordd mas o bob picil trwy ddefnyddio ei huotledd. Eto i gyd, cwmni da o'dd Tony bob amser ac rwy'n ddiolchgar iawn iddo fe am gynnig lle imi ar staff Morgannwg.

Ymhlith y darlithwyr eraill cofiaf Sheenagh Pugh, bardd galluog ond menyw ecsentrig ac anfoddog ar y naw; Chris Meredith, nofelydd o fri ac athro da; Jeremy Hooker, bardd o Sais sydd wedi gwneud cyfraniad nodedig i lên Saesneg Cymru; Rob Middlehurst a John Young, a o'dd yn uchel eu parch ar gownt eu gallu fel athrawon; a Jeff a Diana Wallace (dim perthynas), ysgolheigion gyda'r goreuon. Ro'dd Helen Phillips, arbenigwraig ar Robin Hood a'i debyg, yn garedig wrtho i hefyd, a chetho i fwy nag un clonc ag Adrian Price o'r Adran Gymraeg, brawd Adam Price, y cyn-Aelod Seneddol, cyn iddo symud i Brifysgol Caerdydd. Yn y cinio ffarwél a gynhaliwyd yn 2006 cetho i gyfle i ddiolch i'r Brifysgol am roi lloches imi dros y deuddeg mlynedd blaenorol ac i'm cyd-weithwrs am eu cyfeillgarwch. Rho's i anrheg bach o lyfr i bob un a chetho i ddarn o gerflunwaith Toby Petersen i'w cofio nhw.

Mwynheais gwmni y myfyrwyr yn fawr. Anogais rai ohonynt i gychwyn cylchgrawn llenyddol gyda'r teitl *Daps,* sy'n bodoli o hyd. Yn un o gyfarfodydd y bwrdd golygyddol clywais si am ryw siambr gudd o dan lawr Tŷ Crawshay a rhaid o'dd mynd i'w gweld. Rhyw fath o iglw mewn briciau cochion o'dd y siambr. Yn ei chanol ro'dd bloc o garreg llwyd ac o gwmpas y cylchedd ro'dd 'na sedd neu silff isel. Do'dd dim ffenestr ond ro'dd twll cul yn y to a arweiniai at un o brif 'stafello'dd y Tŷ. Ni welais unrhyw ddyddiad nac unrhyw arwydd i awgrymu beth o'dd pwrpas y strwythur. Cafwyd damcaniaethau niferus: ystafell gudd yr o'dd Francis Crawshay yn ei defnyddio i gymuno ag ysbrydion; cuddfan i'w gyfaill Dr William Price pan o'dd ar ffo rhag yr heddlu ar ôl i'r Siartwyr fwgwth Casnewydd; lle i gatw rhew; ac yn y bla'n. Apeliais am wybodaeth gan y cyhoedd a 'sgrifennais at CADW, y corff o'dd yn gyfrifol am henebion Cymru, ond ni chetho i unrhyw esboniad synhwyrol ac mae pwrpas y siambr yn ddirgelwch hyd heddi.

Do'dd safon addysg myfyrwyr Morgannwg ddim yn arbennig o uchel, gyda rhai eithriadau, ac er bod y Brifysgol yn ymdrechu'n galed i fod yn sefydliad o safon academaidd da ar ôl blynyddo'dd o fod yn Bolytechnig, do'dd ei graddau ddim â rhyw lawer o fri yn y byd academaidd, yn ôl pob sôn. Yn wir, cynigiodd rhywun y dylid mabwysiadu arwyddair newydd, 'Degrees R Us', gan fod y Brifysgol yn caniatáu pob math o gybolfa o raddau diwerth. Ni fethai bron neb eu harholiadau. Yn fy mhrofiad i, nace mater o ddeallusrwydd ar ran y myfyrwyr o'dd wrth wraidd y broblem ond diffyg gwybodaeth am unrhyw beth ond canu poblogaidd a chwaraeon a rhaglenni teledu.

Do'dden nhw ddim yn deall cyfeiriadau at y Beibl, er enghraifft, na'r Clasuron, na Shakespeare, na Dickens, na llenyddiaeth gyfoes, nac unrhyw agwedd ar hanes Ewrop yn yr ugeinfed ganrif – diffyg difrifol, yn fy nhyb i, mewn myfyrwyr o'dd yn astudio Newyddiaduraeth a Llenyddiaeth Saesneg. Rhaid i newyddiadurwr, meddwn, wypod ticyn bach am lawer o bynciau a thrafod pethau'n gywir mewn iaith ystwyth. Yn bennaf oll, rhaid darllen y papurau. Ychydig iawn ohonynt o'dd wedi darllen papur newydd o unrhyw ansawdd ac ro'dd yn rhaid imi ymdrechu i'w cael nhw i gymryd papur dyddiol. Gweithiais yn galed i sefydlu Newyddiaduraeth fel pwnc gradd yn y Brifysgol.

Cetho i fy nanto mewn un dosbarth trydedd-flwyddyn wrth imi geisio esbonio'r gwahaniaeth rhynt *who* a *whom*, gan ddefnyddio'r stori am Lenin yn cynnig diffiniad o Farcsiaeth trwy weud: 'who whom?' Cyfeirio yr o'dd at bwy sy'n ecsploetio pwy, neu bwy sy'n llywodraethu ar bwy, ond do'dden nhw ddim yn deall hyn ac, yn niffyg popeth arall, gofynnais i un fyfyrwraig, 'You do know who Lenin was, don't you?' Da'th yr ateb, 'Yeah, one of the Beatles.' Ar ben hynny, ro'dd y mwyafrif yn hollol ddi-glem am hanes a diwylliant y trefi lle'u magwyd nhw. Cwrddais â myfyrwyr o Rymni nad o'dd wedi clywed yr enw Idris Davies, rhai o Aberdâr na wyddai am Alun Lewis a rhai eraill o Ferthyr nad o'dd wedi darllen gair gan Jack Jones nac wedi clywed am derfysgo'dd 1831. Rhoddaf fai ar yr ysgolion am hyn. Ro'dd y tlodi rhynt eu clustiau'n adlewyrchu'r tlodi yn eu hamgylchfeydd a'u haddysg.

Ymdrechais ymdrech deg i ddeffro eu diddordeb yn eu cefndir diwylliannol, gan gymryd rhyw ddeng munud o bob gwers i sgwrsio am unrhyw beth a ddeuai i'm meddwl neu o'dd yn y newyddion: hanes yr iaith Saesneg, y Rhyfel Cartref yn Sbaen, pwy o'dd Al Capone, y Swffragetiaid, y dyn cyntaf ar y lleuad, y Dirwasgiad, ar ba ochor o'dd Siapan yn yr Ail Ryfel Byd, pwy o'dd Albert Einstein a Mabon, y sefyllfa yng Ngogledd

Iwerddon, ac yn y bla'n. Ond unwaith 'to suddodd fy nghalon pan wetws un myfyriwr wrtho i, 'I do enjoy your classes, Meic, especially when you waffle.' Eto i gyd, pan ymddeolais cetho i dancard ac arno'r geiriau, 'To Meic Stephens, the best lecturer ever, from the Class of 2006'. Gwn fod hyn yn ormodiaith, ond rhaid fy mod i wedi gwneud rhywpeth yn iawn, wedi'r cyfan – ar wahân i 'whaldodi. Mae rhai o'm myfyrwyr, megis Tom Anderson a Barrie Llewelyn, yn dod i'm gweld o hyd, ac rwy'n cael sgwrs 'dag Ali Yassine yn y Gymraeg bob tro y cwrddwn â'n gilydd. Cofiaf Ali'n cyrraedd fy nosbarth un bore ac yn ymddiheuro'n llaes am fod yn hwyr, a finnau'n gweud, 'Popeth yn iawn, Ali, 'steddwch i lawr', a myfyriwr o Sais yn gweud wrtho i rhyw bythefnos wedyn, 'I didn't know you could speak Yemeni, Meic.' Mae Ali'n ddarlledwr o fri erbyn hyn ac fe glywir ei lais yn siarad Cymraeg yn y Stadiwm Genedlaethol o dro i dro.

Ymhlith y bobol a ga's anrhydeddau gan y Brifysgol tra o'n i yno o'dd Leslie Norris, Philip Madoc a Kyffin Williams. Yr olaf o'r rhain, a o'dd yn derbyn DLitt er anrhydedd, a wna'th yr argraff fwyaf ar y gynulleidfa, mae'n debyg. Cofiaf un o'i anecdotau'n glir. Ro'dd e wedi bod mas yn y caeau yn paentio tirwedd Sir Fôn a thra o'dd e'n cysgodi o dan glawdd rhag cawod o law digwyddws hen wreigan ddod heibio, gan arwain dafad ar bishyn o dwein. Er mwyn ei chyfarch yn ei ffordd fonheddig arferol, gwetws Kyffin, 'Beth yw enw eich dafad?' 'Sioned,' meddai'r hen wraig braidd yn swrth. 'O, Sioned Jones, mae'n debyg?' meddai Kyffin, gan geisio catw'r ymgom yn fyw. 'O, nace,' meddai hithau, 'Sioned Parry Jones.' Ni wn faint o bobol yn y gynulleidfa o'dd yn deall hyn ond fe'm tarodd i yn ddoniol iawn.

Buws farw fy ffrind Rhydwen Williams ar 5 Awst 1997. Fel llawer o bobol, ro'n i'n hoff iawn o Rhydwen ac ro'n i wedi treulio nosweithiau cyfan yn ei gwmni. Aethon ni gyda'n gilydd i Ddulyn siwrne i ddarllen barddoniaeth Gymraeg i aelodau Cymdeithas Wolfe Tone a chael amser hyfryd yn eu cwmni. Ond pethau bach rwy'n eu cofio amdano nawr. Pan gyflwynais fy mam iddo gwetws yn ffraeth, 'Mrs Stephens, if I'd known there were such good-looking women in Libanus, Trefforest, I'd have preached there more often', a berodd i'm mam wrido. Cetho i gyfle i weld ei haelioni a'i agwedd ddiniwed tuag at arian hefyd. Ro'n ni'n cerdded i lawr hewl gefen yng Nghaerdydd un bore yn y 'Whe Degau pan redws plentyn mas o'i dŷ a chwympo ar ei wyneb. Fy ymateb greddfol i o'dd ei roi yn ôl ar ei dra'd a sicrhau ei fod yn iawn. Ond tynnodd fy nghyfaill bapur punt mas o'i boced a'i roi i'r plentyn. Ro'dd calon fawr Sir Forgannwg yn curo ym mrest Rhydwen.

Ar y llaw arall, ro'dd rhaid i'w ffrindiau, a minnau yn eu plith, gasglu arian ar ei gyfer fwy nag unwaith. Ca's sawl ysgoloriaeth gan Gyngor y Celfyddydau a llwyddais siwrne i gael grant iddo oddi wrth y Gronfa Lenyddol Frenhinol – ticyn o gamp. Un o'r storïau mwyaf doniol am Rhyd o'dd yr un amdano'n sefyll ei brawf yn Llys Ynadon Pontypridd am beidio talu stampiau insiwrans fel awdur ar ei liwt ei hunan. Plediws na wyddai fod rhaid i awdur dalu insiwrans. 'Come, come, Mr Williams, everyone knows about stamps,' meddai clerc y llys, boi 'da'r cyfenw Jordan. 'Sir,' atebws Rhydwen, 'philately was never one of my hobbies.' Yna, gwetws cadeirydd y fainc rhywpeth i'r perwyl, 'If I were you, Mr Williams, I wouldn't cross the clerk of this court.' 'Sir,' meddai'r diffynnydd, 'I have no more intention of crossing the clerk of this court than I have of crossing the river that bears his name.' Ca's ddirwy o £200 a bu'n rhaid iddo dalu'r costau hefyd.

Fel hyn yr ysgrifennais am Rhydwen yn yr *Independent*:

Of a rebellious nature, he was often in trouble with his denomination on account of his pacifism, political Nationalism, unorthodox religious views, and Bohemian lifestyle. He had a fondness for good wine, expensive restaurants, fast cars, the theatre and good company into old age, and his profligate attitude to money was legendary. But the call to the Christian ministry had always been strong in him and, blessed with good looks and a voice that were compared with Richard Burton's, he became a powerful preacher and a gifted reader of poetry on the Welsh Home Service of the BBC.

Cynhaliwyd Etholiad Cyffredinol ar 1 Mai 1997. Dyma'r fuddugoliaeth hir-ddisgwyliedig i'r Blaid Lafur; yng Nghymru ca's 34 o seddau, ca's Plaid Cymru bedwar, y Rhyddfrydwyr ddwy a'r Toris dim; ie, y Toris dim. Da'th Ron Davies yn Ysgrifennydd Gwladol dros Gymru gydag ymrwymiad i sefydlu Cynulliad – ond ar ôl refferendwm. Cymerais ran fach yn yr ymgyrch Ie, trwy ganfasio a mynychu cyfarfodydd lle o'dd pobol ddiflas megis Llew Smith yn siarad; ro'n i'n hoff o'i heclo. Ond ni wnes rhyw lawer dros yr achos; erbyn 1997 ro'n i wedi mynd yn rhyw fath ar *Mitläufer* i'r Blaid er fy mod i'n dal yn cyfrannu i'w choffrau. Ond ychydig cyn y refferendwm a gynhaliwyd ar 18 Medi 1997 es i mas i ddosbarthu taflenni a mynychu cyfarfodydd. Ysgrifennais yn fy nyddiadur ar y noson cyn y cownt: 'Fe awn i ennill patshyn bach o dir / y sydd heb elw ond yn ei enw ef.' Dyma ymgais ar fy rhan i godi fy nghalon trwy drosi llinellau Hamlet i'r Gymraeg.

Ro'dd Ruth a finnau yng Ngwesty'r Parc yng Nghaerdydd wrth i'r canlyniadau gael eu cyhoeddi. Tua diwedd y noson, wedi blino'n shwts ar ôl wythnos brysur, ro'n ni ar y ffordd sha thre pan glywson ni ar radio'r car fod yr ymgyrch Ie wedi ennill – o drwch blewyn. Rhaid o'dd dychwelyd i'r gwesty wedyn ac ymuno â'r rhialtwch. Dyna brofiad tebyg i noson buddugoliaeth Gwynfor ym mis Gorffennaf 1966. O'r diwedd, ro'dd 'Cymru'n dechrau ar ei hymdaith'! Bu farw George Thomas, un o brif elynion datganoli a'r mudiad cenedlaethol, rai dyddiau wedyn.

Ym 1998 golygodd fy nghyfaill Sam Adams *Festschrift* i ddathlu fy mhen-blwydd yn dricen o'd. Cyfrannodd nifer o'm ffrindiau i'r gyfrol *Seeing Wales Whole*, yn eu plith Emyr Humphreys, John Harris, Don Dale-Jones, James A. Davies, R. Gerallt Jones, M. Wynn Thomas, Tony Curtis a Sam ei hunan. Ychwanegwyd at eu hysgrifau restr ddethol o'm cyhoeddiadau hyd at Nadolig 1997 a thanysgrifiodd tua 125 o bobol i'r llyfr a gyhoeddwyd gan Wasg Prifysgol Cymru. Yn ei ragair 'sgrifennodd Sam fel hyn:

Meic's capacity for work is extraordinary. When he is not teaching, he is usually to be found in his study, surrounded by reference works, or among his collection of Anglo-Welsh books and magazines, which is rivalled only by that of the National Library... His vision, he has told me, is of a society 'in which the English-speaking Welsh play a full part in the life of the nation', and of a concept of nationhood that is 'inclusive, progressive, out-going, forward-looking and liberal, part of the modern world'. The contributors to this book, and the many subscribers, friends and admirers, will join me in saying Amen to that, and wishing Meic many more productive years.

Codwyd fy nghalon wrth dderbyn y gyfrol hael hon a dechreuais feddwl bod yr ymgyrch i ddenu'r Cymry di-Gymraeg i fywyd y genedl wedi dechrau tycio. Wedi'r cyfan, heb gefnogaeth pobl Gwent a Morgannwg ni fyddai canlyniad y refferendwm (gyda mwyafrif o 6,721) ym mis Medi 1997 wedi bod yn un cadarnhaol. Yn amlwg, ro'dd y rhai ohonom o'dd wedi ceisio denu'r Cymry di-Gymraeg i achos eu gwlad wedi cael effaith allweddol ar y canlyniad.

Synhwyrais fod rhywpeth yn symud a allai fod yn arwyddocaol a phenderfynais roi hwb i'r olwyn unwaith yn rhagor. Cetho i fy nerbyn fel un o ymgeiswyr rhestr Plaid Cymru yn y De-ddwyrain ar gyfer etholiad cyntaf y Cynulliad ar 6 Mai 1999, er fy mod yn y seithfed lle. Do'dd 'da fi ddim gobaith caneri coch o gael fy ethol ond ro'n i'n falch o fod â rhan fechan yn yr ymgyrch er hynny. Enillodd Plaid Cymru 17 sedd, Llafur 28, y Toris naw a'r Rhyddfrydwyr Democrataidd 'whech.

Bu farw Gwyn Jones ym mis Rhagfyr 1999. Ro'dd e wedi 'whara rhan bwysig yn fy mywyd i, fel Athro Saesneg yn Aberystwyth, fel awdur a golygydd, fel Cadeirydd Pwyllgor Cymreig Cyngor y Celfyddydau ym 1967, fel cadeirydd cyntaf bwrdd rheoli'r *Cydymaith*, ac yn gyfaill ers hynny. Ysgrifennais erthygl goffa amdano yn yr *Independent* a oedd yn cychwyn fel hyn:

Gwyn Jones, the writer and Viking scholar, sometimes gave the impression that, had he not been a Welshman, he might have been a character out of the Icelandic sagas – Eirik the Red, perhaps, who may have discovered Greenland, or the legendary Olav Tryggvason, or Snorri Sturluson, the chronicler of the Kings of Norway, or any other Norseman who had lived up to the Heroic Ideal. For him, physical prowess, unremitting effort, honourable conduct, a dignified manner, a command of lofty language, and courage in adversity were the manly attributes he most admired, and he had them in abundance.

A'th Ruth a finnau i Lorient yn Llydaw ym mis Gorffennaf 2000, lle mwynheais gyfnod o fyw ar draul cyngor y dref fel awdur preswyl. Ro'dd y *Festival Folklorique* ymla'n yr un pryd ond dyw gwisgo lan a dawnsio yn yr hewlydd ddim yn apelio ata' i rhyw lawer. Manteisiais ar y cyfle i gwrdd â'm hen gyfaill Per Denez a thrafod sefyllfa ddiwylliannol a gwleidyddol Llydaw a Chymru fel ei gilydd; bu farw Per tra o'n i'n 'sgrifennu'r llyfr hwn. Aethon ni hefyd i Quimper i weld Marie-Thérèse Lemaire, merch i fenyw a o'dd wedi bod ym Mhrifysgol Lerpwl gyda mam Ruth yn y Dau Ddegau. Rhaid, hefyd, o'dd mynd i weld yr École Normale lle treuliais flwyddyn academaidd 1959/60. Ond camgymeriad yw ailymweld â llefydd a dishcwl iddynt fod yr un fath ar ôl deucen mlynedd. Ro'dd popeth wedi newid, do'dd neb yn fy nghofio ac ni chetho i ganiatâd gan y gofalwr i fynd i mewn i'r adeilad i weld fy hen ystafell. *Eheu fugaces labuntur anni...* Achlysur llawer mwy pleserus o'dd yr aduniad a gynhaliwyd yn y Bala ym mis Medi 2000 pan dda'th dros bum cant o bobol – disgynyddion Dafydd Tomos (1720–1804), Tanbwlch, sef hen hen hen hen hen daid Ruth, a'u gwŷr a'u gwragedd – i gyfarch ei gilydd a dwyn atgofion am Gwm Cynllwyd.

Rho's i anerchiad ar gyhoeddi llyfrau Saesneg yng Nghymru gerbron Pwyllgor Materion Diwylliannol y Cynulliad Cenedlaethol yn 2003 a darlith ar orgraff yr iaith Lydaweg mewn seminar ym Mhrifysgol Morgannwg hefyd.

Ym mis Mai 2005 es i Brâg i ddarlithio ar lenyddiaeth Cymru

yn y Weriniaeth Tsiec. Gwelais Vlad'ka a Leoš Šatava a chwrdd â nifer o'u myfyrwyr a siaradai Saesneg mor go'th nes ei bod yn anodd cretu nad Saeson oeddynt. A'th Ruth a finnau i Ddulyn, un o'm hoff ddinaso'dd yn y byd, lle rhyfeddais at arabedd y trigolion unwaith yn rhagor. Gwelais ddau ddyn yn llwytho lori â bocsys trymion: 'You lift, I'll grunt,' meddai un wrth y llall. Mae gan y dinasyddion dalent o gyfeirio at rai o'r cerfluniau sy'n harddu'r ddinas fel hyn: Molly Malone yw 'the tart with a cart', 'the floozie in the jacuzzi' yw Anna Livia Plurabelle (sef Liffey), James Joyce yw 'the prick with a stick', 'the Stiffy by the Liffey' yw y Monument of Light ac Oscar Wilde 'the queer with a leer'. Gresyn nad ydyn ni'r Cymry yn gallu bathu enwau tebyg i rai o'r pwysigion sy'n sefyll yn ein parciau ac ar ein hewlydd ni. Ond dyna fe: nid Dulyn mo Caerdydd.

Ni wnes rhyw lawer i hybu achos y Blaid, a gweud y gwir, ond cyfrannu'n ariannol a mynychu cyfarfodydd a dosbarthu taflenni yng Ngogledd Caerdydd, Pontypridd a Merthyr. Mae Ruth yn llawer mwy gweithgar na fi ac mae hi wedi bod yn stansh dros yr achos erio'd; yn wir, gweithiai'n llawn-amser ym mhrif swyddfa'r Blaid ar un adeg. Ond penderfynais i ddychwelyd i fywyd gwleidyddol o ganlyniad i weld, o weddol agos, y cyflwr o'dd ar y Cymoedd a'u pobol. Ro'dd y rhan fwyaf o'r myfyrwyr ym Mhrifysgol Morgannwg yn dod o ddosbarth gweithiol Cymo'dd y De. Ro'dd eu tlodi diwylliannol yn dicyn o sioc a siomedigaeth imi. Yn amlwg, dyma blant o'dd wedi eu hamddifadu o bob braint addysgiadol a chymdeithasol. Do'dd dim amcan am wleidyddiaeth 'da nhw ac felly do'n nhw ddim yn gallu newid eu byd. Yn fy nosbarth olaf ar 4 Mai 2006 trodd neb lan (hen draddodiad) ac felly do'dd dim rhaid imi roi fy araith ffarwél, diolch byth.

Cenedlaetholwr sifil ydw i, yn yr ystyr fy mod i am weld Cymru'n ennill statws llawn fel cenedl hunanlywodraethol, ond gan fy mod i'n perthyn i'r 'Whith, rwyf am wella cyflwr diwylliannol ac economaidd ein pobol fel cam shag at hynny. Sefais tu fas i'r Cynulliad ar ddiwrnod ei agor, sef 26 Mai 1999, gyda chymysgedd o dwmladau yn dirdynnu yn fy mron. Ro'n i'n falch fy mod i wedi towlu fy hatling tuag at ei sefydlu ond do'n i ddim yn rhy hyderus y byddai'n gwella cyflwr economaidd y bobol. Pleidleisiais dros y glymblaid rhynt Plaid Cymru a'r Blaid Lafur yn 2007. Serch hynny, dw'i ddim wedi gweld rhyw lawer sy'n gwrth-weud gwirionedd ymadrodd Antonio Gramsci am weithredu'n wleidyddol: 'Pessimismo da inteligencia, ottimismo da volante', 'Pesimistiaeth y deall, optimistiaeth yr ewyllys'.

9

Bardd y llwy bren

BUAN Y SYLWEDDOLAIS nad o'dd llawer o gyfle i weithredu'n lleol ar ran Plaid Cymru. Dyrnaid o Bleidwyr sy'n cynnal yr achos yng Ngogledd Caerdydd a dydyn nhw ddim yn gwneud rhyw lawer dros bobol yr etholaeth. Bob tro rwyf wedi cynnig ein bod yn gwneud rhywpeth ymarferol yn y gymuned, hyd yn o'd pethau bach megis casglu 'sbwriel oddi ar yr hewlydd, er enghraifft, dydyn nhw ddim yn fodlon ystyried y fath weithredu. Diflas yw cyfarfodydd y gangen ac yn anaml rwy'n eu mynychu bellach, gan adael hynny i Ruth, sy'n frwd dros yr achos o hyd. Pobol ffein yw'r aelodau, cofiwch, ond Cymry Cymraeg o'r dosbarth canol proffesiynol sydd yn perthyn i'r Blaid ar gownt yr iaith yn bennaf. Dyw cynnal garddwest flynyddol ddim yn gyfystyr â gwleidydda yn fy marn i. Teimlaf weithiau y byddai dicyn bach o ormes yn gwneud byd o les i'r mudiad cenedlaethol yng Nghymru: faint o Gymry fyddai'n galw eu hunain yn genedlaetholwyr pe bai tanciau ar yr hewlydd, tybed?

Mae nifer y pleidleisiau a fwrir dros ein hymgeiswyr yng Ngogledd Caerdydd wedi bod yn fach iawn erio'd. Yn etholiadau mis Mai 2011 ca's ymgeisydd y Blaid, Ben Foday, boi hyfryd o Sierra Leone sydd wedi byw yn y ddinas ers blynyddo'dd ond heb unrhyw gysylltiad â'r etholaeth, 1,850 o bleidleisiau – y ganran isaf a ga's y Blaid unrhywle yng Nghymru – a do'dd hynny ddim yn syndod 'chwaith. O'r cant a hanner o Bleidwyr sy'n byw yng Ngogledd Caerdydd do'dd dim un o'dd yn barod i sefyll fel ymgeisydd a dim ond rhyw ddwsin fu'n ddigon dewr i roi arwyddion yn eu gerddi i ddangos eu hochor. Ni dda'th taflen etholiadau'r ymgeisydd i'n tŷ ni ac nid ymddangosodd ei enw yn y wasg leol hyd yn o'd unwaith, hyd y gwn i.

Yn fwy cyffredinol, ca's y Blaid yr ergyd fawr o golli seddau yn 2011, yn enwedig Llanelli ac Aberconwy, a ffaelu ennill rhai eraill fel Caerffili. Diflas o'dd gweld bois fel Alun Davies a Keith Davies yn ca'l eu hethol a Ron Davies, Nerys Evans, Chris Franks a Helen Mary Jones yn ca'l eu gwrthod. Prin y mae Rosemary Butler yn llenwi cadair Dafydd Elis-Thomas. Da o'dd gweld Elin Jones, Leanne Wood, Alun Ffred Jones, Rhodri Glyn Thomas, Bethan Jenkins, Simon Thomas a Jocelyn Davies yn dod yn ôl i'r Cynulliad, a gweld Lindsay Whittle a Llŷr Huws Gruffydd yn ymuno â Leanne a Bethan, a gadwodd draw o'r Senedd ar gownt presenoldeb y Frenhines yn y seremoni agoriadol y llynedd. Eto i gyd, nid enillwyd un sedd ym Morgannwg a Gwent y tro hwn – yn wir, ro'dd pleidlais y Blaid yn y rhan fwyaf o'r etholaethau yn y Gymru ddiwydiannol, lle mae'r dirywiad economaidd a chymdeithasol yn brathu fwyaf, wedi sefyll yn yr unfan. Rhaid bod rhywpeth mawr o'i le ar bolisïau a thactegau'r Blaid os nad yw'n gallu apelio yn y parthau hyn, ac mae hynny'n fy ngwneud yn ddigalon, rhaid cyfaddef. Yr un o'dd yr hanes yn yr etholiadau ym mis Mai eleni: ca's ein hymgeiswyr yn yr Eglwys Newydd tua 600 o bleidleisiau yr un.

Mae'n wir bod y Blaid wedi dod ymhell er 1958, pan ymunais â hi, ac rydyn ni wedi ennill tir sylweddol dros y degawd diwethaf, ond nid ydym wedi torri trwyddo yn yr ardaloedd diwydiannol lle mae mwyafrif ein pobol yn byw. Ca's Leanne Wood fy mhleidlais i i olynu Ieuan Wyn Jones fel arweinydd y Blaid a dymunaf bob llwyddiant iddi. Yn y cyfamser rhaid gwella strwythur y Blaid, hogi ei pholisïau, ysbrydoli ei phobol ifainc a sodro ei hunan yn fwy sownd yng nghymunedau ein gwlad. Rhaid hefyd ystyried beth yw'r camrau cyfansoddiadol nesaf yn y tymor byr. Yn anad dim, rhaid torri'r hualau sy'n caethiwo ysbryd a meddwl y Cymry – a dyna ran o swyddogaeth ein llenorion. Hawdd yw rhestru'r diffygion, wrth gwrs. Hwyrach fy mod i yn y blaid anghywir erbyn hyn ond dw'i ddim yn gallu cefnu'n llwyr ar Blaid Cymru a dyw'r pleidiau Seisnig ddim yn apelio ato i. Rwy'n cario'r garden aelodaeth o hyd.

Erbyn hyn mae rhai pobol hirben yn cretu y daw rhagor o hunanlywodraeth i Gymru o ganlyniad i'r sefyllfa yng Ngogledd Iwerddon a'r Alban – a Lloegr, efallai. Os felly, bydd gan y Blaid Lafur yng Nghymru swyddogaeth bwysig i'w 'whara yn y broses, a buaswn yn barod iawn i gefnogi Carwyn Jones pe bai'n dangos ei barodrwydd i geisio ennill statws gwell i Gymru. Ond mae'n bell o fod yn glir fod hynny'n debyg o ddigwydd tra bod Llafur yn rheoli'r Cynulliad. Brysied y dydd pan fydd Plaid Cymru yn rhoi asgwrn cefen i Lafur, neu, yn llai tebygol, y bydd y Blaid yn rheoli ar ei phen ei hunan; gobeithiaw a ddaw ydd wyf.

Bo'd hynny fel y bo, i fynd yn ôl at y flwyddyn 2000, rhaid o'dd dod o hyd i fodd arall o losgi egni. Er hynny, ni wn i sicrwydd paham y dechreuais farddoni yn y Gymraeg. Ro'n i wedi 'sgrifennu nifer fach o gerddi yn Saesneg a gyhoeddwyd yn y llyfrynnau *Triad* (1963), *Exiles All* (1973) a *Ponies, Twynyrodyn* (1997). Ond anfynych iawn yr o'dd yr Awen wedi ymweld â fi, er hynny; yn wir, ro'dd hi wedi aros o hyd braich yn ystod yr Wyth Degau pan o'n i gyda Chyngor y Celfyddydau a'r Naw Degau pan fu'n rhaid imi ennill fy nhocyn ar fy liwt fy hunan. Ar ben hynny, ro'n i wedi blino ar ddarllen shwt gymaint o waith pobol eraill fel golygydd, beirniad a swyddog y Cyngor, ac wedi colli blas ar farddoniaeth, fwy neu lai.

Serch hynny, ro'dd digon o ryddiaith i'm catw'n brysur ar droad y ganrif newydd. Cyfieithais 30 o storïau gan awduron ifainc Cymreig o dan y teitl *A White Afternoon*, a hanner cant o ysgrifau a gyhoeddwyd fel *Illuminations*, ill dau ym 1998. Ysgrifennais *The Literary Pilgrim in Wales* (2000), golygais *Decoding the Hare* (2001), sef cyfrol am Rhys Davies, a detholiadau o waith dau ddwsin o awduron yn y gyfres *Corgi* (2003–05). Cyfieithais *Hanes Plwyf Llanegryn* (2002) gan William Davies ar gais ei fab, Gwilym Prys Davies, un o'r goreuon o'i fath yn yr iaith Gymraeg, ac *Y Goeden Eirin* (2004), y gyfrol o storïau gan John Gwilym Jones. Ymddangosodd *A Semester in Zion* yn 2003. Dechreuais 'sgrifennu erthyglau am Gymry adnabyddus ar gyfer y *New Oxford Dictionary of National Biography*, gan gynnwys Waldo Williams, Kyffin Williams, Idris Davies, Dafydd Rowlands, D. J. Williams, R. Williams Parry, Islwyn Ffowc Elis, Gwyn Jones, Harri Webb, Richard Llewellyn, Glyn Jones, Cynan, Marion Eames, Roland Mathias, T. E. Nicholas, Leslie Norris, Gwyn A.Williams, Rhys Davies, ac yn y bla'n; mae'r gwaith hwnnw'n parhau hyd heddi. Rwyf wedi ceisio dwyn perswâd ar gyhoeddwyr i gyhoeddi *Pwy yw Pwy yng Nghymru*, ond yn ofer hyd yn hyn.

Yr unig dro imi roi cynnig ar 'sgrifennu barddoniaeth yn Gymraeg cyn 2000 o'dd trwy efelychu beirdd eraill, yn enwedig Americanwyr fel Carl Sandburg ac Edgar Lee Masters, awdur *The Spoon River Anthology*. Cetho i fwy o hwyl gyda cherdd gan Conrad Aiken, sef 'Tetélestai', un o'm hoff gerddi yn yr iaith Saesneg. Yn rhyfedd iawn, cerdd grefyddol ond cymhleth a dirgel yw hon. Mae'r gair 'tetelestai' yn golygu 'gorffennwyd' yn Groeg: dyma un o saith gair olaf Crist ar y Groes. Bydd y diwinyddion ymhlith darllenwyr y llyfr hwn yn gwypod bod profion clasurol o fodolaeth Duw yn cynnwys y prawf 'teleolegol' sy'n cyfeirio at drefen Duw yn y bydysawd; ystyriai'r Apostol Ioan farwolaeth Crist yn rhan o'r drefen honno.

Ta wa'th, gyda help y Prifardd T. James Jones, gŵr Manon Rhys, un o olygyddion *Taliesin*, lluniais drosiad Cymraeg o'r gerdd rymus hon ac yn y man, ymddangosodd y cyfieithiad yn y cylchgrawn (109, Haf 2000); rwy'n ddiolchgar iawn i Jim a Manon am fy rhoi ar ben ffordd fel hyn. Dyma shwt mae'r gerdd yn dechrau yn ei gwisg Gymraeg:

> Sut y canmolwn ysblander y meirwon,
> Y dyn mawr a ddarostyngwyd, y dyn penuchel a loriwyd mewn lluwch?
> A oes corn na ddylem ei chwythu'n llawn mor falch
> Dros yr un mwyaf dinod ohonom oll, sy'n treulio'i ddyddiau
> Yn amddiffyn ei galon rhag ergydion, ac yn marw'n anhysbys?

Er mawr fy edmygedd o waith yr Americanwyr a beirdd Ffrangeg fel Émile Verhaeren a Jules Laforgue – dysgais shwt i 'sgrifennu llinellau eithaf hirion gan y ddau – ro'n i wedi bod yn darllen gwaith beirdd Cymraeg dros y blynyddo'dd, ac wrth i'm crap ar yr iaith lenyddol dyfu'n fwy cadarn, dechreuais ga'l blas mawr ar eu gwaith. Pan holai rhywun pa un o'dd yn well 'da fi, T. H. Parry-Williams, R. Williams Parry, Waldo Williams ynteu D. Gwenallt Jones, bûm wastad mewn cyfyng-gyngor oherwydd mae'r pedwar yn golygu llawer imi. Ar yr un pryd, ro'n i wedi mwynhau gwaith nifer o feirdd ieuengach megis R. Gerallt Jones, Dafydd Rowlands, Rhydwen Williams, Bryan Martin Davies, Gwyn Thomas a Derec Llwyd Morgan yn ogystal. Yn Saesneg ro'n i wedi bod yn darllen Seamus Heaney, Philip Larkin, A. L. Rowse, Tony Harrison, W. H. Auden a Louis MacNeice, ymhlith eraill. Cetho i flas mawr hefyd ar ailddarllen y *Prelude* gan Wordsworth.

Ond pan ddes i lunio fy ngherdd gyntaf yn y Gymraeg, sef 'Gwreiddiau', y bardd ro'n i wedi bod yn ei ddarllen yn fwyaf mynych o'dd Alun Llywelyn-Williams. Nid adwaenwn e mewn gwirionedd ac ni chetho i sgwrs am farddoniaeth ag e erio'd, er bod un o'i ferched, Luned, yn briod â David Meredith, brawd Ruth. Ond edmygais ei gerddi'n fawr, gan eu bod yn catw'r cydbwysedd rhynt y personol a'r amhersonol, sy'n un o'm hamcanion i fel bardd hefyd. Dw'i ddim yn hoffi barddoniaeth sy'n rhy fyfïol; mae emosiwn amrwd, i'm 'wha'th i, yn rhywpeth i'w ffrwyno yn hytrach na'i fynegi'n llwyr. Mae'r Awen Parnasaidd yn ddelfryd 'da fi ers fy nyddiau ysgol, pan o'dd Leconte de Lisle ymhlith fy hoff feirdd, ac ac mae'r byd allanol yn llawn mor ddiddorol imi â'r un mewnol. Dim ond mewn hunangofiant mae awdur i fod i ddangos ei berfedd, ys dywed Kate Roberts, trwy siarad amdano fe ei hunan drwy'r amser!

Erbyn meddwl, y sbardun mwyaf imi droi at y Gymraeg i lunio fy ngherddi fy hunan, os deallaf bethau'n iawn, o'dd y profiad o fod ar drywydd Annie Sophia Lloyd a thad ei phlentyn ym mryniau Elfael. Rhaid bod amgylchiadau geni fy nhad wedi llechu a chorddi yn fy isymwybod, gan achosi rhyw dyndra y bu'n rhaid ei lacio rhywfodd neu'i gilydd; ro'dd y profiad o 'whilio am Annie wedi misgi latsh yn fy mhen. Bo'd hynny fel y bo, cetho i ryddhad a boddhad mawr wrth roi'r geiriau Cymraeg ar y sgrîn, gweithred a fu'n debyg i daenu paent olew trwchus ar gynfas yn null Kyffin Williams, am wn i.

Ymhen rhai dyddiau ar ôl dechrau 'sgrifennu 'Gwreiddiau' da'th houl ar fryn, yn llythrennol, tra o'n i'n cerdded ar y Garth yn heulwen gwan mis Medi. Cystal gweud nad wyf wedi profi'r goruwchnaturiol erio'd, ond wrth gerdded ar gopa'r bryn cetho i'r sicrwydd fod bywyd yn braf ac i'w fwynhau yn ei holl amrywiaeth, y llon a'r lleddf, a rhaid ei ddathlu. Ro'dd hanes Nhad yn rhan o'm hanes innau ac fe afaelodd ynof gerfydd fy ngwar.

Cerdd i leisiau yw 'Gwreiddiau' ac mae'n cynnwys tua 200 o linellau. Mae'r epigraff yn dod o gerdd gan Gwynfardd Brycheiniog yn Llyfr Coch Hergest:

A Glasgwm â'i eglwys ger glas fynydd,
Gwyddelfod aruchel, nawdd ni echwydd.

Mae'r bryddest yn agor gyda mwy na thinc o 'Rhydcymerau':

Dros lethrau serth Cefn Gwylfre ac ucheldiroedd Gwaun-ceste
mae'r gwynt yn cwynfan ac yn dolefain fel hen ast wedi'i llwgu,
ddydd a nos, haf a gaeaf, yn ddiarbed ac yn annaearol groch.

Â'r gerdd ymla'n i roi safbwynt y Ferch, y Brawd, y Llanc, y Mab a'r Cerddwr. Yn rhyfedd iawn, ro'n i'n gallu clywed lleisiau Annie Sophia, ei brawd Hugh Lloyd, tad ei phlentyn, a'm tad innau yn siarad yn glir yn fy mhen, ac wrth gwrs, fi o'dd y Cerddwr. Siaradai pob un ond fi mewn tafodiaith, naill ai un Sir Faesyfed neu un Merthyr, a dyna shwt y dechreuais ddefnyddio'r Wenhwyseg ar gyfer fy ngherddi: ni fu dewis yn hynny o beth.

Mae'r Ferch (Annie Sophia) yn siarad am adfeilion Blaen-bedw fel a ganlyn:

Erbyn hyn, ma' gwynt 'rhen Bengwern wedi troi aelwd Blaen-bedw
yn adfel, y to wedi mynd â'i ben iddo a'r shimne fawr wedi cwmpo;
ma' trawstie derw hir y tolant wedi dymchwel yn llwyr, a thros y ffald
lle ro'dd y ceiliog dandi yn arfer clochdar yn blygeiniol o'i ficswn welltog
ma'r mwsog, y 'whyn a'r mieri wedi ennyn fel y plæ gwyn.

Do's dim modd nabod bellach y dole, y locie a'r shetine
gan fod y cwbl wedi diflannu o dan redyn ac esgyll y mynydd,
ac ma'r clwstwr o go'd gleishon o'dd yn dangos y ffordd lydan
dros y topie i'r porthmyn slawer dydd wedi'u towlu a'u clirio i gyd.

Mae'r Brawd (Hugh Lloyd) yn siarad fel hyn:

Weles i ddim llawer o'm 'whær ar ôl gieni'r llwdwn, a holes i ddim
pwy o'dd y tæd – gwell peido styrbo ciacwn brith rhag ofon 'u tynnu am dy ben;
ta beth am 'ny, ro'dd gien i ddigon o 'falon beunyddol wrth odreon soeglyd Blanbedw,
heblaw 'yn n'letswydde pwysig fel warden eglwys Dewi Sant.

Dyma'r Llanc (tad fy nhad) yn siarad:

Ach, rown i'n ifanc, fel hithe. Dylswn i fod wedi'i phriodi, siŵr o fod,
fel ma' gwerin Elfael wedi'i wneud ers cyn co', gan gwtshed 'u 'whant
afreolus rhag llyged a thafode'r byd stilgar tu ôl i gyrtens parchusrwydd.

Ond prin ro'en ni'n adnabod 'yn gilydd, heb sôn am giaru, do'dd gien i na thŷ
na thwlc, a dim ond cyflog gwæs, rhai syllte pitw, am ddilyn y wedd yn y gwynt a'r glæw;
ar giefen 'ny, bydde'r gwarth wedi llorio 'yn rhieni, capelwyr selog ill dau.

Mae'r Mab (fy nhad) yn siarad fel hyn:

Wel, ry'n sy'n nafu dyn cymint yw'r ymwybyddiath bot ti'n wrthodetig,
plentyn næd ô'dd 'i moyn, bod dy fam weti golchi'i dilo o'onot ti,
weti roi ti bant i bopol diarth – oti, ma' gwybodath fyl na'n mudlosgi fyl colsyn
yn dy ben yn ddi-baid ac yn crafu dy dripa fyl cyllall swrth, cret ti fi.

Mae'r Cerddwr yn siarad yn dicyn llai emosiynol ac mewn cywair mwy safonol, gydag adlais o rai o gerddi Alun Llywelyn-Williams, 'fallai:

Ha! Paid â sôn wrthyf i am wreiddiau a pherthyn a mwynder bro, gyfaill.
Mae etifeddiaeth enetig dyn yn gallu bod yn fater o hap creulon –
o'm rhan i, dieithryn yn curo wrth drws y cefn yn hwyr ar brynhawn Ffair Bentymor
a morwyn fach oleuwallt yn ei ffedog fras a fu'n digon rhadlon i gynnig dŵr iddo.
Na, mae magwraeth yn llawer cryfach na genynnau, ddywedwn i...

Ydynt, mae bryniau Elfael yn hardd, ond maddeuer imi am feddwl eu bod
yn gyfystyr â chaledi, trais, aberth a gofid, gyda dim ond bara sych a chrefydd difraw
i gynnal eu pobl, ac yn anad dim â chywilydd beichus, anobaith enbyd a'r ofn ffiaidd
sy'n gorfodi merch ddiwair i roi'r gorau i'w phlentyn a'i adael i'w dynged lom...

Yr wyf i, y cerddwr aflonydd, yn rhoi cyfrif trwy hyn o'm echdoe dolurus fy hun,
ac yn y gobaith anhyderus y daw doethineb ym mhen y rhawg i liniaru fy nghalon flin.

Ysgrifennais 'Gwreiddiau', neu'r rhan fwyaf ohoni, yn hydref 2001 ac yn gynnar yn 2002, cyn imi weld yn y *Rhestr Testunau* taw dyna'r pwnc ro'dd yr Eisteddfod Genedlaethol wedi'i ddewis ar gyfer cystadleuaeth y Goron ym Mhrifwyl Maldwyn a'r Gororau y flwyddyn ganlynol. Wedi dangos drafft o'r gerdd i'm cyfaill y Prifardd Bryan Martin Davies, penderfynais hala'r bryddest i mewn o dan y ffugenw Hwnco manco. Ni wyddwn beth i'w ddishcwl gan y beirniaid ond cetho i fy siomi ar yr ochor orau.

Ca's y gerdd ei maintioli gan Gerwyn Williams fel hyn:

Mae defnydd meistrolgar Hwnco manco o dafodiaith yn un
o gampau artistig y gystadleuaeth hon... Yn gwbl o ddifri yr
awgrymaf y dylid trosglwyddo ar fyrder recordiad a chopi caled
o'r gerdd i Sain Ffagan gan mor werthfawr yw hi o safbwynt
ieithyddol... Artist sy'n taenu ei olew cyfoethog yn drwchus
dros ei gynfas yw Hwnco manco. Er gwaethaf ambell arwydd o
anwastadrwydd ac anghysoner, dyma gerdd bwerus gan un sy'n
edrych ar ei etifeddiaeth wledig heb fawr o *nostalgia* ond gyda
chryn wrthrychedd.

Ro'dd Nesta Wyn Jones yn dicyn llai brwdfrydig ond ro'dd hi'n gallu gweld rhinweddau yn y gerdd, er hynny:

Dyma bryddest unigryw (i'w hadrodd gan leisiau) sydd wedi tyfu'n
gyson yn ei hapêl trwy bob darlleniad... Y prif beth oedd yn fy

mhoeni, fodd bynnag, oedd ei mesur, gan ei bod yn union ar y ffin rhwng rhyddiaith a barddoniaeth... Yn wir, mae hwn yn fardd galluog a grymus dros ben.

Ond ro'dd y Prifardd Cyril Jones yn llawer mwy cefnogol:

Yn wahanol i gerddi eraill y gystadleuaeth, nid dathlu gwreiddiau a wneir yn hon ond eu difrïo'n chwerw... Mae'r cyfan yn fynegiant o ryw gyntefigrwydd gwledig y bu'n fwy cyfleus ei anghofio yn ein llên. Mae'n perthyn i ran o Gymru sy'n ffindir anghofiedig hefyd, ac fe'i mynegwyd drwy gyfrwng tafodieithoedd sydd bron â bod yn angof bellach.

Y ddwy gerdd a roddws y pleser pennaf i Cyril, am resymau cwbl wahanol, o'dd un Hwnco manco ac un Llasar, ond yn y diwedd dewisodd waith Llasar i dderbyn y Goron. Fel sy'n hysbys erbyn hyn, Llasar o'dd Mererid Hopwood. Ro'n i'n eithaf bodlon ar y canlyniad hwn. Wedi'r cyfan, 'Gwreiddiau' o'dd fy ngherdd gyntaf yn Gymraeg a'm cynnig cyntaf am y Goron.

Ro'n i'n ddiolchgar am sylwadau'r beirniaid. Ond ni chytunwn â'r pwyslais a roddwyd ar osgoi llinellau 'rhyddieithol'. Mae'r ffin rhynt 'rhyddiaith' a 'barddoniaeth' yn gallu bod yn un annelwig ar adegau ac ro'n i'n fodlon ei throedio heb fecso gormod amdani. Gwendid yw hwn yng ngolwg rhai o'r beirniaid mwyaf ceidwadol, ac o ganlyniad mae'r farddoniaeth sy'n fwyaf derbyniol yng nghylchoedd yr Eisteddfod yn tueddu, i'm clust i, i fod yn farddonllyd ac yn llawer rhy flodeuog yn ei hieithwedd a'i delweddau. Fy amcan i yw defnyddio 'iaith y bobol yng ngheg yr ysgolhaig' (er nas gwn pwy piau'r ymadrodd hwnnw) ac mae hynny'n golygu, ar brydiau, fod fy llinellau'n taro beirniaid yn 'rhyddieithol'. Cyhyd â bod y llinell yn cyfleu emosiwn, megis cebl trydan, do's dim ots 'da fi. Ers i Cyril Jones ganmol 'Gwreiddiau' yn 2003 rydyn ni wedi bod yn ffrindiau da ac rwyf wedi dysgu llawer wrth wrando ar ei farn gadarn a chytbwys.

Gyda llaw, digwyddws y symbol 'æ' am yr 'a fain', sain sy'n

nodweddiadol o dafodiaith rhai ardalo'dd yn y Canolbarth ac yn y De-ddwyrain fel ei gilydd, tua dau ddwsin o weithiau yn 'Gwreiddiau', ond pan ymddangosodd y bryddest yn y cylchgrawn *Barddas* (274, Hydref 2003) ro'dd pob un wedi ei newid i 'a', gan fod Elwyn Edwards, swyddog gyda'r Gymdeithas Gerdd Dafod, yn cretu mai gwall teipio ydoedd! Bu'n rhaid i'r golygydd gyhoeddi esboniad am hyn a dda'th yn agos at fod yn ymddiheuriad am y gorgywiro.

Sylweddolais ar yr un pryd fod 'na ragfarn yn erbyn tafodiaith ymysg beirniaid mwyaf ceidwadol Cymru. Ysgrifennodd un o archoffeiriaid safonau traddodiadol bois *Barddas* rywpeth i'r perwyl 'Gwae inni roi'r Goron neu'r Gadair am gerdd mewn tafodiaith.' Naw wfft i'r fath agwedd adweithiol, wetwn i. Ro'n i am fynegi fy mhrofiad o'r Gymru ddiwydiannol ac nid bywyd cefen gwlad fel shwt gymaint o feirdd sy'n cyfrannu i'r cylchgrawn. Yn wir, rwyf wedi cael llond bol ar eu telynegion tlws-tlws a'u henglynion di-rif yn marwnadu'r iaith Gymraeg yn y cymunedau gwledig lle maen nhw wedi gadael i Saeson ymgartrefu. Mae 'na rywpeth yfflon o ddisgwyliadwy yn eu gwaith sy'n tu hwnt o ddiris. Ys gwn i beth fydd eu hymateb i'm cerdd 'Limwns' a ddewiswyd gan y golygydd newydd, Twm Morys, ac sy'n ymddangos yn y cylchgrawn yr haf hwn.

Es i ati i lunio nifer o gerddi ar y testun 'Egni' yn null *Spoon River* a'u hala i Eisteddfod Genedlaethol 2004 o dan y ffugenw Blorens. Lleisiau pobol a fu byw 'Rhwng Rhymni a Gwy' o'dd y gyfres: Y Silwriaid, Llengfilwr, Sieffre o Fynwy, Ifor Hael, Y Morganiaid o Dredegar, Arglwyddes Llanofer, John Frost, Islwyn, Aneurin Bevan, Idris Davies, Gwyn Jones, Raymond Williams, Phil Williams a Bachgen Ysgol. Ond ni phlesiwyd y beirniaid – y Prifardd T. James Jones, y Prifardd Alan Llwyd a Dylan Foster Evans – ac fe'u rhoddwyd yn y trydydd dosbarth a'u damnio unwaith 'to fel dilyniant '[c]wbl ryddieithol'. Yr un ymateb ca's Retina gan yr un beirniaid i gyfres o gerddi lle o'dd rhai o brif artistiaid Cymru'n llefaru am eu gwaith. Ro'dd yn amlwg nad o'dd y beirniaid Eisteddfodol yn hoffi 'cerddi prôs', fel y galwyd fy nghynigion. Aeth y Goron i Jason Walford Davies.

Eto i gyd, yn ystod yr un Eisteddfod cyhoeddwyd dwy gerdd arall o'm heiddo, yn yr un dull yn gwmws, ar Edmund Jones y Transh a'r argraffydd John Edward Southall, o dan y teitl 'Hen Broffwyd a Sais'. Gwasg Gregynog o'dd y cyhoeddwr ac fe gynhyrchwyd y cerddi mewn argraffiad o gan copi. Dyma a wetws J. E. Southall:

Sais o Lanllieni oeddwn i, a Chymru oedd fy mhopeth:
Cerais y wlad fach hon fel pe baem yn gwneud iawn am ormes y canrifoedd
Trwy goleddu'i hiaith a mawrygu ei thraddodiadau.
Yn fy het ddu â'i chantel llydan, cerddwn yn urddasol
I'r tŷ cwrdd yn Llanfihangel Pont-y-moel i eistedd yn dawel gyda'r Cyfeillion.
Deuthum i Gasnewydd-ar-Wysg yn ddyn ifanc fel prentis i argraffydd
A dysgu'r grefft heddychlon o wneuthur llyfrau – inc, papur, ffownt, rhwymo –
Nes fy mod i'n glipar ar drin llythrennau plwm â'm cewinedd hir.

Ymhen y rhawg agorais fy siop fy hun yn Heol y Dociau,
Lle nad oedd unrhyw jobyn yn rhy fach imi, a'm prisiau'n lled resymol;
Ond y cynnyrch mwyaf a ddaeth o'm gwasg, heb os nac onibai,
Oedd fy nghyfrolau swmpus ar hynt a helynt y Gymraeg.

O Gymry, blant y Goleuni, ar adeg dathlu eich annwyl Brifwyl, boed ichi
Garu eich iaith fel y'i cerais, a bod yn deilwng o'ch cenedl, un o deuluoedd Duw.

Aeth pethau'n well yn 2005 pan ddes yn agos iawn at gipio'r Goron gyda fy nghasgliad 'Cerddi R'yfelwr Bychan'. Dyma a wetws y beirniaid – Derec Llwyd Morgan, Ifor ap Glyn a Jason Walford Davies – am waith Shasbi:

Y ddau fardd y buwyd yn hir drafod eu casgliadau – a'r ddau fardd yn y gystadleuaeth sydd heb os nac oni bai yn haeddu Coron yr Eisteddfod Genedlaethol – yw Shasbi a Pwyntil, dau fardd tra, tra gwahanol i'w gilydd. Y mae casgliad Shasbi yn gasgliad eithriadol sylweddol, o ran swmp y gwaith, o ran yr ystod o ffurfiau barddonol y cyfansoddodd ynddynt, o ran nifer y profiadau a ddiffinnir yma ac o ran y gyfeiriadaeth hanesyddol, gymdeithasol, lenyddol ac ieithyddol sy'n cyfoethogi'r cyfan. Nid ar chwarae bach yr ysgrifennwyd 'Cerddi R'yfelwr Bychan': y mae'n waith y

211

bu'i awdur yn myfyrio amdano ac arno ymhell cyn ei gyfansoddi,
ac yn waith – o'i gyhoeddi – a fydd yn gyfraniad nodedig i lên yr
Ail Ryfel Byd yn y Gymraeg. Fe'i cyfansoddwyd yn y Wenhwyseg,
ac yn atodiad i'r copïau o gerddi a anfonodd Shasbi i Swyddfa'r
Eisteddfod, rhoes i'r beirniaid Eirfa – 'rhestr frysgyfeiriol', chwedl
yntau – i'w helpu i'w llawn ddeall. Cyfeiriodd hefyd at *Geiriadur
Prifysgol Cymru* ac at y gyfrol *Blas ar Iaith Blaenau'r Cymoedd* gan
Mary Wiliam. Yr oedd arnom eisiau'r help hwnnw. Dyma hanner
cyntaf y gerdd agoriadol, 'Yr 'æf 'wnnw' (= yr haf hwnnw). Fe'i
printir er mwyn i'r darllenydd flasu'r defnydd:

> Dôdd y r'yfal ddim weti dychra 'to.
> Ond y pryn'awn 'na,
> a'r 'oul yn ffaglo'r r'etyn ar y Meio ishta trichant o genddi,
> a ffenast y llofft ffrynt yn 'Ewl yr Alcam ar led, a basnad o ddŵr ôr wrth law i'r fytwith
> olchi'r 'wŷs o wimad 'i fam fyl dæth 'i phoena'n amlach,
> rodd y r'estar cyfan yn gallu clywad 'i sgrechada
> a wet'ny, næd gynta'r babi yn 'i garnsi ruddgoch
> wrth iddi fa gæl 'i wpo'n sgaprwth o'i chroth shag ola'r byd.

O ddarllen y darn, gwelir bod yma awdur o gryn faintioli
– gafaelodd mewn profiad cyffredin, mawr a'i ddiffinio'n wreiddiol
mewn iaith wreiddiedig – ond, ar yr un pryd, y mae'r darllenydd
yn ymbalfalu am ystyron geiriau dieithr ac yn baglu wrth geisio'u
dirnad. Mewn cymhariaeth â 'Y Llen', Dyfnallt Morgan, y mae'r
cerddi hyn yn llawer anoddach. Ond rhoesom amser da i geisio'u
deall – a llwyddo'n amlach na heb. Eithr ym mhob trafodaeth, yr
oeddem yn gorfod cyfaddef i'n gilydd fod y dafodiaith yn benllanw'r
ymdrech weithiau. Barnwyd hefyd fod ambell gerdd – 'R'og ofon',
yn enwedig – wedi croesi'r ffin i ryddiaith, a bod diweddglo ambell
un arall yn anweddus i'w chorff. Eto i gyd, pe na bai un arall yn y
gystadleuaeth y barnasom ni ei fod yn well nag ef, cawsai Shasbi,
awdur ardderchog y 'R'icwm sgipo' gorau yn yr iaith, y Goron.

Yn y gerdd a ddyfynnwyd gan y beirniaid ro'n i wedi ceisio
disgrifio shwt des i'r byd yn 50 Meadow Street ers talwm, rhyw
fath o gamp yn null Tristram Shandy. Yn wir, ceisiais rywpeth
lled uchelgeisiol ym mhob cerdd yn y casgliad. Ond gan fod y
beirniaid wedi galw 'R'icwm Sgipo' y gorau o'i fath yn yr iaith,
dyma ran ohoni:

Bili Winc a'i Fami'n sgipo i'r tiwn,
Wîtabics i frecwast, Wîtabics i dê,
tapioca, triog du, arw-rŵt a Spam,
wŷa mywn powdar, llath mywn tin,
Fimto, Corona, sosejis a mash,
tishan lychwan, pica ar y mæn,
pwdin reis a thartan yn y gecin fæch,
Clemo, 'ym mlotyn? Mwy o bwdin du?
amser mynd i gysgu, caea dy lycid nawr,
lan y stær mor dywyll, cwtsho fel gw-boi,
pan ma'r r'yfal yn cwpla, ar 'y ngair,
cei di 'ed y cyfla i dyfu lan yn llon
Heisht, y swci mwci, y pythach hyn a ddaw
Bili Winc a'i Fami'n sgipo ti-a-fi,

troi'r r'aff yn deidi a rŷt di mywn!
gwsbryn ar y cenol a dim byd o'i le
paid gatal tamad, paid gofyn pam
loshins streip i grwtyn gan Bopa Win
'stim fyl semolina i lenwi'r cratsh
shitlin a ffagots yn ffrïo ar y tæn
dera 'mlæn, y bara bit, a chliria'r plæt...
Beti Jones y Ceunant yw f'enw i!
byddi byth yn bwlffyn gyta sgwydda mawr
cwoto yn y sgimbren, cer i 'uno'n glou
cei di faint a licet o stondins y ffair
'eb ofni'r 'en rodnis sydd ar y ddaear 'on
pan ma'r byd yn callo ac ma 'eddwch wrth law
tro'r r'aff yn ara a mæs â ti!

Ymddangosodd 'Cerddi R'yfelwr Bychan' yn *Taliesin* (126, Gaeaf 2005). Enillydd y Goron yn y flwyddyn honno o'dd Christine James.

Gyda fy ymgais nesaf i blesio'r beirniaid Eisteddfodol, yn 2006, mentrais i faes mwy amheus, gan 'sgrifennu cyfres o gerddi a o'dd yn coffáu nifer o ferched a roddodd addysg rywiol imi pan o'n i'n llanc diniwed yn y Pum Degau. Mae'r cerddi'n rhy anaddas i'w dyfynnu yma. Cydnabu Menna Elfyn, a roddws Crambo ar ffiniau'r dosbarth cyntaf, taw prin yw'r cerddi yn Gymraeg sy'n mynd i'r afael â rhyw. Cyfaddefodd Gwyneth Lewis ei bod hi wedi 'wherthin yn uchel wrth ddarllen un o'r cerddi ac fe a'th ymla'n: '... mae'n anodd peidio â chynhesu tuag at y llais drygionus a bywiog yma'. Hwyrach fod gyda hi'r gerdd 'Marc'harid' mewn golwg, sy'n cychwyn fel hyn:

Pan dwmlaf ynof amall pwl o'r felan
Ac weti cel llon' bol o Tony Blair,
Wy'n cofio am Marc'harid ar Bihan
Yn borcyn yn 'y ngwely yng Nghemper.

Barn Damian Walford Davies, a roddws Crambo yn rhan uchaf yr ail ddosbarth, o'dd 'Arwynebol a llencynnaidd ar y cyfan yw'r ymdriniaeth – er bod direidi'r gêm o gyfuno

213

cyfathrach rywiol a chyfathrach ieithyddol a gwleidyddol-
ddiwylliannol yn ddigon ysmala, a'r dafodiaith (fel petai) yn
chwarae'i rhan.' Eitha' reit, hefyd.

Erbyn hyn ro'n i'n ymwybodol o'r problemau orgraffyddol
sydd ynghlwm â 'sgrifennu mewn tafodiaith ac ro'n i wedi
dechrau defnyddio cywair dicyn mwy 'safonol'. Er enghraifft,
shwt dylid 'sgrifennu'r ffurf lafar ar y gair 'oedd': ai 'o'dd' ynteu
'ôdd'? Ar ben hynny, i ba raddau y dylid defnyddio geiriau ac
ymadroddion o'r Wenhwyseg, tafodiaith sydd wedi encilio
o'i chadarnleoedd hanesyddol i raddau helaeth ond sy'n
ddealladwy o hyd? Dw'i ddim yn gweld hynny fel problem,
oherwydd mae gan y Wenhwyseg eirfa gyfoethog a chystrawen
ystwyth ac mae'n swnio'n bert i'm clust i. Yn ogystal â'r geiriau
ac ymadroddion sy'n dod imi'n gwbl naturiol, rwyf wedi casglu
canno'dd o esiamplau o'r hen dafodiaith trwy ddarllen cerddi
gan J. J. Williams a'r storïau sydd yn ei gyfrol *Straeon y Gilfach
Ddu*. Treuliais oriau'n pori yn *Tarian y Gweithiwr*, yn enwedig
y llythyrau gan Myfyr Wyn. Cetho i flas hefyd ar *Ni'n Dou* gan
William Glynfab Williams ac rwy'n mwynhau'r ddeialog yn
rhai o nofelau Mihangel Morgan y dyddiau hyn, yn enwedig
Pantglas. Mae 'na hyd yn o'd wefan o'r enw 'Gwentian' i'w cha'l
trwy glicio ar Google.

Cetho i fudd mawr hefyd o lyfryn Mary Wiliam, *Blas ar Iaith
Blaenau'r Cymoedd*, sydd wedi'i seilio ar dafodiaith y rhimyn o
dir sy'n ymestyn o Ferthyr i Ddowlais, Rhymni, Tafarnau Bach,
Sirhywi ac ymla'n am Flaenafon. Casglodd Mary y dafodiaith
yn Nhafarnau Bach ym 1963. Ond fel mae hi'n cofnodi, ro'dd
tiriogaeth y Wenhwyseg yn ymestyn ers talwm o Sir Fynwy
draw at Ddyffryn Aman yn y gorllewin a thua'r gogledd hyd
at Fannau Brycheiniog. Hen enw ar drigolion Gwent o'dd y
Gwennwys a dyna shwt ga'th y Wenhwyseg ei henw. Dechreuws
encilio gyda thwf y mudiad i safoni'r iaith ac erbyn hyn dyw
plant y De-ddwyrain ddim yn clywed y dafodiaith yn yr
ysgolion, gwaetha'r modd.

Ni wn paham rwyf wedi 'sgrifennu shwt gymaint o gerddi
yn y dafodiaith – dros gant ohonynt erbyn hyn. Hanai fy mam-

gu o Gwm Rhymni a magwyd fy nhad yn Hewlgerrig, dau gadarnle'r dafodiaith, ac oherwydd hynny teimlaf fod rhywpeth atafistaidd, 'fallai, yn fy hoffter o'r Wenhwyseg. Rwy'n eithaf siŵr hefyd fy mod i wedi ca'l fy swyno wrth glywed Harri Webb yn whilia Cwmrêg gyda phobol leol yn Llyfrgell Dowlais yn ystod y 'Whe Degau. A phan rwy'n meddwl am Gymru, llefydd tebyg i'r rhain sy'n dod i'm meddwl yn bennaf. Bo'd hynny fel y bo, dw'i ddim am wypod rhagor, rhag ofon fod y dafodiaith yn gwywo yn fy nghof ac yn gadael dim ond Cymraeg 'safonol' ar ei hôl. Pe bai hynny'n digwydd, byddai rhan bwysig ohonof yn cael ei dileu. Trwy ddefnyddio'r dafodiaith 'Mi gefais gip ar f'anian fy hun', ys dywed Parry bach. Mae rhigwm ysmala Idwal Jones yn berthnasol yn y cyswllt hwn hefyd:

Medd y llenor – 'Gwybydded Cymru oll
Fod y tafodieithoedd yn mynd ar goll!'
Ochneidiais innau â'm bron yn brudd
Wrth feddwl y cawn fyw i weled y dydd
Bydd bechgyn a merched yn cerdded y stryd
Gan siarad fel traethawd gan Iorwerth Peate.

Wedi ca'l hoe o gystadlu yn 2007, ro'n i'n barod i roi cynnig ar y Goron unwaith yn rhagor yn Eisteddfod Genedlaethol 2008 ar y testun 'Stryd Pleser'. Ni welodd y Prifardd Aled Gwyn rinweddau yng ngherddi Elcawawcs a chetho i ei sylwadau'n ystrydebol ar y naw: 'Mae ei gerdd "Cawod", er cof am Datcu a Mamgu'r bardd, yn un hir o'i chymharu â'r lleill.' Barn Derec Llwyd Morgan o'dd taw gwaith y cystadleuydd hwn o'dd 'y casgliad o gerddi mwyaf anghyffredin yn y gystadleuaeth'. A'th ymla'n: 'Er mor abl ydyw fel awdur (y mae ganddo eirfa a chyfeiriadaeth gyfoethog), y mae ynddo duedd i or-ddweud, ym mhob ystyr i'r ymadrodd hwnnw.' Eitha' reit, mynta fi. Yn drydydd, barn Elin ap Hywel am gerddi Elcawawcs o'dd, 'Dyma un o gasgliadau mwyaf diddorol a bwriadus y gystadleuaeth.' Yn anffodus, a'th ymla'n i ddangos nad o'dd hi wedi deall y gerdd 'Dime Goch':

Yn bwt di-wàrdd yn byw mywn pentre tlawd
  A'r blew fel eirin gwlanog ar fy moch,
Fe ddysges i rhyw yfflin am y cnawd
  Gan ferch a'i gwertha'i hun am ddime goch.

Fe gwrswn hi'n fyfyrgar am fy nysg
  Tu cefen i'r cwbs trwy gydol gaeaf ôr
Lle deffrodd hi'n feinosol sarth fy mlys
  Â chusan glec a'i gena llawn o bôr;

A phan, tan gudd y pabwyr ger Llyn-cert,
  Dangosai'n ewn, am loshin streip neu ddwy,
Ei chamfflabats a'i tethi pigfain-pert
  Yr ôn i yno gyta'r horsins mwy

Yn nafus am y rhyfeddota hyn.
  Heb fod yn hir, a'r swæ lan sha Ton-teg
Bod corff rhyw slwt yn nyfrôdd bâs y llyn
  Â'i nicyrs ffansi'n pwco mâs o'i cheg,

Fe wyddwn i heb holi pwy ôdd hon:
  Y ferch a rhoddws imi gwersi plæn
Am gyfrinachau bola, cnwc a bron
  A ddæth yn fuddiol yn nes ymlæn

Pan gefes afel ar efrydiau uwch.
  I Linda fach bo'r diolch, am fwyhau
Gwyddora annihun fy ecin-awch;
  Ac erbyn hyn 'wy'n ddoethur, mwy na lai.

Ond rhag fy mod i'n folon ar fy myd,
  Fe ddyliwn noti yma, am wn i,
Y timlad od sy'n becso dyn o hyd
  Taw dime goch fy chwant a sgrecws hi.

Ond ofer dadl wedi barn. Y gerdd orau yn fy nghasgliad, i'm tyb i, o'dd 'Cawod', a ymddangosodd yn y cylchgrawn *Taliesin* (136, Gwanwyn 2009). Cyhoeddwyd 'Jonna' o'r un casgliad yn *Tu Chwith*. Enillydd y Goron yn 2008 o'dd Hywel Meilyr Griffiths.

Fe ddes hyd yn o'd yn agosach at ennill y Goron yn 2009 gyda chasgliad o gerddi ar y testun 'Yn y Gwaed', ond y tro hwn blerwch ar ran yr Eisteddfod, hyd y gwn i, o'dd yn gyfrifol am imi ei cholli. O dan y ffugenw Fferegs (yr hen enw ar yr hyn a dda'th yn Sir Faesyfed yn nes ymla'n) halais gyfres o saith cerdd i'r gystadleuaeth, bob un yn cyfeirio at hanes fy nhad. Dyma'r tro olaf, meddyliais, y buaswn yn llunio cerddi am y profiad o 'whilio am Annie Sophia Lloyd. Yn y gerdd 'Mawn' ceisiais grisialu fy nhwmladau tuag at bobol bryniau Elfael, yr wyf yn hanu o'u plith:

Ar fannau gwastad
   Rhos-y-pyllau duon,
Y tu hwnt i Lanfair,
   Maen nhw'n lladd mawn
A'i losgi hyd heddiw
   Er bod olew a thrydan
Yn eu tyddynnod isel,
   Lle maent yn cwalo
Ar hirnosau'r gaeaf
   O flaen duwiau'r aelwyd.

Gwynt traed y meirw
   Sy'n wbain yn feunosol
Yn y simneiau mawr,
   Gan fferru'r gwaed.

Hawdd cefnu, efallai,
   Ar foes ac arfer dy dylwyth,
Trwy anwybyddu'n llwyr
   Y siafftiau sy'n mynd
I lawr drwy haenau cywasg
   Y mawndiroedd hynafol
I'w hisymwybod cnotiog,
   Yr un gwehelyth yn ddi-ddor
Ers amser Hyfaidd.

Dyma nasiwn rithiol,
　　Yr enwau tywyll
Yng nghofrhestrau'r plwyf,
　　A'u gwir ddelwedd y dŵr
Chwerw, cochddu, gludiog
　　Sy'n hidlo megis gwaedlif
Ar hyd y ffosydd hallt.

Etifedd eu cluniau hir
　　Wyf i, a'u pryd golau,
A'u meddylfryd ffel.

Prin yw'r creiriau
　　Y mae'r pyllau'n eu hildio –
Heblaw esgyrn llwydaidd,
　　Offrymau'r llwyth.

Wrth droi un yn fy llaw
　　A'i glywed yn llefaru,
Fe wn, o hir ddiwedd,
　　Bod 'na ddogn o fawn
Yn fy ngwaed innau.

Dirwynais y gyfres i ben gyda'r soned 'Atal dweud' er mwyn dangos fy mod i'n gallu llunio cerdd ar ffurf draddodiadol.

Un poenus o dafotglwm oedd fy Nhad
　　Ar hyd ei oes hiraethlon, flin. Bu hyn
Yn fwrn go drwm, a thipyn o ryddhad
　　Oedd bwrw ei flynyddoedd olaf, prin
Heb orfod dweud dim byd. Ni soniai am
　　Ei dylwyth o ran gwaed, na'i ofid, 'chwaith;
Taw piau hi, mae'n debyg, pan fo'ch mam
　　Yn rhoi ei baban i rieni maeth.

Ond cofiaf fyth, a'i fywyd bron ar ben,
　　Yr hylif gwaedrudd yn y tiwbiau hir
A'r crwt amddifad y tu ôl i'r llen
　　Yn llefain am ei Fam, a'i eiriau clir
Mor huawdl o boenus, ac yn ei lef
　　Dim ond 'ca-cariad' yn drech nag ef.

Rhoddwyd y gyfres yn y dosbarth cyntaf gan M. Wynn Thomas, a feddyliodd ei bod i'w chymharu â sonedau *The School of Eloquence* gan Tony Harrison. Ro'dd hyn yn galondid mawr gan fy mod i'n edmygu'r bardd hwnnw. Rhoddwyd y gyfres yn y dosbarth cyntaf gan Dafydd John Pritchard hefyd, a wetws, 'Dyma ddilyniant gyda'r grymusaf yn yr holl gystadleuaeth ac, yn sicr, mae'r Fferegs wedi llunio cerddi sy'n teilyngu'r Goron.' Gwell byth. A phan da'th tro John Gruffydd Jones i fynegi barn, ro'dd fy ffiol yn llawn:

> Y gonestrwydd sydd i'w weld a'i deimlo yn y cerddi yma sy'n eu codi i dir uchel, ac mae'r dewis o fesurau'n gweddu i'r profiadau a'r teimladau bob tro... Yr ydym yng nghwmni bardd hynod o ddawnus gyda sicrwydd profiad a dychymyg... Nid tasg hawdd fu dewis enillydd yn y gystadleuaeth hon eleni ac yn y diwedd mae'n sicr mai chwaeth bersonol sy'n penderfynu'r dewis. Yn fy marn i, mae pump o feirdd gloyw iawn... O'r rhain, rwy'n teimlo i gerddi Moelwyn a Fferegs ragori, ac fe ddaeth Eleth yn hynod o agos hefyd, ond yr agosatrwydd cynnes sydd yng ngwaith Fferegs a'm plesiodd fwyaf ac iddo ef y dyfarnwn i'r Goron eleni.

Ro'dd y siom o golli'r Goron o drwch blewyn unwaith yn rhagor yn ddigon i ymgodymu ag e. Ond pan glywais fod yr enillydd, Ceri Wyn Jones, wedi cipio'r wobr 'da dilyniant o gerddi mewn cynghanedd lawn trodd fy siom yn rhywpeth arall. Yn fy marn i, ac ym marn llawer yn y Gymru lenyddol, ro'dd wedi mynd 'yn groes i'r graen', 'whedl Dafydd John Pritchard – hynny yw, ro'dd e wedi anwybyddu'r traddodiad fod y Goron ar gyfer barddoniaeth yn y wers rydd. Rhyw wall ar eiriad y gystadleuaeth yn y *Rhestr Testunau* o'dd ar fai, medden nhw: yn lle gwneud yn glir taw am 'bryddest neu ddilyniant o gerddi di-gynghanedd neu yn y mesurau rhydd' y byddai'r Goron yn cael ei chyflwyno, sef y geiriad arferol, gofynnwyd am 'bryddest neu ddilyniant o gerddi' heb fanylu ymhellach. Ro'dd Ceri Wyn Jones wedi sylwi ar y geiriad ac, yn ddigywilydd braidd, wedi manteisio ar y cyfle i hala ei gerddi cynganeddol i mewn.

Esboniad braidd yn gloff o'dd gan Wynn Thomas:

... yn y gorffennol, fe'i gwnaed yn glir o bryd i'w gilydd gan
reolau cystadleuaeth y Goron nad derbyniol fyddai pryddest neu
ddilyniant o gerddi a ddefnyddiai'r gynghanedd neu'r mesurau
traddodiadol yn gyson. A phriodol hynny, yn fy marn i, rhag
i gerddi'r Goron ymdebygu i gerddi'r Gadair ac i'r wers rydd
ddiflannu o'r tir. Ond yn niffyg cyfarwyddyd clir i'r perwyl hwnnw
y tro hwn, rhaid derbyn dilyniant Moelwyn.

Dw'i ddim am wneud môr a mynydd o hyn, ond synnais at
feirniad mor graff a phrofiadol â Wynn yn cymryd y safbwynt
hwn. Ar ôl yr Eisteddfod, gwetws wrtho i, braidd yn wan, na
wyddai taw fi o'dd Fferegs, er bod fy ngherddi wedi olrhain yn
gwmws yr un hanes â'r un o'dd gan Hwnco manco i'w adrodd
yn 2003. Bo'd hynny fel y bo, cetho i'r boddhad o weld cerddi
Fferegs yn *Taliesin* (138, Gaeaf 2009).

Yr unig sylw printiedig i ddangos gronyn o gydymdeimlad â
mi o'dd un Vaughan Hughes yn *Barn*:

Yn y cyfamser, ystyriwch am funud yr hyn a ddigwyddodd i Meic
Stephens eleni. Daeth yn ail am y Goron a hynny am y trydydd
tro. (Ei ffugenw oedd Fferegs.) Ond y tro hwn mae Meic yn gorfod
ymdopi â'r siom o wybod mai ef, ym marn dau o'r tri beirniad,
oedd bardd rhydd gorau Eisteddfod Genedlaethol y Bala. Eithr nid
ef a goronwyd. Ac ar gyfer beirdd rhydd y bwriadwyd y Goron, yn
enw pob rheswm.

Do'dd dim gair ar y mater gan olygydd *Barddas*, cylchgrawn
sydd, fel arfer, yn cyhoeddi'r cerddi ail a thrydydd orau yng
nghystadlaethau'r Goron a'r Gadair.

Yng nghystadleuaeth y Goron yn 2010 do'dd ond dau
feirniad, sef y Prifeirdd Mererid Hopwood a T. James Jones.
Ro'dd Iwan Llwyd wedi marw cyn ca'l cyfle i gyflwyno'i
feirniadaeth 'sgrifenedig, ond ro'dd y tri wedi cynnal cyfarfod
i drafod eu dyfarniadau. Barn Mererid Hopwood am waith
Coeca ar y testun 'Newid' o'dd:

O'r amryw gasgliadau mewn tafodiaith a gafwyd eleni, gan Coeca
y daeth yr un mwyaf diddorol...Gall y bardd hwn drin mesurau'n
fedrus, o'r soned i'r faled i'r wers rydd. Gall hefyd lunio delwedd yn
grefftus, ac mae sŵn y geiriau tafodieithol yn hudolus ar brydiau.
Un o'm hoff gerddi yn y casgliad yw 'Y Gŵr Gwyrdd', lle cawn
chwedl, neu ddameg o gerdd, wrth i Mr Green ddod o'r 'lotment' a'i
'wilbar greclyd':

> Ac fel 'na da'th y Cwnsherwr i'n plith,
> Gan drawsnewid rhigola bowyd ein siort ni'n aur
> Trwy arfer bripsyn o'i hud cyntefig
> I atgoffa plant y mwg, y lluwch a'r llaca
> Bod 'r hen, hen ddaear, er gwitha popeth
> Ro'n ni wedi'i wneud i'w gwyrddni brau,
> Yn haelionus o ffrwythlon wedi'r cyfan.

Er hynny, oherwydd un neu ddau o wendidau mewn cerddi
eraill, do'dd Mererid ddim yn gallu gosod casgliad Coeca yn
uwch na'r ail ddosbarth.

Gwelodd T. James Jones, yr Archdderwydd erbyn Eisteddfod
2010 yng Nglynebwy, debygrwydd rhynt fy ngherddi i a *Hen
Wynebau* D. J. Williams – canmoliaeth uchel unwaith yn rhagor.
Ro'dd yn arbennig o hoff o 'Tom Mosco', barbwr Comiwnyddol
yn y Tyle-bach, a'r soned 'Jeanie Rees':

Menyw biwr ddigynnig yw Jeanie Rees
  Sy' weti c'el 'i siâr o hapsi'r byd:
Y cryts mywn trwpwl prysur 'da'r polîs
  A'i phartner pwtwr ar y clwt o hyd.
Didorath yw'r gair ffeinda 'bothdu hi
  A'r aelwd yn annipan yn ddiau;
Lled graplyd fu 'i thynged, tybiais i,
  Heb fawr o gyfle, spo, i ymryddhau.
Ond dda'th rhyw newid sytan dros ein Jean
  A châs hi jengyd rhag 'i bowyd llwm
Pan benderfynws mynd, yn stiwdant hŷn,
  I ddosbarth nos yr Iwni lawr y Cwm.
Dros hawlia mynwod ma' hi'n wmladd nawr
A dyma, whedl Jean, 'i Chyfle Mawr.

Ro'dd Jim yn hoffi hefyd 'y gair olaf', y gerdd er cof am B. S. Johnson, y llenor o Sais a fu'n gyfaill imi cyn iddo fod yn Gymrawd Gregynog yn y Saith Degau.

yn ara' deg   bob yn bwt
mae corff rhywun yn newid

gynnau fach   blewyn neu ddau
neithiwr mymryn o groen sych
gewin fore heddiw yfory dant efallai
ac o dro i dro   enw cymydog
neu deitl llyfr   neu hyd yn oed
y modd dibynnol o *avoir* ac *être*
yn yr amser gorffennol
sy'n mynd yn angof
affêsia dysnomig
O am eiriau hyfryd

yn ara' deg   bob yn bwt
mae corff rhywun yn madru
fel cwdyn llawn o ffrwcs
yng nghefn y garej

bob yn bwt
mae rhywun yn marw

heblaw dy fod yn barod
fel fy nghyfaill Bryan
llenor o'r iawn ryw

heblaw dy fod yn barod
i gloi drws ar geinder y byd
a gorwedd mewn bath twym

heblaw dy fod yn barod
i lyncu hanner potel o wisgi
a llond dwrn o asbrin

heblaw dy fod yn barod
mewn difrif calon   yn ddi-droi'n-ôl
i roi raser hir wrth dy arddyrnau

heblaw dy fod yn barod
i ysgrifennu ar y pared
yn dy waed dy hun

dyma fy ngair olaf

Ym marn T. James Jones, hon o'dd 'cerdd unigol orau'r gystadleuaeth'. Rhaid ei bod wedi cael effaith ar rai eraill hefyd, oherwydd clywais gan fwy nag un cyfaill eu bod yn poeni am fy iechyd! Dyfarniad Jim o'dd bod 'dau ymgeisydd yn y dosbarth cyntaf yn haeddu eu coroni. O drwch blewyn, gosodaf Coeca ar y blaen ond parchaf farn fy nghyd-feirniaid ac rwy'n hollol fodlon i Barcud fyth wisgo'r Goron eleni.' Barcud fyth o'dd Glenys Mair Glyn Roberts.

Ymddangosodd cerddi Coeca yn *Taliesin* (141, Nadolig 2010), ac ro'n i'n ddiolchgar am hynny. Ac unwaith yn rhagor ro'dd sylw Vaughan Hughes yn *Barn* yn berthnasol: 'Dwn i ddim pa ymateb sy'n briodol. Canmol neu gydymdeimlo? Y ddau efallai.' Ond darllenais sylw bach dienw yn *Y Cymro* hefyd: 'Coeca oedd ei ffugenw ac mae iaith y cerddi yr un mor anodd i'w deall i unrhyw un sydd heb diwnio'i glust i dafodiaith golledig y de-ddwyrain... A fuasai Dic Jones erioed wedi ennill pe bai'n ysgrifennu mewn tafodiaith?' Yr hen ragfarn ac anwybodaeth yn fyw yn y tir o hyd, felly: dyw Gogs a Chardis ddim yn siarad tafodiaith, dim ond Hwntws. Eto i gyd, cynheswyd fy nghalon yng ngwanwyn 2011 pan wna'th Ifor ap Glyn raglen am y Wenhwyseg yn y Ffatri Bop yn y Porth. Darllenwyd dwy o'm cerddi yn wych gan Elin Jones a Gaynor Morgan Rees a phleser pur o'dd clywed yr actores ddisglair Shelley Rees yn adrodd darnau tafodieithol gan awduron eraill. Ysywaeth, fel cyfrwng i ddoniolwch y gwelir y tafodieithoedd yn y gyfres 'Ar Lafar', oherwydd prin yw'r cerddi sy'n trin pynciau difrifol mewn tafodiaith; rwyf wedi ceisio cywiro hynny cyn belled ag y mae'r Wenhwyseg yn y cwestiwn.

Yn Eisteddfod Genedlaethol 2011, beirniaid cystadleuaeth y Goron o'dd Gwyn Thomas, Alan Llwyd a Nesta Wyn Jones.

Penderfynais y byddwn yn hala cerddi gyda thwtsh bach o dafodiaith Llanelli y tro hwn a galw fy hunan yn Trostre. Do'n i ddim yn obeithiol gan fod y gystadleuaeth wedi gofyn am ddilyniant o gerddi a go brin fod fy nghynnig i'n gymwys; ond ni ddywedwyd gair am hyn gan y beirniaid, sy'n dangos bod y ffin rhynt 'casgliad' a 'dilyniant' yn gallu bod yn niwlog iawn. Er hynny, rhoddwyd Trostre yn y trydydd dosbarth gan Gwyn Thomas a Nesta Wyn Jones ac yn yr ail gan Alan Llwyd; prysuraf i weud bod pedwar dosbarth y tro hwn. Ro'dd Gwyn o'r farn fod gan Trostre 'gwmpas da o iaith, ac ambell ddarn grymus iawn' – heb fanylu. Wetws Nesta ddim byd. Gwelodd Alan gyfeiriad at gerdd gan Jacques Prévert, a dwrdio fy ngherddi fel hyn: 'Di-sbonc a di-sbarc yw'r canu drwyddo draw' – peth rhyfedd i weud am gerddi yn yr ail ddosbarth. Hei ho. Ro'n i'n falch nodi, gyda llaw, fod un cystadleuydd wedi'i wahardd gan Gwyn Thomas oherwydd bod y cerddi mewn cynghanedd, 'yn groes i amodau'r dasg'; eitha' reit, hefyd. A'th y Goron (rhodd gan Seiri Rhyddion Gogledd Cymru!) i Geraint Lloyd Owen.

Ni wn a fyddaf yn cystadlu am y Goron byth eto; pwy a ŵyr? Rwyf wedi ca'l digon o glod (a shwmeindod) am fy ngherddi fel y mae. Er ei bod yn fuddiol cael barn beirniaid Eisteddfodol, yn y pen draw mae'n rhaid i fardd ganu heb fecso gormod am yr hyn y maent yn gweud am ei waith. Felly byddaf yn parhau i 'sgrifennu cerddi do'd a ddelo. Eto i gyd, teimlaf weithiau fy mod i wedi'i gadael yn rhy hwyr i ddechrau barddoni yn y Gymraeg a thyfu i'm llawn faint fel bardd. Ar ben hynny, dw'i ddim yn 'sgrifennu'r math o gerddi sy'n apelio i'r rhai a fagwyd yn y Gymru Gymraeg wledig: dieithryn ydw i o hyd yn eu golwg nhw. Ond rwy'n hynod o falch fy mod i wedi 'sgrifennu, mewn byr o amser, nifer o gerddi y mae rhai pobol yn eu hoffi. A Choron neu beidio, hwyrach y byddaf yn bennu trwy gyhoeddi detholiad o'm gwaith yn y man, os byw ac iach. Mae teitl y gyfrol 'da fi'n barod: *Cerddi'r Llwy Bren*.

10

Sha pen y daith

WEDI GADAEL PRIFYSGOL Morgannwg yn 2006, ro'dd 'da fi ddigon o hamdden am y tro cyntaf ers tro byd. Ond mae'n gas 'da fi fod yn segur a rhaid wrth bethau i'w gwneud yn hytrach na gwilhersa o gwmpas y tŷ fel bachan trwy'r dydd, ys dywed Mam-gu.

Yn anffodus, ni allwn ollwng fy arfer o olygu llyfrau. Yn 2007 ymddangosodd *Poetry 1900–2000* yn y gyfres *Library of Wales*, y flodeugerdd fwyaf erio'd o farddoniaeth gan feirdd Saesneg Cymru; dyma fy nawfed antholeg a'm cynnig olaf i gorlannu barddoniaeth o'r fath. Yn y flwyddyn ganlynol da'th *Complete Poems* Leslie Norris o'r wasg o dan fy ngolygyddiaeth i yn ogystal â *Necrologies*, sef detholiad o'm herthyglau coffa yn yr *Independent*; daw detholiad arall o wasg Y Lolfa eleni. Cytunais i fod yn arholwr allanol ym Mhrifysgol Bangor am dair blynedd hefyd ond ar wahân i hynny torrais fy nghysylltiad â'r byd academaidd. Da'th y cyfnod hwn i ben ym mis Mehefin y llynedd pan hedfanodd Ruth a minnau o'r Rhws i'r Fali, gan weld shwt mor hardd yw Cymru o'r awyr.

Cynhaliwyd noson gan yr Academi yn Sain Ffagan i ddathlu fy mhen-blwydd yn saith deg mlwydd o'd yn 2008. Siaradws Wynn Thomas, Gwerfyl Pierce Jones, R. Brinley Jones, Tom Anderson, Dafydd Elis-Thomas, Herbert Williams, Sam Adams, Dai Smith, Tony Curtis a Chris Meredith, canodd Heather Jones 'Colli Iaith' a 'wharaeodd fy mab Huw ddarnau o'm hoff fiwsig, gan gynnwys detholiad o 'Ma Vlast'. Dewisais yr un gwaith gan Smetana wedi ca'l y fraint o fod yn westai ar raglen Beti George, ynghyd â 'Le Temps des Cérises' gan Yves Montand, 'Y Meirwon' gan Gwenallt a'r gân draddodiadol 'Finnegan's Wake' gan y Dubliners.

Ers hynny rwyf wedi cyhoeddi dwy nofel fer, sef *Yeah, Dai Dando* (2008) ac *A Bard for Highgrove: a Likely Story* (2010). Mae'r gyntaf yn ymgais i fynd i'r afael â meddylfryd dyn pump ar ucen mlwydd o'd sy'n hanu o ystâd dlawd nid annhebyg i Glyn-coch ym Mhontypridd ond sy'n gweithio i Gymdeithas Adeiladu'r Gwalia yng Nghaerdydd. Adroddir y stori mewn deialog yn bennaf ond hefyd trwy ddull llif yr isymwybod a llais mewnol y mae Dai yn ei ddefnyddio i sgwrsio â'r awdur; defnyddir 'Youfspeak' trwyddi draw. Portreadir yn y nofel Gymro di-Gymraeg o gefndir cyffredin a'i ddiddordebau wedi'u cyfyngu i 'whara rygbi, diota gyda'i ffrindiau a mercheta. Ond pan mae'n cwrdd ag Eleri Vaughan Jones, merch ifanc atyniadol o'r dosbarth canol Cymraeg ac aelod o Blaid Cymru, mae ei syniadau am beth y mae'n ei olygu i fod yn Gymreig yn cael eu 'whyldroi. Mae fe'n ymgodymu hefyd â'r cof am Fred Peregrine, hen foi o'r Rhondda sy'n cynrychioli'r Gymru radical mae fe'n dyheu amdani; mae'r hen stander yn trwblu ei gydwybod ar ôl iddo foddi yn yr afon wedi treulio noson yn fflat Dai.

Mae'r nofel yn 'whara gyda'r gair 'chwedleua' sy'n golygu 'adrodd storïau' ond, yn y Wenhwyseg, 'whilia' neu 'siarad': rydyn ni i gyd yn 'gweud storïau', felly i ba raddau rydyn ni'n gweud y gwir? Rwyf wedi gadael Dai yn sefyll ar y bont yn Ystum-taf ac yn dishcwl i lawr i'r dyfroedd tywyll. Unwaith 'to cetho i fwy nag un ymholiad am fy iechyd meddyliol wedi i'r nofel ymddangos, a bu'n rhaid imi bwysleisio taw ffuglen yw nofel, nid hunangofiant, a dychmygol yw popeth yn hanes Dai druan. Mae nifer o'm ffrindiau wedi fy annog i 'sgrifennu dilyniant ond dyw'r llyfr ddim wedi gwerthu mwy na rhyw 450 o gopïau ac felly ni welaf lawer o ddiben i barhau â'r stori.

Tra bod y nofelig am Dai Dando yn gomig ac yn ddifrifol bob yn ail, mae *A Bard for Highgrove* yn ffars trwyddi draw, rhyw fath ar jôc estynedig a chyfle i ddychanu Ei Uchelder

Brenhinol Tywysog Cymru ac i weud pethau 'smala am fywyd diwylliannol y Gymru sydd ohoni. Mae'r Prins yn cael y syniad o benodi Bardd Teulu i'w helpu i Gymreigeiddio ei Dywysogaeth a'i gartref yn y Cotswolds. Ond mae gan y Bardd, sef Cerys Gifford Huws, rhoces o Abergwaun, syniadau eraill. Bob yn dicyn mae hi'n troi Charles Windsor yn rhyw fath ar Genedlaetholwr sy'n mynnu cael arwyddion dwyieithog nid yn unig yn Highgrove ond hefyd trwy'r deyrnas benbaladr. Ar ben hynny, mae'n defnyddio ei ddylanwad i gael y Gymraeg ar sylabws ysgolion Lloegr, yn annog y papurau trymion i gario tudalen lawn yn Gymraeg bob dydd Sul ac yn gwasgu i ga'l defnydd o'r Gymraeg yn llysoedd barn Lloegr. 'The Welsh have had to put up with such things for centuries,' 'whedl yntau. 'Now let's see how the English like a taste of their own medicine.'

Mae cenedlaetholdeb y Cymry yn tyfu'n 'whim yn ystod y blynyddo'dd sy'n dilyn. Yn y refferendwm a gynhelir ym mis Mawrth 2015 mae'r wlad yn dilyn esiampl yr Alban ac yn pleidleisio o blaid annibyniaeth, ac erbyn 2020 mae Charles, sydd wedi mynd yn fwyfwy amhoblogaidd ymhlith y Saeson, yn ildio ei hawl i'r orsedd ac yn mynd i fyw yng Ngregynog (gan fod Prifysgol Cymru wedi peidio â bod); mae'r Frenhines yn marw, ac mae William a Kate yn ca'l eu coroni. Yn bwysicach fyth, mae Cymru'n ennill statws Gweriniaeth Hunanlywodraethol o fewn y Ffederasiwn Geltaidd. Yng ngolygfa olaf y llyfr mae'r teulu Windsor – dros hanner cant o'r llercod yn eu gwisgo'dd ffansi – yn dod mas ar falconi Palas Buckingham, ond heb y croeso arferol. Yn wir, pan glywir sŵn saethu o gwmpas y Mall, mae rhai yn meddwl am yr hyn a ddigwyddws i'r teulu Romanov yn Ekaterinburg ym 1918, a dyna shwt mae'r nofelig yn dod i ben – gyda dyfodol y frenhiniaeth yn y fantol. Afraid gweud rhagor yn y fan hyn, gobeithio, i ddatgan fy nirmyg llwyr tuag at frenhiniaeth yn gyffredinol a'r teulu Windsor yn arbennig – a'u cynffonwyr yng Nghymru. Siawns y bûm yn rhy garedig wrthynt.

Gofynnir imi o bryd i'w gilydd pwy o'dd 'da fi mewn golwg wrth greu rhai o'r prif gymeriadau yn *A Bard for Highgrove*.

Pwy, er enghraifft, yw Cerys Gifford Huws, a'r beirdd Adam Wyndham Hamlyn, Rosie Spode, Clint Bellis, Gronow Gittins ac Elfael Prothero, a phwy yw Sir Peredur Rice-Boothby, Prif Ysgrifennydd Preifat i'r Prins, a'i wraig yr Anrhydeddus Jane Ankaret Heleth Letitia Fortinbas-Pryce? A phwy yw Jack Yorath, yr Athro sy'n Gadeirydd ar lu o bwyllgorau? A phwy yw'r hanesydd Dr Dan Jarvis a'r gwleidydd yr Arglwydd Dyfed Goodfellow a'r newyddiadurwr Luther Jones, ac yn y bla'n? Wel, bydd rhaid i ddarllenwyr ddyfalu'r atebion i'r cwestiynau hyn, mae arna' i ofon. Ni ddisgwylir i hunangofiant ddatgelu popeth, wedi'r cyfan!

Ond rwy'n barod i gyfaddef taw Alan Llwyd o'dd yn fy meddwl pan es i ati i bortreadu Adam Wyndham Hamlyn. Deilliai hyn o ymateb Alan i adolygiad a 'sgrifennais o'i antholeg, *Out of the Fire of Hell: Welsh Experience of the Great War 1914–1918 in Prose and Verse*, i'r cylchgrawn *Planet* (191, Hydref/Tachwedd 2008). Wedi canmol y detholiad ac wedi cyfeirio at y golygydd fel 'a most knowledgeable and industrious editor', mentrais awgrymu ei fod wedi tueddu i ddewis cerddi a darnau o ryddiaith a o'dd mas o hawlfraint a bod hynny wedi camwyro ei ddewis i ryw raddau. Ro'n i wedi dishcwl gweld rhywpeth gan Kate Roberts, Gwenallt Jones ac E. H. Jones, awdur *The Road to En-dor*, er enghraifft, ac wedi gresynu bod awduron cwbl Seisnig fel Ivor Gurney, T. E. Lawrence a Frank Richards yn y llyfr. Ond pan ddigwyddais roi caniad i Alan i ofyn am ei gyngor am rywpeth neu'i gilydd rai miso'dd yn ddiweddarach, gwrthododd siarad â mi ar gownt 'yr adolygiad sâl yna' a rhoddws y ffôn i lawr yn swta.

Cetho i fy synnu gan hyn oherwydd ro'n ni wedi bod ar delerau eithaf da ers y Saith Degau pan fûm yn gefnogol iawn i'r syniad o sefydlu'r Gymdeithas Gerdd Dafod a phenodi Alan fel ei phrif swyddog; ro'n i wedi brwydro'n galed er 1983 (yn erbyn dymuniad rhai o aelodau'r Pwyllgor Llenyddiaeth) i'w gatw mewn swydd. Fe wyddai hefyd fy mod i'n edmygu ei farddoniaeth a'i ddiwydrwydd fel golygydd a chyhoeddwr. Yn amlwg, do'n i ddim wedi'i ganmol i'r entrychion yn fy adolygiad a dyna paham yr o'dd wedi troi yn fy erbyn yn eithaf cas. Digon teg, yn fy nhyb i, o'dd ei goganu dicyn bach yn y nofel fel Adam Wyndham Hamlyn, golygydd y cylchgrawn *Awenau* ond sy'n gwneud bywoliaeth fel dyfeisydd peiriant i gynhyrchu cynghanedd. O leiaf, dyna fy ffordd i o dalu'r pwyth yn ôl am ei anghwrteisi. Da o beth o'dd penderfyniad Alan i gefnu ar *Barddas* ym mis Mehefin y llynedd: ro'dd e wedi bod yn y swydd yn rhy hir o lawer.

Mae hanes cyhoeddi *A Bard for Highgrove* gan Lyfrau Cambria ym mis Rhagfyr 2010 yn un anffodus dros ben. A'th cylchgrawn *Cambria* i'r wal rhyw fis yn ddiweddarach gyda dyledion sylweddol. Ro'dd hyn yn glatshen drom i Henry a Frances Jones-Davies, y cyhoeddwr a'r golygydd, gan eu bod wedi ariannu *Cambria* mas o'u pocedi eu hunain ers y lansio ym 1997. Er hynny, fe atgyfodwyd y cylchgrawn yn 2011, yn y gobaith o ddod o hyd i nawdd digonol. Gresyn nad yw'r Cyngor Llyfrau yn fodlon estyn cymhorthdal yn ychwanegol at y swm pitw a roddir ar gyfer tudalennau llenyddol y cylchgrawn. Parhad o hen bolisi gwirion, hen-ffasiwn Cyngor y Celfyddydau yw cyfyngu'r nawdd i lenyddiaeth yn unig gan fod y cylchgrawn yn ca'l ei ddarllen yn ei grynswth gan lu o bobol sydd ddim yn gweld y cylchgronau noddedig eraill. Un o'r cylchgronau mwyaf sgleiniog a gynhyrchwyd yng Nghymru erio'd o'dd *Cambria*. Fel Golygydd Llenyddol er 2003, ro'n i wedi dewis amrywiaeth o gerddi, storïau, erthyglau ac adolygiadau i ymddangos ar ei dudalennau. Mawr o'dd y siom gan filo'dd o ddarllenwyr wrth glywed bod y cylchgrawn gwladgarol hwn wedi mynd i ddwylo'r derbynnydd. Cynhaliwyd cyfarfodydd o garedigion *Cambria* yn ein tŷ ni yn ystod 2011 gyda'r amcan o drafod a o'dd modd adfywio'r cylchgrawn gyda help buddsoddwyr. Yn eu plith yr o'dd David Petersen, Jonathan Edwards QC, Eurfyl ap Gwilym, Howard Potter, Clive Betts, ac Alan Jobbins. Ond ni welwyd modd i osod y cylchgrawn ar seiliau mwy cadarn ac erbyn hyn mae e wedi darfod – dros dro, o leiaf.

O ganlyniad i drafferthion y cylchgrawn, do'dd Llyfrau Cambria ddim yn gallu dosbarthu *A Bard for Highgrove* ac felly cetho i'r gorchwyl o geisio ei werthu trwy fy ymdrechion fy hunan. Do'n ni ddim am roi'r stoc i'r Ganolfan Lyfrau oherwydd byddai hynny wedi golygu colli 55 y cant o'r pris gwerthu, polisi arall y dylid ei adolygu os yw cyhoeddwyr bychain yn mynd i ffynnu. Eto i gyd, o fewn dau fis llwyddais i werthu 350 o gopïau, sy'n eithaf da am ffuglen Saesneg yng Nghymru. Ond ro'dd hyn yn golygu fy mod i'n gorfod mynd at berthnasau, cyfeillion, cymdogion, cyn-gyd-weithwrs a hen ledis ar fysus er mwyn cael gwared o'r llyfr. A 'whara teg, dim ond un neu ddau a wrthodws ei brynu. Cawson ni ein harian yn ôl gydag elw bach ar ei ben. Cetho i ymateb da gan y rhai a brynodd y llyfr hefyd, yn enwedig y Gweriniaethwyr yn eu plith, ac adolygiad ffafriol iawn gan Rhun ap Iorwerth yn *Taliesin* a gynhesodd fy nghalon: 'nid llenor amatur mo hwn, ond awdur toreithiog sy'n fwy na pharod i hogi arfau yn erbyn y drefn. Yn ei nofel ddiweddaraf, does brin 'run sefydliad, ac ychydig iawn o ffigyrau cenedlaethol yng Nghymru, yn dianc rhag min diwahân ei gyllell ddychanol... (Mae'n barod i gymryd bwled neu ddwy ei hun, hyd yn oed.)' Ar yr un pryd, er gwaethaf y clod, do'n i ddim yn dishcwl ennill Llyfr y Flwyddyn ac ni'm siomwyd yn hynny o beth, 'chwaith.

Dros y blynyddo'dd mae Ymddiriedolaeth Rhys Davies wedi bod yn hyrwyddo llên Saesneg Cymru hyd eithaf ei gallu. Bu farw Lewis Davies yn 98 mlwydd o'd ym mis Rhagfyr 2011, gan adael ei arian a'i eiddo i'r Ymddiriedolaeth. Cadeirydd yr Ymddiriedolaeth yw Dai Smith, a Sam Adams a Peter Finch yw'r ymddiriedolwyr. Rwyf wedi derbyn comisiwn i 'sgrifennu bywgraffiad o Rhys Davies a ddaw o'r wasg yn 2013.

Dw'i ddim yn perthyn i unrhyw glwb na chymdeithas yng Nghaerdydd, ond fe'm hanrhydeddwyd yn 2003 gan gangen Tonyrefail o Brifysgol y Drydedd Oes pan etholwyd fi'n Llywydd. Cetho i'r anrhydedd hwn trwy garedigrwydd Hywel Gillard, dyn wrth fodd fy nghalon ac un o'r Cymry mwyaf diwylliedig a llengar rwy'n eu hadnabod. Mae fe hyd yn o'd yn casglu cardiau post gyda lluniau o lenorion arnynt ac rydym yn trwco o bryd i'w gilydd.

Rhoddais lan gasglu stampiau yn y flwyddyn 2000 am reswm arbennig. Ro'dd Marie-Thérèse Castay, Ffrances sy'n siarad Cymraeg yn rhugl, wedi ymddeol o'i swydd yn Adran Saesneg Prifysgol Toulouse a do'n i ddim yn meddwl ei bod yn deg i ddishcwl iddi hala stampiau Ffrengig newydd ata' i bob mis, er ei bod hi'n fodlon gwneud hynny gan fy mod i'n hala llyfrau Cymraeg ati hi. Ond penderfynais gasglu cardiau post llenyddol i lenwi'r bwlch yn fy mywyd diwylliannol, ac erbyn hyn mae 'da fi abythdu mil ohonynt. Mae'r 64 o gardiau y mae Ymddiriedolaeth Rhys Davies wedi'u cyhoeddi ar y cyd â'r Academi/Llenyddiaeth Cymru yn ddiweddar yn ychwanegiadau hyfryd at fy nghasgliad. Ydw, rwy'n deltiolegydd – dyna air newydd ichi! Difyrrwch hollol ddiniwed ac ofer yw casglu cardiau post, a dyma'r unig ddiddordeb o'r fath sydd 'da fi. Ac eto, fe'ch clywaf yn sibrwd, 'Nid yw pawb yn gwirioni'r un fath.' Reit ei wala, hefyd.

Dw'i ddim yn mynd mas yn aml y dyddiau hyn, oherwydd fy iechyd yn bennaf. Wrth i'r blynyddo'dd fynd heibio fe'i caf yn fwy a mwy anodd i sefyll yn yr unfan am fwy na munud neu ddau, ac rwy'n ca'l anhawster i gerdded mwy na rhyw ganllath, hyd yn o'd gyda ffon. Effaith y ddamwain a gefais gyda'r ceffylau ym 1984 yw hyn, yn ogystal â niwropathi wedi'i achosi gan glefyd siwgwr. Collais yr Eisteddfod y llynedd am y tro cyntaf er 1956: byddai cerdded y Maes wedi bod yn drech na fi. Gan fy mod i'n honco ar fy nhra'd, cyfeiriodd rhywun ata' i y diwrnod o'r bla'n fel 'arth ar sglefriau' (y bardd E. E. Cummings piau'r ddelwedd, rwy'n cretu). Bydd rhaid imi roi lan fy ngwersi salsa cyn bo hir hefyd. Ar yr un pryd, rwy'n dechrau anghofio cyfenwau pobol – yr affêsia dysnomig y mae fy ngherdd am Bryan Johnson yn sôn amdano. Cofiaf Gymro uchel ei barch yng ngolwg y genedl yn fy rhybuddio siwrne y byddai hyn yn digwydd: 'Byddwch yn gwybod eich bod yn heneiddio, Meic, pan rydych yn piso ar eich 'sgidiau ac yn anghofio enwau pobol.' Eitha' reit, hefyd, cyn belled ag y mae'r ail o'r rhain yn y cwestiwn, o leiaf.

Yn ffortunus, rwyf wedi bod yn hoff iawn o aros gartref erio'd. Weithiau rwy'n eistedd a meddwl, ac weithiau dim ond eistedd. Mewn tywydd braf do's dim byd gwell nag eistedd yn yr ardd gyda'r Ddraig Goch yn cyhwfan uwch fy mhen a llyfr neu bapur newydd o'm bla'n. Cofiaf am yr hysbyseb am gwrw ers talwm lle mae boi mewn crys tra'th llachar a sbectol houl yn sefyll wrth y bar a rhywun yn gofyn iddo, 'Where yew goin' for yewer 'olidays, Dai?' ac yntau'n ateb, gyda gwên o foddhad mawr wrth iddo flasu ei beint, 'Nowhere!' Rwy'n twmlo fel 'na y dyddiau hyn.

Eto i gyd, mae bywyd yn braf. Dw'i ddim yn dyheu am odid ddim, ys dywed Parry bach. Gan nad wyf yn cretu yn y byd a ddaw, rhaid mwynhau a gwerthfawrogi'r bywyd hwn i'r eithaf. Dydyn ni ddim yn *foodies*, Ruth a minnau, ond rydyn ni'n ca'l blas ar bob pryd o fwyd syml a chynhaliol ac ambell wydraid o win. Mae ffrindiau, cymdogion a pherthnasau Ruth yn dod i swper o bryd i'w gilydd ac rydyn ni'n mwynhau eu cwmni a'r clonc. Rydyn ni hefyd yn ymdrechu i fod yn wyrdd yn ein dull o fyw. Ar ben hynny, rydyn ni'n cofio am anffodusion y byd ac yn cyfrannu tuag at elusennau megis Oxfam, Amnesty ac Achub y Plant. Ac rwy'n dal yn 'wherthin yng ngwyneb y Tynghedau hefyd.

Dinas hardd yw Caerdydd. Mae'n prysur dyfu'n brifddinas o'r iawn ryw y dyddiau hyn, gyda siopau, ysgolion ac adnoddau diwylliannol a hamdden o'r radd flaenaf. Dydyn ni ddim yn adnabod pawb sy'n byw yn Heol Don – dyw trigolion y maestrefi ddim mor gymdogol â hynny – na phob un o'r Cymry Cymraeg niferus sydd wedi ymgartrefu yn y cylch. Ond rydyn ni'n byw i raddau helaeth trwy gyfrwng y Gymraeg. Mae'r rhan fwyaf o'n cyd-Gymry yn bobol ddŵad, wrth gwrs, ond er fy mod i wedi dod yma o Drefforest, lawn saith milltir lan y Cwm, dw'i ddim yn twmlo fy mod i'n un ohonyn nhw. Rwy'n twmlo'n gartrefol iawn yn y ddinas, ac mae Ruth wrth ei bodd yma hefyd. Ni fwriadwn symud i'r Gorllewin neu'r Gogledd, fel shwt gymaint o'n ffrindiau. Mae'n naturiol, felly, inni ystyried ein hunain fel dinasyddion yn hytrach na phentrefwyr neu wladwyr, gan adael y sawl sy'n hiraethu am y Fro Gymraeg i geisio datrys ei phroblemau – a thrigo yno.

Dw'i ddim yn becso rhyw lawer am dynged Cymru bellach, gan adael i eraill frwydro drosti a llawn ddishcwl y bydd ein gwlad yn ennill ymreolaeth neu hunanlywodraeth maes o law. Fel gwetws Harri Webb, mae Cymru'n cerdded wysg ei chefen tuag at annibyniaeth a phawb yn ei alw'n rhywpeth arall. Eto i gyd, mae 'na dân yn fy mol o hyd, ac rwy'n gallu colli fy limpin 'da llawer sy'n digwydd yma, yn enwedig pan welaf waseidd-dra'r Cymry a meddylfryd y rhai sydd wedi ffaelu magu eu plant trwy gyfrwng y Gymraeg, a'r rhai sy'n derbyn anrhydeddau brenhinol fel petai'r trangwls hyn yn angenrheidiol neu'n bwysig, ac yn arbennig y Cymry gwladgarol sy'n perthyn i bleidiau Seisnig. Mae ambell i Ddic Siôn Dafydd yn bod o hyd ac mae gormod o Saeson mewn swyddi pwysig yng Nghymru. Ond mae'r wlad a fodolai pan o'n i'n llanc wedi newid i raddau helaeth, diolch byth.

Serch hynny, teimlaf taw 'hanner yn hanner, heb ddim yn iawn / Heb ddim yn ei grynswth na dim yn llawn' yw'r disgrifiad mwyaf cywir o gyflwr politicaidd Cymru tra bod bywyd ein gwlad yn dibynnu shwt gymaint ar Loegr. Mae'r sefyllfa bresennol ymhell o fod yn foddhaol. Felly, y mae digon i'w wneud yn wleidyddol ac yn ddiwylliannol, a dymunaf bob llwyddiant i'r rhai sy'n wynebu'r gorchwyl hwn yn ystod y blynyddo'dd sydd i ddod. Rwy'n falch iawn fy mod innau wedi rhoi hwb i'r olwyn.

O'm rhan i, rwy'n palu fy ngardd fy hunan y dyddiau hyn – nid yn llythrennol (Ruth yw'r garddwr yn ein tŷ ni) ond yn ôl awgrym Voltaire. Rwy'n codi sha hanner awr wedi wyth bob bore ac yn darllen y papurau am ryw awr cyn wynebu beth bynnag sydd 'da fi ar y gweill. Rydyn ni'n derbyn y *Western Mail* (anodd cefnu ar yr hen arfer afiach hwnnw), yr *Independent*, y *Guardian* ar ddydd Sadwrn a'r *Observer* ar ddydd Sul. Mae'n drist fod y Cymry'n gorfod dibynnu shwt gymaint ar y wasg Saesneg. Ar ddydd Gwener mae Ruth yn prynu'r *Cymro* yn Siop y Felin yn y pentre, fel y gelwir prif hewl siopa'r Eglwys Newydd

233

o hyd, er mwyn inni ddarllen o leiaf peth o'r newyddion yn Gymraeg, a *Golwg* o dro i dro, er fy mod i'n ca'l yr wythnosolyn hwnnw yn eithaf disylwedd. Rydyn ni'n cefnogi'r *Dinesydd* hefyd, sef papur bro Caerdydd a'r cylch. Mae'r radio ymla'n yn y gegin trwy'r dydd ac rwy'n gwylio newyddion y BBC, yn ogystal â *Newsnight* a *Question Time*, ond ar y cyfan barnaf taw 'chewing gum for the eyes' yw'r teledu – ac eithrio ambell i ddrama neu raglen ddogfen. Er hynny, rwy'n hoff o wylio ffilmiau du-a-gwyn megis *Casablanca, The Third Man, Brief Encounter, Citizen Kane, Band of Brothers, To Kill a Mocking-bird* a *Paths of Glory*, neu unrhyw beth 'da Donald Sutherland neu Ingrid Bergman ynddo fe, ac rwy'n ca'l blas mawr ar *Heimat* pan fo digon o amser 'da fi i'w wylio rhynt y Nadolig a'r Calan. Ymhlith fy nghasbethau y mae rhaglenni teledu am fwyd, gwyliau, prynu tai, criced a chanu emynau. Rwy'n ceisio osgoi comedïau Cymraeg yn gyfan gwbl. Rwyf wedi hen ddanto ar *Wales Today*. Yr unig raglenni Cymraeg rwy'n eu gwylio'n gyson yw'r newyddion, *Y Byd ar Bedwar, Heno, CF99* a *Pawb a'i Farn*. Gwan iawn yw'r arlwy a gawn gan S4C y dyddiau hyn.

Anaml iawn rwy'n clicio ar wefan BBC Cymru na Golwg 360. Gresyn mawr na dda'th *Y Byd* i fodolaeth, oblegid dyw'r pytiau a geir ar y gwefannau hynny ddim yn dod yn agos at gyflawni swyddogaeth papur newydd ym marn y rhai ohonom sy'n gwypod beth yw gwir swyddogaeth newyddiaduraeth, pa esgusodion tila bynnag mae ein pennau dafad wedi eu cynnig. Rheswm da dros beidio adnewyddu fy aelodaeth o Blaid Cymru am gyfnod o'dd ei methiant i gatw at ei haddewid i ariannu papur dyddiol Cymraeg. Pa ddiben sydd mewn bod yn aelod o blaid sydd ddim yn catw'i haddewidion?

Fel Montaigne ers talwm, rwy'n cau fy hunan yn fy myfyrgell er mwyn osgoi barbariaeth heintus yr o's. Mae wedi bod yn fraint imi wasanaethu llenyddiaeth fy ngwlad ac mae fy llyfrau'n rhoi pleser imi drwy fy atgoffa o geinion llên Cymru o hyd. Fel y rhan fwyaf o lyfrbryfed profiadol, rwy'n catw fy nghyfrolau prinnaf a gwerthfawrocaf mewn seld fahogani ac o dan wydr y tu hwnt i gyrraedd houl uniongyrchol, lluwch a dwylo jamlyd y cryts. Dysgais y wers hon tua deucen mlynedd yn ôl pan dorrws piben y gwres canolog yn un o'r llofftydd: da'th y dŵr drwy nenfwd y lolfa a lwshan dros silff agored a difetha meingefen fy argraffiad Golden Cockerel o *The Mabinogion*, cyfieithiad meistrolgar Thomas Jones a Gwyn Jones. Erbyn imi ddod o hyd i'r difrod ro'dd y dŵr wedi dechrau sychu, gan adael staen drwg ar hyd lledr coch y gyfrol nobl hon. Rwy'n ochneidio wrth gofio'r drychineb hyd y dydd hwn.

Eto i gyd, mae hyd yn o'd llyfrau sy'n ca'l eu catw gyda gofal yn gallu dioddef oddi wrth widdon, lleithder a rhyw fath o ffwng (bara twrch neu dafod yr ych yn y Wenhwyseg) sy'n bwydo ar y lledr, y papur a'r glud. Maent hefyd yn rhwto'n erbyn ei gilydd os ydynt yn rhy dynn ar y silff, ac mae eu tudalennau'n cael blotiau brown arnynt sy'n debyg i'r hyn a welir yn aml ar gro'n hen bobol o'm hoedran i. Un o'r pethau rwy'n hoffi eu gwneud o dro i dro, yn enwedig yn ystod y dyddiau segur rhynt y Nadolig a'r Calan, yw dishcwl ar bob cyfrol i wneud yn siŵr ei bod mewn cyflwr boddhaol. Rwy'n gallu ymlacio wrth wneud hyn am oriau ar eu hyd. Llyfrgellydd *manqué* ydw i yn y bôn!

Bo'd hynny fel y bo, rwy'n cychwyn gyda fy llyfrau Gregynog, yn eu plith nifer o ddyddiau cynnar y wasg rhynt y ddau ryfel byd. Dyma'r cyfrolau gan Ceiriog, Owen M. Edwards, T. Gwynn Jones, Edward Thomas, W. H. Davies a Henry Vaughan y mae llyfrwerthwyr yn tueddu eu hystyried yn lleiaf gwerthfawr mewn termau ariannol, oherwydd eu diwyg pla'n, decin i. Do's dim ots 'da fi. Dw'i ddim yn meddwl gormod am werth masnachol y llyfrau hyn ac rwy'n neilltuo lle anrhydeddus iddynt yn fy nghasgliad. Wrth eu hochor cadwaf fy mheithynen – y ffrâm dderw ac arni gyfres o englynion yng ngwyddor Coelbren y Beirdd sy'n dyddio o tua 1825, un o'm trysorau pennaf.

O'r cyfrolau a argraffwyd gan y wasg ar ei newydd wedd, rwy'n prynu dim ond y rhai gan awduron o Gymru. Erbyn hyn mae nifer sylweddol ohonynt: R. S. Thomas, Alun Lewis, Ann Griffiths, Williams Pantycelyn, Dylan Thomas, John Ormond, Morgan Rhys, Waldo Williams, Kate Roberts, Williams Parry,

Ddyddiadur Kilvert, sef *The Curate of Clyro*, yn fuan iawn ar ôl
ei gyhoeddi ym 1983 ac mae'n ymddangos yn y catalogau nawr
am 'whech gwaith mwy na'i bris gwreiddiol. Prynais bedwar
copi, un ar gyfer pob un o'm plant, ac maent ar y seld o hyd.

Cystal nodi yn y fan hyn mai dim ond yr argraffiadau
cyffredin o lyfrau Gregynog yr wyf yn eu prynu, ac nid y
rhwymiadau arbennig. Pe buaswn yn gwario arian mawr ar
ddarn o gelf byddai'n well 'da fi brynu llun yn hytrach na llyfr
sy'n dangos dim ond ei feingefen i'r byd. At hynny, dw'i ddim
yn prynu'r llyfrau esoterig y mae'r wasg yn eu hargraffu o dro i
dro ac sy'n tueddu i adlewyrchu diddordebau aelodau'r bwrdd
rheoli. Mae Gwasg Gregynog y dyddiau hyn yn debyg i griw
o foneddigion fel y deucen sy'n perthyn i'r Roxburghe Club,
a'u dewis o lyfrau yn deillio o'u diddordebau nhw ond sydd
heb apêl ehangach; does dim rhyfedd fod cynifer o'u teitlau
diweddar heb werthu'n dda.

Fe welir llyfrau gwerthfawr eraill ar fy silffoedd ar wahân
i gynnyrch Gwasg Gregynog. O'r Golden Cockerel mae 'da fi
The Green Island gan Gwyn Jones (gydag enw ei gyfaill Jack
Jones wedi ei dorri ar y flaenddalen) a *The Saga of Llywarch the
Old* gan Glyn Jones a T. J. Morgan, llyfr eithriadol o brin. Mae
'da fi hefyd gopi o'r flodeugerdd *Gorchestion Beirdd Cymru*
– 'cyfrol y bais wen' – gydag enwau Samuel Johnson a John
Jones, Blaencwm, hen hen hen hen daid Ruth, yn y rhestr o
danysgrifwyr. Gan fod y golygydd, Rhys Jones o'r Blaenau,
yn perthyn i deulu Ruth a'm bod wedi ca'l y llyfr oddi wrth
fy nghyfaill Glyn Jones, trysoraf y gyfrol hon yn fawr. Telais
am ei hailrwymo mewn 'wharter-lledr rai blynyddo'dd yn ôl, a
chofiaf y rhwymwr, Sais â siop yng Nghaerfaddon, yn tynnu fy
ngho's am 'the long words you have in your language' – nes fy
mod yn ei hysbysu fod 'gorchestion', yn ei iaith ef, yn golygu
'masterpieces'.

O'r un cyfnod daw fy argraffiad clawr lledr o farddoniaeth
Dafydd ap Gwilym a gyhoeddwyd ar draul Owain Myfyr ym
1789. Dyma'r tro cyntaf i gerddi Dafydd ymddangos mewn

llyfr printiedig ac mae'r gyfrol felly yn garreg filltir yn hanes ysgolheictod Cymreig. Mae'r rhagymadrodd yn cychwyn fel hyn: 'Of Dafydd ab Gwilym, whofe Poems are now for the firft time offered to the public, few memorials have furvived to the present day; in the lapfe of four hundred years moft of the incidents of his life have been forgotten.' Dyma anrheg hael arall gan fy nghyfaill Harri Webb.

Mae'r gyfrol yn sefyll wrth ochor *Llewelyn: a Tale of Cambria*, a gyhoeddwyd gan y Military Orphan Press yn Calcutta ym 1838. Wedi ei phrynu am swllt ym marchnad Caerdydd, cymerais ddeng mlynedd i ddarganfod pwy o'dd awdur y gerdd hir, wladgarol hon, sef Grace Buchanan Stevens, merch y Laird o Auchenbreck yn yr Alban. Rhaid ei bod yn brin iawn gan nad o's copi yn y Llyfrgell Brydeinig; cyflwynwyd yr ail argraffiad i Arglwyddes Llanofer ond ni wn beth o'dd y berthynas rhynt y ddwy ledi. Mae Llywelyn ap Gruffydd yn ymddangos yn y gerdd fel arwr cenedlaethol y Cymry; eitha' reit, hefyd.

Ar y silffo'dd lle cadwaf gopïau o lyfrau wedi eu harwyddo gan eu hawduron, mae 'na rai gan Hugh MacDiarmid, David Jones, Sorley MacLean a Seamus Heaney – rhai o gewri'r ugeinfed ganrif. Ond yr un sy'n rhoi'r pleser mwyaf imi yw copi o lyfryn R. S. Thomas, *An Acre of Land*, ac ar ei dudalen gweili y geiriau 'Gwenallt, R. S. Thomas 1952'; anodd gweud beth yw 'gwerth' yr eitem unigryw hon. Wrth ei ochor mae copi o *Y Mynach a'r Sant*, cerddi a gyhoeddwyd mewn un gyfrol ym 1928, a'r geiriau 'I Nelws, Gwenallt'; hyfryd yw gweld bachigyn ei wraig yn llaw y bardd ei hunan.

Rhaid tewi: ni ddylai dyn swanco gormod am ei lyfrau gwerthfawr; mae hynny mor ddi-'wha'th â dangos ffotos o'ch gwyliau i'ch cymdogion neu eu gwahodd i ddishcwl ar eich casgliad o stampiau. Wedi'r cyfan, un o bleserau preifat bywyd yw casglu llyfrau. Fiw imi droi'n Arglwydd Kenyon!

Er fy mod i'n byseddu fy llyfrau prin o dro i dro, treuliaf lawer mwy o amser yn fy stydi ac wrth fy nesg lle cedwir y cyfrifiadur a phopeth arall sy'n angenrheidiol i rywun sy'n ceisio 'sgrifennu. Fel arfer, rwy'n catw oriau swyddfa, ac yn gweithio ymla'n tan tua naw o'r gloch os yw'r geiriau yn ymddangos ar y sgrîn yn weddol rhwydd. Dyna lle'r ydw i ar hyn o bryd yn ceisio cwpla'r llyfr hwn. Uwchben fy nesg mae caligraffi Jonathan Adams o'r gerdd 'Pa beth yw dyn?' gan Waldo Williams a ffoto o'm tad wrth ei waith yng ngorsaf bŵer Glan-bad; rwy'n hoffi gweld y ddelwedd o dyrbin pan rwy'n dechrau nogio.

Tair desg sydd yn yr ystafell hon: un i ddal y cyfrifiadur, un lle cadwaf y llyfrau rwyf wrthi'n eu darllen (cas 'da fi ddarllen yn y gwely) ac un ar gyfer amlenni, stampiau, llythyron a llyfr cyfeiriadau, rhifau ffôn a chyfeiriadau ebyst. Tu cefen imi mae silffo'dd derw a getho i gan weddw Jack Jones sy'n dal y ffeiliau lle ceisiaf gatw trefen ar bopeth o'm heiddo sy'n ymddangos mewn print; ie, fel y gwetws Idwal Jones yn ei waeledd wrth ei gyfaill Gwenallt, a o'dd wedi prynu nifer o ffeiliau i gatw ei bapurau'n daclus, rwyf innau'n greadur ffeiledig iawn. Mae gohebiaeth a llyfr cyfrifon Ymddiriedolaeth Rhys Davies yn gorwedd mewn un o gyfresi o flychau ac amryw o gerddi, storïau, erthyglau, adolygiadau a lloffion mewn un arall. Mae ffeil arbennig yn dal fy erthyglau coffa ac mae hwn yn tyfu o fis i fis, gan nad o's pall yn y nifer o Gymry amlwg sy'n mynd y tu hwnt i'r llen. Ie, bachan teidi ydw i, ac mae taclusrwydd y swyddfa'n adlewyrchu'r ffaith fy mod i wedi treulio dros ucen mlynedd o'm bywyd fel biwrocrat. Hawdd iawn, o'r herwydd, o'dd dewis teitl y llyfr hwn gan fy mod i wedi ceisio cofnodi rhai o brif ddigwyddiadau fy mywyd ar ei dudalennau.

Ar yr un pryd, cadwaf fy nghyfeirlyfrau yn eithaf plith draphlith ar y silffoedd o gwmpas gwelydd fy nghell. Mae'r *Oxford Companions* yma bron i gyd. Maen nhw'n sefyll gyda llyfrau eraill megis y *Shorter Oxford*, *Geiriadur yr Academi*, y *Bywgraffiadur*, y *Gwyddoniadur*, y *Dictionary of National Biography* (y pedair cyfrol gryno), *Brewer's Dictionary of Phrase and Fable*, *Roget's Thesaurus*, y *Princeton Encyclopedia of Poetry and Poetics*, *Yr Odliadur*, *Enwau Afonydd a Nentydd Cymru* (campwaith R. J. Thomas), pump neu 'whech o eiriaduron (gan gynnwys *Le Grand Robert*), *Cruden's Concordance* (i'r Beibl), *Dictionary of the Place-names of Wales* gan Hywel Wyn Owen a Richard Morgan, *Llyfryddiaeth yr Iaith Gymraeg*, y ddwy gyfrol o *Lyfryddiaeth Llenyddiaeth Gymraeg* ac amryw o lyfrau tra defnyddiol eraill. Gwn ei bod yn bosibl galw lan toreth o wybodaeth trwy glicio ar Google bellach, ond pleser dihafal yw agor y llyfrau hardd hyn ac ymgolli ynddynt.

Yr un yw'r pleser o bori yn fy nghasgliad o gylchgronau. Er nad o'n i'n medru'r Gymraeg pan dda'th y rhifyn cyntaf o *Taliesin* o'r wasg ym 1961, rwyf wedi darllen pob un o'r 145 o rifynnau'n drwyadl, gan geisio gwella fy nghrap ar yr iaith. Dyma'r unig gylchgrawn Cymraeg rwyf wedi ei gatw yn ei grynswth, er bod copïau o rai eraill fel *Y Genhinen*, *Tir Newydd*, *Y Fflam*, *Barn*, *Cylchgrawn Hanes Cymru*, *Y Faner Newydd*, *Barddas*, *Tu Chwith* a'r *Casglwr* yn sefyll ar fy silffo'dd hefyd.

Eto i gyd, ym maes llên Saesneg Cymru rwy'n arbenigo a dyma, felly, *Wales* Keidrych Rhys, *The Welsh Review* Gwyn Jones, *Dock Leaves* a *The Anglo-Welsh Review* Raymond Garlick a Roland Mathias, *Poetry Wales* wrth gwrs, *Planet* Ned Thomas a John Barnie, *Arcade*, y *New Welsh Review* a *Cambria*. Rwyf wastad wedi bod o'r farn taw elfen o iechyd llenyddiaeth yw ei gwasg gyfnodol ac rwy'n ceisio cefnogi ein cylchgronau hyd fy ngallu. Wedi gweud hynny, rwyf wedi danto ar y *New Welsh Review* ac wedi anesmwytho wrth ddarllen *Poetry Wales* yn ddiweddar. Yn wir, rwyf wedi canslo fy nhanysgrifiad i'r naill a byddaf yn gollwng y llall hefyd oni bai ei fod yn gwella cyn bo hir; do's dim diddordeb 'da fi mewn cyfnodolion sy'n esgeuluso llên ein gwlad yn eu hymdrechion gwan i fod yn 'rhyngwladol'. Os wyf am ddarllen cerddi mewn ieithoedd estron, neu gyfieithiadau, fe wn ble gallaf ddod o hyd iddynt. Dylai *Poetry Wales* ofalu am farddoniaeth yng Nghymru yn bennaf, wetwn i.

Ond yn ôl at y gell. Faint o lyfrau sydd 'da fi? Anodd gweud, gan nad wyf wedi eu cyfrif erio'd. Mae shwt gymaint yn y tŷ erbyn hyn rwy'n gorfod eu catw yn y parlwr (o Jane Aaron hyd William Williams), yn y 'stafell houl (llyfrau Cymraeg cyn 1960), yn y 'stafell fyw (llyfrau mae Ruth a finnau'n eu darllen o ddydd i ddydd), yn y lolfa (hanes a gwleidyddiaeth Cymru ac awduron Saesneg, Gwyddelig, Albanaidd ac Americanaidd) ac yn y pum llofft (celf a llyfrau gan awduron estron). Gwn, wrth gwrs, lle mae popeth a gallaf ddodi fy mys ar unrhyw un mewn shiffad. O dro i dro, wrth ymestyn am ryw gyfrol drom ac anodd ei chyrraedd, rwy'n meddwl am y cyfansoddwr Charles-Valentin Alkan, a laddwyd ym 1888 pan gwympws silff lyfrau arno, druan.

Meddyliaf hefyd am beth fydd tynged fy llyfrau a'm lluniau ar ôl fy nyddiau i. Cetho i fy nghwnnu mewn cartref heb lyfrau ac, yn ddiau, mae eu casglu a'u trysori wedi bod yn rhyw fath o gysur am fagwraeth ar aelwyd dosbarth gweithiol lle nad o'dd ond y *South Wales Echo*, *John Bull* ac *Old Moore's Almanack* ar gael – pe medrwn gael gafa'l arnynt cyn i'm tad-cu eu defnyddio i wneud sbils i'w getyn.

Go brin y bydd ein plant yn awyddus i ddarllen barddoniaeth yn yr ieithoedd Romáwns, neu feirdd Saesneg eu hiaith o Auden i Yeats. Maent yn byw yn yr o's ddigidol ac mae'r llyfr wedi colli rhan helaeth o'i apêl: mae'r rhyngrwyd a'r wefan a'r holl bethau electronig newydd fel yr iPad, Facebook, YouTube, *wi-fi* a'r Kindle yn rheoli eu byd nhw. Ond rwy'n siŵr y byddant yn falch iawn i etifeddu rhai o'n lluniau. Mae ein casgliad yn cynnwys enghreifftiau o waith Ernie Zobole, Ceri Richards, David Jones, John Elwyn, Alfred Janes, Will Roberts, Kyffin Williams, John Petts, Robert Macdonald, Brenda Chamberlain, Robert Hunter, Claudia Williams, William Brown, John Piper, David Woodford, Mary Lloyd Jones, Josef Herman, Eleri Mills, Nina Hamnett, Robert Colquhoun, Clive Hicks-Jenkins, David Carpanini, William Selwyn, Anthony Evans, John Uzzell Edwards, Chris Griffin a James Donovan, yn ogystal ag ambell i eicon Rwsieg a map hynafol.

Ca'l gwared o'r llyfrau, felly, yw'r ateb anochel, a hynny tra 'mod i ar dir y byw ac o gwmpas fy mhethau. Ond ble i wneud hynny? Ceiniogau a geir am lyfrau ail-law yn y Gelli y dyddiau hyn, a dim ond Llyfrau Ystwyth yn Aberystwyth sy'n debyg o gynnig pris teilwng amdanynt. Dyma gyfle, felly, i lwytho'r car a gwerthu twryn o lyfrau a gwario'r arian ar bryd o fwyd yn

Gannets. Cawn gyfle wedyn, os yw'r tywydd yn braf, i ishta ar y prom yn y dref a o'dd unwaith yn gartref i Ruth a lle prynais lyfrau ar adeg pan o'n i'n fyfyriwr tlawd, amser maith yn ôl; ac ar y ffordd sha thre, edifarhau fy mod i wedi gwaredu rhai o'm hen gyfeillion.

Eto i gyd, 'fallai fy mod i'n gwneud anghyfiawnder â'n plant. Mae pob un o'r pedwar wedi eu magu'n Gymry Cymraeg. Aethant trwy Ysgol Gyfun Glantaf ac mae'r tair merch wedi ca'l graddau trwy gyfrwng y Gymraeg ym Mangor ac yn ennill eu bywoliaeth trwy ddefnyddio'r iaith yn eu gwaith beunyddiol. Mae'r tair, a Huw ein mab, yn bobol eithaf diwylliedig a llythrennog, rhaid gweud.

Do'dd Huw Meredydd ddim am fynd i'r Brifysgol, er bod lle'n aros amdano ym Mangor. Wedi tyfu o fod yn ddewin a chonsuriwr a enillai arian poced wrth fynd o gwmpas partïon pen-blwydd y ddinas, gan ddechrau pan o'dd yn naw mlwydd o'd, penderfynws mai darlledwr proffesiynol yr hoffai fod. Cyn ca'l ei ben-blwydd yn ddwy ar bymtheg o'd, ca's e swydd wirfoddol yn Ysbyty Rookwood lle dysgws fod yn joci disgiau a darganfod bod 'da fe dalent yn y maes hwnnw. Toc wedyn, ac wedi ca'l ei dystysgrif Safon A mewn Cymraeg, Drama ac Astudiaethau Cyfryngol, ca's e gynnig i fynd i'r BBC yng Nghaerdydd i gyflwyno rhaglen o gerddoriaeth newydd i Radio 1, ac yna i Lundain i gyflwyno rhaglenni a a'th mas dros y byd.

Erbyn hyn mae fe'n gyflwynydd rhaglenni radio a theledu yn Gymraeg a Saesneg ac yn wyneb cyfarwydd ar raglenni S4C a Channel 4. Ar ben hynny, fe o'dd un o sylfaenwyr Sŵn, yr ŵyl gerddoriaeth boblogaidd yng Nghaerdydd. Ym mis Mai y llynedd cyflwynodd y Brifysgol Agored ddoethuriaeth er anrhydedd iddo am ei gyfraniad i ddiwylliant ac addysg. Yn dri deg mlwydd o'd, mae fe wedi bod yn rhannu ei amser rhynt Caerdydd, Llundain a Brwsel, lle ro'dd ei ddyweddi'n byw; ro'dd Sara Davies, brodores o Dregaron, yn bennaeth ar swyddfa Jill Evans, Aelod Plaid Cymru o Senedd Ewrop, ac mae hi a Huw newydd briodi.

Mae gan Lowri Angharad, ein merch hynaf, dri o blant, sef Martha Glain a'r efeilliaid Begw Angharad ac Elis Rhys, ac maen nhw'n byw yn Llanllechid ger Bethesda, nepell o gartref Margaret, 'wha'r Ruth, sy'n trigo ar y sgwâr yn Rachub. Mae Lowri, sydd â gradd yn y Gymraeg, yn gynhyrchydd gyda chwmni teledu Rondo ac mae ei gŵr, Gareth Evans, sy'n hanu o Fethesda, yn Bennaeth Cynorthwyol Ysgol Syr Hugh Owen yng Nghaernarfon.

Mae gan Heledd Melangell radd yn y Gymraeg hefyd. Mae hi'n Ddirprwy Brifathrawes Ysgol Gymraeg Pont Siôn Norton ym Mhontypridd ac mae 'da hi ddau o blant, sef Gwenno Angharad a Gethin Emrys; maen nhw'n bwriadu prynu tŷ yn yr Eglwys Newydd cyn bo hir.

Mae Brengain Gwenllian, sydd â gradd mewn Drama a Chymdeithaseg, wedi'i hailhyfforddi fel athrawes; mae hi'n briod ag Aron Evans, sy'n un o Reolwyr-Gyfarwyddwyr y cwmni animeidddio Dinamo. Pump o blant sydd 'da nhw: Elan Meredydd, Rhiannon Wyn, Gwern Arthur, Luned Rhys a Menna Llwyd; maent yn byw yn agos atom yn yr Eglwys Newydd.

Felly, deg o wyrion ac wyresau sydd 'da ni i gyd ac mae pob un yn medru'r Gymraeg – fel y gwyddom yn iawn pan ddônt i Flaen-bedw i ginio dydd Sul a raliganto o gwmpas y tŷ a'r ardd wedyn. Nage pob dysgwr sy'n gallu bragaldian cymaint â hynny; nage pob Cymro iaith-gyntaf 'chwaith. Gobeithio nad wyf wedi bod yn rhy frolgar neu'n rhy hunangyfiawn yn y llyfr hwn (ffaeleddau cyffredin pob hunangofiannwr), ac y byddaf yn cael fy esgusodi am weud fy mod i'n twmlo balchder digymysg yn y ffaith bod ein hwyrion a'n hwyresau yn Gymry.

Un o'm pleserau pennaf y dwthwn hwn yw gwrando ar y plantos yn parablu yn y Gymraeg wrth ishta o gwmpas y ford ym Mlaen-bedw. Beth bynnag yr wyf wedi'i gyflawni dros y blynyddo'dd (ac rwy'n gwrido i feddwl cyn lleied yw fy nghyfraniad mewn gwirionedd), nhw a'u cyfoedion biau'r dyfodol, ac o hyn ymla'n y nhw sydd piau'r byd, a'r rhan fach ohono a elwir yn Gymru. Bo'd iddynt dyfu lan i fod yn ddinasyddion teilwng ac yn garedigion ffyddlon y naill a'r llall ac, oherwydd hynny, fod yr un mor hapus ag y mae eu Bampa wedi bod yma. A nawr maen nhw'n cwnnu eu lleisiau ar yr hynafgwr i dewi a gadael iddyn nhw gael cyfle i weud eu gweud o'r diwedd. Eitha' reit, hefyd.

Diolchiadau

DYMUNAF DDIOLCH I Lenyddiaeth Cymru am ddyfarnu Ysgoloriaeth er mwyn imi ysgrifennu'r llyfr hwn.

Diolch hefyd i'm cyfaill y Prifardd Cyril Jones am ddarllen y gwaith yn ei grynswth cyn ei gyhoeddi.

Ymddangosodd fersiynau o rannau o'r llyfr yn y cylchgronau *Planet* a *Taliesin,* a rhai eraill yn fy llyfr *A Semester in Zion* (Gwasg Carreg Gwalch, 2003).

Ymddangosodd y rhestr o'r protestwyr ar Bont Trefechan yn y cylchgrawn *Y Faner Newydd.*

Diolch hefyd i Lefi Gruffudd a Nia Peris am ganiatáu imi ddefnyddio geirfa ac ymadroddion sy'n perthyn nid i'r iaith safonol ond i'r Wenhwyseg.

Looking up England's Arsehole

The Patriotic Poems and Boozy Ballads of

Harri Webb

Edited by Meic Stephens

£5.95

Am restr gyflawn o lyfrau'r Lolfa, mynnwch
gopi am ddim o'n catalog
neu hwyliwch i mewn i'n gwefan

www.ylolfa.com

lle gallwch archebu llyfrau ar-lein.

TALYBONT CEREDIGION CYMRU SY24 5HE
ebost ylolfa@ylolfa.com
gwefan www.ylolfa.com
ffôn 01970 832 304
ffacs 832 782